De tendres aspirations

Catalogage avant publication de Bibliothèque et Archives nationales
du Québec et Bibliothèque et Archives Canada

Gobeil, Sylvie, 1957-
De tendres aspirations
ISBN 978-2-89585-866-9
I. Titre.
PS8613.O25D4 2016 C843'.6 C2016-940968-6
PS9613.O25D4 2016

Illustration de la page couverture: Luc Normandin

Les Éditeurs réunis bénéficient du soutien financier de la SODEC
et du Programme de crédit d'impôt du gouvernement du Québec.

Nous remercions le Conseil des Arts du Canada
de l'aide accordée à notre programme de publication.

Financé par le gouvernement du Canada | 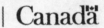 Canada

Édition:
LES ÉDITEURS RÉUNIS
lesediteursreunis.com

Distribution au Canada :
PROLOGUE
prologue.ca

Distribution en Europe :
DILISCO
dilisco-diffusion-distribution.fr

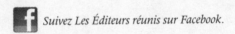 *Suivez Les Éditeurs réunis sur Facebook.*

Imprimé au Canada

Dépôt légal : 2016
Bibliothèque et Archives nationales du Québec
Bibliothèque nationale du Canada
Bibliothèque nationale de France

SYLVIE GOBEIL

De tendres aspirations

LES ÉDITEURS RÉUNIS

À Martine Gobeil, ma cousine, amie et fidèle lectrice.

Se réunir est un début ; rester ensemble est un progrès ;
travailler ensemble est une réussite.

Henry Ford (1863-1947)

Chapitre 1

Marie-Hortense Dionne contemple d'un œil attendri ses enfants qui s'amusent au loin. Assise à l'ombre d'un arbre centenaire, elle profite de cette fin de journée estivale pour s'accorder un moment de répit. *Les dernières semaines ont été éprouvantes,* songe-t-elle avec tristesse. Instinctivement, elle pose une main sur son ventre arrondi, comme pour protéger l'enfant qui grandit en elle. Secrètement, elle espère que cette grossesse sera la dernière. À quarante ans, mère de huit garçons et de quatre filles, l'épouse du seigneur Olivier-Eugène Casgrain estime qu'elle a accompli son devoir. Préconisé par l'Église catholique, le rôle de la femme consiste à mettre le plus d'enfants possible au monde. *J'avais dix-sept ans lorsque Eugène est né. Dire qu'il s'est marié à Philomène il y a deux mois… Le temps passe si vite.* Fermant les yeux pour mieux plonger dans ses souvenirs, elle se revoit petite fille, heureuse et insouciante.

À cette époque, son père était un riche marchand de la Côte-du-Sud pour qui elle éprouvait un mélange de crainte et d'admiration. Il menait ses affaires et les membres de sa famille avec beaucoup de fermeté. Plus d'une fois, la petite Hortense s'était blottie dans les jupes de sa mère pour échapper au regard sévère et à la grosse voix de son père. De stature imposante, Amable Dionne en faisait trembler plus d'un. Autant il pouvait se montrer dur en affaires, autant il faisait preuve de générosité envers sa famille et sa communauté. N'ayant pas eu la chance de fréquenter longtemps l'école, il s'était promis que ses enfants étudieraient dans les meilleurs collèges. Et il avait tenu parole. Avec les années, Hortense avait appris à aimer ce père qui, sous une apparence austère, dissimulait un cœur d'or. Grâce à son sens des affaires et à sa fortune considérable, Amable Dionne avait acquis les seigneuries de La Pocatière et des Aulnaies vers 1830. Il avait fait construire un splendide manoir dans chacune d'elles. « Tout cela vous reviendra ainsi qu'aux enfants après ma mort », répétait-il à sa femme Catherine. Hortense essuie discrètement une larme. Le souvenir du décès de son père, survenu il y a quatre ans, est encore vif. Elle a beau se dire que celui-ci est mort entouré des siens dans son manoir de Sainte-Anne-de-la-Pocatière et qu'il avait atteint l'âge respectable de soixante et onze ans, la douleur n'en est pas moins présente pour autant. *Plus de deux mille personnes ont assisté à ses funérailles. Pauvres et riches ont tenu à lui rendre un dernier hommage,* se dit-elle avec fierté. Elle a une pensée pour sa mère, qui habite le manoir avec la famille d'Élisée, son fils cadet. *J'irai la voir en rendant visite à Georges.* Un large sourire éclaire son visage. Elle ne peut cacher sa joie à l'idée que l'un de ses fils sera ordonné prêtre dans quelques semaines. Compter un prêtre parmi ses enfants, n'est-ce pas le rêve de toute bonne mère catholique ? Hortense s'est réjouie lorsque son deuxième fils lui a fait part de ses intentions. « Tu as pris la bonne décision, Georges. Je sais que tu seras heureux dans ta nouvelle vie », lui avait-elle dit en ne le quittant pas des yeux. Ce garçon ne lui avait jamais causé de soucis. De nature joviale et généreuse, il prenait la vie du bon côté et ne s'apitoyait pas sur son sort. *Bientôt, mon cœur de mère sera comblé. Un prêtre et une religieuse dans la même famille, que demander de mieux ?* Et pourtant, Hortense avait ressenti un pincement au cœur lorsque sa fille Hermine avait prononcé ses vœux de religieuse. « Hermine est trop jeune et Montréal est si loin de chez nous. Pourquoi ne pas avoir choisi une communauté religieuse plus proche ? » avait-elle demandé à son mari lorsqu'ils s'étaient retrouvés dans l'intimité de leur chambre à coucher. Celui-ci avait haussé les épaules en signe d'ignorance. Avec la bénédiction paternelle, l'adolescente de treize ans avait quitté la maison familiale pour prendre le chemin de la Congrégation Notre-Dame de Montréal. Après lui avoir rendu visite à quelques reprises, Hortense avait dû reconnaître que sa fille aînée semblait épanouie et heureuse dans son oasis de paix et de prière. Sœur Sainte-Marie-de-la-Merci n'avait rien de la jeune fille aigrie ou tourmentée, ce qui avait beaucoup rassuré et réconforté sa mère.

Hortense aperçoit son mari qui vient dans sa direction d'un pas énergique et plein d'assurance. Elle ne peut s'empêcher d'admirer sa prestance. *Même coiffé d'un grand chapeau de paille, il a fière allure,* se dit-elle.

— Venez vous asseoir près de moi, l'invite-t-elle gentiment. Il fait si bon.

Olivier-Eugène acquiesce d'un signe de tête.

— Les enfants ne sont pas trop turbulents aujourd'hui? s'enquiert-il.

— Ça leur fait du bien de pouvoir lâcher leur fou. Depuis des jours, ils se morfondent à l'intérieur à cause de la pluie.

— Vous semblez prendre du mieux, constate-t-il en l'observant avec bienveillance. Est-ce l'effet du grand air?

Elle lui sourit avant de répliquer :

— Le retour du beau temps aide à remonter le moral. Mais la douleur d'avoir perdu Pierre-Adolphe ne quitte jamais mon esprit.

Il lui serre la main en guise de réconfort.

— Donnez-vous un peu de temps, Hortense. Son décès date de quelques semaines.

— Il n'a vécu que quatre mois…

— Et il a été malade tout ce temps, lui fait-il remarquer. Rappelez-vous les paroles du médecin lorsque notre fils est né.

— Je sais, Eugène. Il lui donnait bien peu de chances de survivre. Un an, tout au plus.

Ne souhaitant pas que sa femme replonge dans son chagrin, le seigneur de L'Islet lui murmure à l'oreille :

— Concentrez-vous sur ceux qui restent. Ils ont besoin d'une mère aimante.

Ces derniers mots ont l'effet escompté. Hortense redresse le dos et les épaules.

— Vous avez raison, Eugène. Je dois surmonter mon chagrin. J'ai négligé les enfants ces derniers jours. Cela ne se reproduira plus, je vous le promets.

Un coup d'œil à son époux lui démontre qu'il ne la juge pas. *Père n'aurait pu choisir un meilleur homme pour moi.* Un silence apaisant s'installe. Hortense regarde son mari bourrer consciencieusement sa pipe. Son esprit la ramène vingt-quatre ans en arrière.

Par une matinée froide et pluvieuse de mai 1832, elle avance au bras de son père dans l'église de Kamouraska. Olivier-Eugène Casgrain tourne vers elle un visage souriant. Elle le trouve élégant dans sa redingote noire et son haut-de-forme en soie. Timidement, elle baisse les yeux tout en continuant d'avancer vers lui et le prêtre qui l'attendent au pied de l'autel. À quinze ans, Hortense Dionne est la première des enfants d'Amable Dionne et de Catherine Perrault à se marier. La jeune fille s'est pliée à la décision pater-nelle en s'abstenant de tout commentaire désobligeant, même si elle se trouve bien jeune pour se marier et qu'elle n'a pas choisi l'élu de son cœur. Son futur époux est à la fois notaire et seigneur. La famille Casgrain a longtemps été associée en affaires avec celle des Dionne. Seule consolation pour la jeune fille : l'homme qu'elle va épouser n'a que cinq ans de plus qu'elle. Hortense avait craint de marier un vieil homme bedonnant au crâne dégarni et à l'oreille un peu sourde. Dans l'église sombre et humide, Hortense Dionne unit sa destinée à celle d'Olivier-Eugène Casgrain, le cœur un peu plus léger. Elle envisage l'avenir avec moins d'appréhension. L'homme qui se tient à ses côtés lui semble bon et honnête. Il a un regard franc et direct. Elle sourit à ses trois sœurs. Pensionnaires chez les Ursulines de Québec, Hénédine, Adèle et Olympe ont obtenu une permission spéciale pour assister au mariage d'Hortense. La jeune fille salue respectueusement madame Taché et son fils Pascal-Achille assis sur le banc seigneurial.

Père a versé une dot de huit mille dollars dans la corbeille de mariage. Une somme considérable et alléchante pour le futur époux, ne peut-elle s'empêcher de penser.

— À quoi songez-vous? demande soudain Eugène, l'arrachant à ses souvenirs.

— Au passé, répond-elle en lui adressant un petit sourire énigmatique.

— Mais encore.

Elle agite son éventail un moment, le regard au loin.

— M'auriez-vous épousée si ma dot avait été réduite de moitié?

— Vous croyez que je vous ai mariée pour votre argent?

— Ne me répondez pas par une autre question, Eugène.

— Je cherchais une femme bien éduquée, charmante et de physique agréable. Vous correspondiez à mes attentes. Je vous ai trouvé spirituelle et ravissante dès notre première rencontre.

— Nous nous sommes fréquentés si peu de temps.

— Suffisamment pour me faire une opinion à votre sujet.

La sentant perplexe, il ajoute:

— Jamais je n'aurais consenti à épouser une femme dénuée d'esprit et de qualités de cœur. Et ce, même si la dot avait été encore plus importante. L'argent n'était pas à négliger. Je mentirais en prétendant le contraire, mais il venait en second dans mon ordre de priorité.

— Votre sincérité vous honore et me va droit au cœur.

Il lui baise tendrement la main.

— Pourquoi ne pas m'avoir posé cette question bien avant ?

— J'attendais le moment propice, répond-elle simplement.

Au bout d'un moment, Eugène fait mine de se lever.

— L'après-midi tire à sa fin. Vous devriez rentrer et vous étendre un peu avant le souper.

— Mais je ne suis pas fatiguée, proteste-t-elle.

— Dans votre état, mieux vaut ne pas courir de risque. Le médecin a été formel. Il a recommandé le repos et le moins d'efforts possible.

— Ce bon docteur semble oublier que j'ai mis au monde douze enfants sans en perdre un seul à la naissance. Et je n'ai pas passé mes grossesses alitée dans ma chambre à fixer le plafond.

— Ce n'est pas ce qu'il vous demande. Vous pouvez vous adonner à la musique, à la broderie…

Il n'a pas le temps de terminer sa phrase que des cris qui n'ont plus rien de joyeux se font entendre.

— Encore Edmond et Léonce qui se chamaillent, soupire le père de famille. Ne bougez pas, je vais régler ce petit différend.

Eugène s'éloigne au pas de course pour aller séparer les belligérants. En apercevant leur père venir en leur direction, les deux frères cessent aussitôt le combat et prennent un air contrit. Incapable de saisir les propos échangés entre son mari et ses fils, Hortense ne peut qu'observer la scène de loin. À son habitude, Edmond gesticule en parlant alors que Léonce se tient immobile, les bras croisés sur sa poitrine. Après quelques minutes, elle les voit se serrer la main. Le geste semble un peu forcé. *L'important, c'est qu'ils se soient réconciliés,* pense la mère, qui déteste les conflits. Son regard se pose sur sa fille Eugénie qui n'ose bouger, comme si elle attendait une permission pour le faire. *À douze ans, cette enfant fait preuve d'une telle sagesse. Suivra-t-elle les traces de sa sœur Hermine?* s'interroge Hortense. Eugène fait à sa femme un geste de la main pour lui signifier que la paix est revenue. Le petit groupe se dirige tranquillement vers elle. Avec précaution, Hortense se lève et va à leur rencontre. Ayant déjà oublié leur dispute, Edmond et Léonce bavardent gaiement. Remerciant son mari du regard, elle glisse son bras sous le sien pour rentrer au manoir. Bien que la demeure de son mari ne soit pas aussi imposante que celle de son père, Hortense s'y sent bien. Surtout lorsque la maison est remplie de monde et que la musique bat son plein. Tout comme sa femme, Eugène aime recevoir parents et amis, que ce soit pour un repas ou pour une nuit. Mais ces dernières semaines, le manoir du seigneur Casgrain s'est fait bien silencieux. Hortense soupçonne son époux d'y être pour quelque chose. *Il a sans doute demandé à son frère et à ses sœurs de suspendre momentanément leurs visites afin de ne pas me fatiguer. Pourtant, un peu de compagnie m'aiderait à passer le temps et à me sentir moins isolée.*

* * *

Depuis la naissance de Gustave-Adolphe survenue en février 1857, Hortense se sent revivre. Elle n'a pas mis de temps à se remettre sur pied. « Le lit, c'est terminé ! a-t-elle clamé un matin à la servante qui tentait de la convaincre du contraire. J'y suis restée assez longtemps. » D'un geste décidé, elle a repoussé ses couvertures. Après avoir glissé ses pieds dans des mules et enfilé un peignoir, Hortense s'est levée sans éprouver le moindre malaise. Ses forces et l'appétit lui sont revenus rapidement. Tous les matins, si le temps le permet, elle fait quelques pas à l'extérieur. Respirer l'air salin du fleuve lui fait le plus grand bien. « N'allez pas trop loin, vous n'êtes pas tout à fait remise de votre accouchement », lui avait recommandé Eugène le premier jour. «Ne craignez rien, je n'abuserai pas de mes forces», lui avait-elle répondu en le gratifiant d'un sourire.

Les semaines ont passé et l'été s'est installé. Hortense a pu renouer avec son passe-temps préféré : le jardinage. Chaque année, elle prend un soin jaloux des fleurs qui poussent autour du manoir. Coiffée d'un chapeau de paille à large bord, elle passe de longs moments au jardin, souvent seule, parfois en compagnie de Clara. Patiemment, elle explique à sa fille de quatre ans les soins qu'il faut apporter à chaque plante pour qu'elle soit belle et en santé. La fillette écoute attentivement sa mère tout en arrosant avec précaution les fleurs. Elle prend son rôle très au sérieux. Hortense la surveille du coin de l'œil et se réjouit que la plus jeune de ses filles démontre un intérêt pour le jardinage. *Clara est encore bien jeune, mais elle est plus enthousiaste que ses sœurs l'étaient au même âge. Cette année, elle m'aidera à choisir les plus belles fleurs pour orner les autels de l'église*, se promet la mère. Depuis son mariage, Hortense voit à fleurir l'intérieur de l'église et ne laisse personne d'autre s'en occuper. «Je suis l'épouse du seigneur de L'Islet, il est normal que cette tâche m'incombe», avait-elle expliqué au curé lorsqu'elle lui avait fait part de ses intentions. Celui-ci lui avait donné la permission d'un signe de tête. Profitant du passage d'Hortense à l'église, le prêtre lui avait proposé de chanter durant les messes. «On m'a dit que vous possédiez une voix superbe, madame Casgrain. Il serait dommage de ne pas la mettre au service de la communauté.» Hortense n'avait eu d'autre choix que d'accepter la demande du curé. Quant à Eugène, il ressent une bouffée de fierté chaque fois que la voix cristalline de son épouse accompagne les cantiques religieux des messes dominicales.

Chapitre 2

Hortense a tenu à passer quelques jours auprès de sa mère. Eugène la reconduit à la diligence après les funérailles de Louise-Adèle. Durant le trajet, Hortense retient difficilement ses larmes. La perte de sa sœur l'afflige. *Heureusement, Adèle n'était pas seule. Caroline est venue prendre soin d'elle tous les jours depuis sa maladie. Pauvre Adèle ! Son agonie a été longue et pénible. D'après Caroline, elle était constamment à bout de souffle et faisait peine à voir,* songe tristement Hortense. La jeune femme se sentait si proche d'Adèle, sa cadette d'un an. Une belle complicité les unissait. Toutes les deux avaient fait un bon mariage. Alors qu'Eugène Casgrain avait délaissé le notariat pour s'occuper à temps plein de sa seigneurie, Jean-Thomas Taschereau s'était investi à fond dans sa profession. Le mari d'Adèle était devenu juge de la Cour supérieure en 1855. Le couple avait toujours vécu à Québec. Dans la diligence qui file vers la Côte-du-Sud, Hortense s'inquiète pour les trois enfants de sa sœur. Ils lui ont paru désemparés durant les funérailles de leur mère. Elle tente de se changer les idées, mais n'y parvient pas. Par moments, elle somnole. Le son puissant du cor la fait sursauter. Il annonce l'arrivée de la diligence au bureau de poste de Sainte-Anne-de-la-Pocatière. Hortense se redresse sur son siège et remet de l'ordre dans sa tenue. Le voyage a été long et pénible. Elle frotte ses épaules endolories, malmenées par les cahots de la route. Le dégel printanier a rendu la route presque impraticable. Hortense est la première passagère à descendre de la voiture. Le conducteur s'affaire à décharger le toit utilisé comme porte-bagages. L'homme porte un capot en peau de mouton noué à la taille par une ceinture fléchée rouge vif. De nature joviale, il sifflote tout en travaillant. Hortense envie sa joie de vivre. Une main se pose soudain sur son épaule. En se retournant, elle aperçoit son frère Élisée.

— Comment as-tu su que je viendrais? lui demande-t-elle, surprise.

— Eugène nous a envoyé une dépêche télégraphique. Viens, ne restons pas ici.

D'une main, il récupère le bagage de sa sœur et de l'autre, il l'entraîne vers la calèche. Le cheval piaffe d'impatience en les apercevant. Hortense se dépêche de monter dans la voiture. Élisée grimpe à son tour et saisit les rênes qu'il secoue d'un mouvement sec pour inciter le cheval à avancer. La bête obéit. Concentré sur la route, l'homme ne dit mot. Hortense se protège le visage avec son écharpe. Elle regrette sa cape à capuchon qui l'aurait mieux gardée au chaud que ce manteau court en laine. Le temps s'est refroidi depuis la veille. Elle frissonne.

— Comment va mère? s'informe-t-elle après un long silence.

— Pas très bien. Elle mange à peine et s'isole dans sa chambre. Je suis soulagé que tu sois venue. Ta présence va sûrement la réconforter.

— Je l'espère.

À la vue de la grande maison en pierre, Hortense serre les lèvres pour contenir son émotion. Tant de beaux souvenirs se rattachent à cette demeure. Mais aujourd'hui, la gaieté n'est pas au rendez-vous. Elle ne peut s'empêcher d'admirer l'imposante façade.

— Tout est si beau! s'exclame-t-elle. Mère doit être soulagée que tu vives tout près et que tu voies à tout.

— Cette maison m'appartiendra un jour, tient-il à lui rappeler. Il est normal que je prenne soin de mon bien.

— Bien sûr, se contente-t-elle de répondre.

À la mort de son père, Élisée est venu vivre au manoir en compagnie de sa jeune épouse Clara. En héritant de la seigneurie, il devenait le nouveau seigneur de La Pocatière. Amable Dionne n'avait eu que deux fils. À l'aîné, il avait légué la seigneurie de Saint-Roch-des-Aulnaies et au cadet, celle de La Pocatière. Élisée et Clara étaient demeurés deux ans au manoir de La Pocatière avant d'emménager dans une maison située à une distance d'un demi-mille. Le couple a déjà quatre garçons dont l'âge varie entre un et sept ans. De nouveau enceinte, Clara souhaite cette fois-ci mettre au monde une fille.

Dès qu'elle franchit le portail du manoir, Hortense est accueillie par Angélique.

— Madame Eugène ! C'est votre mère qui va être contente.

Le visage franc et ouvert de la vieille servante apaise Hortense qui se jette aussitôt dans ses bras. La toux discrète d'Élisée la rappelle à l'ordre. À regret, elle s'écarte. Un bruissement de jupes lui signale l'arrivée de sa belle-sœur. Celle-ci affiche un sourire poli.

— Je lisais au salon en t'attendant. As-tu fait bon voyage ? s'enquiert la jeune femme de vingt-six ans.

— Les chemins étaient mauvais. Je ne suis pas fâchée d'être arrivée.

— Angélique a préparé ta chambre. Tu peux aller te rafraîchir si tu le souhaites.

— C'est gentil, mais je préfère voir ma mère pour l'instant. Élisée m'a prévenue qu'elle passe ses journées repliée sur elle-même.

Clara hoche la tête.

— J'ai tout essayé pour qu'elle quitte sa chambre. Rien à faire.

La jeune femme baisse la voix.

— À mon avis, madame Dionne se sent coupable de ne pas avoir assisté aux funérailles d'Adèle.

— Le trajet aurait été trop long et trop fatigant pour une femme de son âge, l'interrompt son mari. Mère a soixante-quatorze ans. Nous avons pris la bonne décision en restant ici.

Son ton ferme et un peu sec n'incite pas Clara à argumenter. Hortense a pitié de sa belle-sœur et prend son parti.

— Ta femme a raison, Élisée. Mère aurait sûrement voulu être présente. C'est la troisième de ses filles qui décède. Toutes ont été enterrées à Québec. Cela fait loin pour aller se recueillir sur leurs tombes.

Ne lui laissant pas le temps de répliquer, elle confie son manteau, ses gants et son chapeau à la domestique, puis monte l'escalier menant à la chambre de sa mère. Après avoir frappé un coup discret à la porte, elle entre sans attendre de réponse. La pièce est plongée dans une semi-obscurité. Quelques rayons de lumière percent les persiennes closes. Catherine Perrault est assise près de l'âtre et semble somnoler. Hortense s'approche doucement.

— Bonsoir mère, dit-elle tout bas en posant une main sur son bras.

La vieille dame ouvre les yeux et reconnaît sa fille.

— Hortense ! Tu es là depuis longtemps ? demande-t-elle d'une voix éteinte.

— Quelques minutes seulement.

Tassée dans son fauteuil, la veuve d'Amable Dionne a une mine affreuse. *Comme si toute vie l'avait quittée*, songe Hortense, le cœur serré.

— Comment était-ce ?

Hortense s'attendait à cette question bien légitime. Elle répond avec un calme qu'elle est loin de ressentir :

— Une belle cérémonie, sobre et discrète, à l'image d'Adèle. La chapelle des Ursulines était pleine de monde. Les religieuses ont chanté magnifiquement.

— Ma seule consolation, c'est qu'elle repose auprès d'Henriette. Tes deux sœurs sont réunies.

L'image de la fille aînée de la famille Dionne s'impose à l'esprit d'Hortense. Morte de consomption en 1838, quelques mois après la naissance de son seul enfant, Henriette n'avait que vingt-trois ans à son décès. Elle avait été inhumée dans l'église des Ursulines de Québec. Selon ses dernières volontés, l'enfant avait été confié à ses grands-parents Dionne et aux bons soins de sa tante Olympe en attendant que son père, Georges Desbarats, puisse s'occuper de lui. *Henriette serait fière de son garçon. Édouard est devenu un beau jeune homme de vingt-trois ans qui a choisi de s'associer à son père dans le domaine de l'imprimerie.*

Hortense observe discrètement sa mère. Des larmes coulent sur les joues de la vieille dame. Sans prononcer un mot, sa fille lui tend un mouchoir.

— Merci, murmure la veuve en s'épongeant les yeux. Promets-moi une chose, Hortense.

— Laquelle, mère ?

— Celle de prendre soin de ta santé. Trois de tes sœurs ont été emportées par une maladie de poitrine. Je ne veux pas qu'il t'arrive le même sort.

Touchée par cet élan du cœur, Hortense s'agenouille devant sa mère et pose sa tête sur les genoux de celle-ci.

— Mourir après ses enfants est la pire chose qui puisse arriver à une mère, affirme Catherine Perrault en caressant les cheveux de sa fille. Je ne le souhaite à personne. La mélancolie qui s'empare de nous devient profonde, lancinante. Elle nous enlève tout entrain et toute joie de vivre.

Hortense se redresse et prend les mains de sa mère entre les siennes.

— Ne vous laissez pas porter par le découragement, mère. Vous traversez une période difficile, mais elle ne durera pas éternellement. Adèle a toujours eu une santé délicate. Ces derniers temps, elle souffrait beaucoup. Jean-Thomas était à son chevet, ainsi que ses deux fils, lorsqu'elle a rendu l'âme. Son mari m'a confié qu'elle implorait Dieu de venir la chercher depuis un moment.

— Jean-Thomas t'a vraiment dit ça? s'étonne la vieille dame.

— Pourquoi vous mentirais-je? Il était très affecté par le décès d'Adèle. Je l'ai senti brisé par la peine.

— Il s'en remettra. Comme tous les hommes qui perdent leur femme prématurément, il se remariera bien vite.

Le ton amer de Catherine surprend sa fille.

— L'homme n'est pas fait pour vivre seul, Hortense. Il a besoin d'une présence féminine à ses côtés. Ton père aurait fait la même chose si j'étais partie avant lui. Regarde autour de toi, tu verras que plusieurs veuves ne se remarient pas. Il faut croire que les femmes apprécient la liberté dont elles ont été privées depuis leur naissance. En se mariant, elles passent de la tutelle de leur père à celle de leur époux. Une fois veuves, elles ne dépendent plus d'un homme et peuvent agir à leur guise.

Hortense reste sans voix. *Plaisante-t-elle ou pense-t-elle vraiment ce qu'elle vient de dire?*

— Par ton regard ahuri, j'en déduis que mes propos t'ont secouée. T'aurais-je scandalisée?

— Plutôt étonnée, rectifie Hortense. Un tel discours ne vous ressemble pas, mère.

— Et pourquoi donc? Je n'ai fait qu'exprimer à voix haute ce que bien des femmes pensent. Que nous a-t-on appris depuis l'enfance, sinon à être soumises et obéissantes, réservées et silencieuses? Lorsque l'occasion se présente de gagner de l'indépendance, il serait bête de ne pas la saisir.

— Avez-vous été si malheureuse auprès de père?

— Ton père n'était pas un homme méchant. Il ne m'a jamais maltraitée. Je n'ai manqué de rien. Mais j'ai vécu dans son ombre. Je me suis effacée pour lui donner toute la place.

Elle s'interrompt pour prendre la carafe et se verser un verre d'eau qu'elle boit ensuite à petites gorgées.

— Comprends-moi bien, Hortense. Je ne jette pas le blâme sur ton père et je n'essaie pas de le discréditer à tes yeux. Il a agi comme les hommes de son époque. Il n'était ni pire ni meilleur que les autres.

— Père était un homme important dans la région. Il se devait d'user d'autorité.

— Je n'ai jamais mis son autorité en question, réplique la veuve d'Amable Dionne. Combien de temps restes-tu? demande-t-elle, désireuse de clore le sujet.

— Je ne sais pas. Quelques jours, peut-être une semaine.

— Bien, j'en suis heureuse.

Catherine Perrault passe soudain une main sur son front et ferme les yeux.

— Êtes-vous souffrante, mère?

— Cette pendule me donne mal à la tête. Je ne supporte plus son tic-tac agaçant qui résonne dans la chambre à tout moment. Il m'empêche de dormir la nuit.

Hortense se lève et récupère l'objet de bronze posé sur la cheminée de marbre noir.

— Elle ne vous importunera plus. Je verrai à ce qu'on lui trouve un autre endroit.

— Merci. Si cela ne t'ennuie pas, je ferais une petite sieste.

— J'allais vous le proposer. Je vais en profiter pour vider ma trousse de voyage. À bientôt, mère, murmure sa fille qui dépose un tendre baiser sur la joue fanée.

Une fois la porte refermée, Hortense s'y appuie le dos quelques secondes. *Jamais je n'aurais imaginé que ma mère puisse entretenir de telles idées d'émancipation. Surtout à son âge…*

— Mais que faites-vous avec cette pendule dans les bras? chuchote Angélique.

Hortense s'écarte de la porte et tend l'objet encombrant à la domestique.

— Ma mère ne veut plus la garder dans sa chambre. Son tic-tac bruyant lui tape sur les nerfs. Mets cette pendule dans une autre pièce. Au boudoir, précise-t-elle après un instant de réflexion.

— Bien, madame Eugène. Votre chambre est prête. J'ai défait votre malle et suspendu vos robes dans la penderie.

— Toujours aussi efficace, ma bonne Angélique, répond Hortense en la gratifiant d'un sourire reconnaissant.

***

Après une semaine au manoir de La Pocatière, Hortense commence à trouver le temps long. Elle a hâte de retrouver ses enfants et son mari. Un après-midi, alors qu'elle est au salon avec sa mère, elle aborde le sujet.

— Il est temps pour moi de retourner à L'Islet, déclare-t-elle en fixant le soleil qui décline à l'horizon.

— Tu t'ennuies à ce point en ma compagnie?

Hortense tourne la tête vers sa mère et surprend son regard moqueur. Heureuse de constater que la vieille dame a retrouvé son sens de l'humour, elle répond en souriant:

— Bien sûr que non. Je suis heureuse d'être auprès de vous. Mais toute bonne chose a une fin, comme dit le proverbe. Je n'aime pas m'absenter trop longtemps et laisser les domestiques livrés à eux-mêmes. Ils ont besoin d'être encadrés afin que le travail soit bien fait.

— Tu as toujours su tenir maison et commander adéquatement tes domestiques. Je ne pense pas que quelques jours d'absence feront une grande différence.

— Peut-être, mais je préfère ne courir aucun risque. Et puis, vous me semblez en bien meilleure forme qu'à mon arrivée.

— Ta présence m'a fait du bien. Ensemble, nous avons échangé de vieux souvenirs et parlé d'une façon sereine de tes sœurs décédées. J'ai même ri à certains moments. Ce n'est pas avec Élisée ou sa femme que je me permettrais un tel épanchement. Ces deux-là sont si collet monté!

— Vous exagérez, mère, proteste mollement Hortense. J'admets que mon jeune frère est parfois strict, mais Clara me semble moins rigide.

— Ce n'est pas toi qui dois les supporter, grommelle sa mère. Ces deux-là sont tristes comme un éteignoir. Et ils se demandent pourquoi je m'isole dans ma chambre ! Là au moins, je ne vois pas leurs visages renfrognés.

— Mais pourquoi vous couper ainsi du reste du monde ? Même si Élisée a hérité de la seigneurie à la mort de père, nous avons tous convenu de vous verser une rente viagère et de vous laisser vivre au manoir tant et aussi longtemps que vous le souhaiterez. Pourquoi ne pas y donner de belles fêtes familiales comme vous le faisiez auparavant ? Chaque occasion de l'année était prétexte à la fête. Tout le monde s'amusait ferme.

Catherine Perrault réfléchit un moment avant d'affirmer d'un ton énergique :

— Tu as raison. Cette maison a grand besoin d'être égayée. La musique, les chants, la danse, les rires des enfants doivent résonner de nouveau dans chaque pièce. Dès que la belle saison reviendra, je vous inviterai tous. Nous ferons de belles promenades au verger et au jardin.

Le visage de la veuve rayonne de bonheur. *Je l'ai rarement vue si enthousiaste,* se réjouit sa fille. Comme si elle lisait dans les pensées d'Hortense, la vieille dame ajoute en lui adressant un clin d'œil :

— Ta suggestion n'est pas entrée dans l'oreille d'une sourde. Le manoir de La Pocatière sera de nouveau un endroit où il fait bon vivre. Élisée et Clara devront se faire à l'idée et regagner leur maison.

Hortense admire sa détermination. *Je peux maintenant rentrer chez moi le cœur plus léger. Mère ne se laissera pas mourir de chagrin. Elle s'est donné une mission et elle réussira.*

Chapitre 3

Le 2 juin 1861, à Saint-Thomas de Montmagny, naît le cinquième enfant de Jean-Baptiste Gaudreau et de Marie-Caroline Létourneau. « Nous l'appellerons Emma », décide la mère épuisée, mais heureuse de tenir dans ses bras un bébé débordant de vitalité. Chacun de ses accouchements a été difficile et celui-ci encore plus. Chaque fois, la femme de Jean-Baptiste se dit que ce sera le dernier. Mais dès qu'elle aperçoit le nouveau-né, elle oublie les douleurs de l'enfantement et sent vibrer en elle la fibre maternelle.

Ce matin-là, le soleil entre par la fenêtre. La jeune mère de vingt-deux ans peine à garder les yeux ouverts. Les dernières nuits, elle a dormi d'un sommeil agité, ne parvenant pas à trouver de position confortable. Une femme bien en chair entre dans la pièce et s'approche du lit en arborant un sourire éclatant.

— Je suis venue dès que j'ai su. Félicitations, ma petite sœur ! Ta fille est magnifique. Puis-je la prendre ? demande la visiteuse.

— Bien sûr, tu es sa marraine.

L'enfant dans ses bras, Marie-Clémentine pose un regard tendre sur sa filleule.

— Qu'elle est mignonne ! Tu as le don de faire de beaux enfants, Caroline.

— Jean-Baptiste y est aussi pour quelque chose.

— Ben oui, un enfant, ça se fait à deux, je ne dis pas le contraire. Mais tu y as mis ton grain de sel pour en faire une recette gagnante. Comment s'appellera cette huitième merveille du monde ?

Habituée au franc-parler de sa sœur, Marie-Caroline ne lui en tient pas rigueur.

— Emma.

— C'est joli et ça change des prénoms composés. Deux syllabes à prononcer, c'est moins compliqué et plus facile à retenir. Emma Gaudreau, ça sonne bien à l'oreille. Bon, c'est bien beau tout ça, mais il faut se dépêcher de faire baptiser cette belle enfant-là. Sais-tu quand le parrain arrivera ?

— Jean-Baptiste est allé le chercher. Ils ne devraient plus tarder.

— Comment me trouves-tu ? J'ai mis ma robe du dimanche pour le baptême de ta fille. Ce n'est pas tous les jours qu'on a la chance d'être dans les honneurs.

— Tu es parfaite, répond la jeune mère, étourdie par le bavardage incessant de sa sœur.

Marie-Clémentine est un véritable moulin à paroles. Elle contraste avec son mari qui « ménage ses mots », selon l'expression de sa femme. Mais lorsqu'il est temps de rendre service, elle ne se fait pas prier pour offrir son aide. Comme c'est le cas aujourd'hui.

— Tiens, ce sont eux ! s'exclame d'une voix stridente la marraine d'Emma. Repose-toi en notre absence, ma belle.

Après le départ de sa sœur, Marie-Caroline pousse un soupir de soulagement. *Enfin le silence !* Tout est redevenu calme dans la maison. Ses trois autres enfants ont été confiés à la voisine jusqu'au lendemain. La femme de Jean-Baptiste Gaudreau savoure cet instant de paix, elle qui a si peu l'occasion d'avoir du temps pour elle. Pourtant, elle ne se plaint pas de son sort. Onzième d'une famille de douze enfants, Marie-Caroline Létourneau n'a pas été élevée dans la ouate. Très tôt, elle a appris le sens des mots *travail* et *partage*. Son père, un cultivateur de Saint-Pierre-de-la-Rivière-du-Sud, avait de la difficulté à joindre les deux bouts et tenait serrés les cordons de la bourse. À la maison, chaque enfant devait collaborer. Les garçons travaillaient au champ avec leur père, tandis que les filles aidaient leur mère dans les multiples tâches domestiques. Marie-Caroline garde peu de souvenirs de son père. Il est décédé alors qu'elle n'avait même pas deux ans. Sa mère s'est remariée l'année suivante, la tâche étant trop lourde pour une femme seule avec plusieurs enfants à sa charge. Elle avait besoin de bras masculins pour l'épauler dans son quotidien. Les frères et les sœurs de Marie-Caroline se sont mariés les uns après les autres et sont devenus cultivateurs, comme leurs parents. À l'exception de Marie-Darie, décédée à dix-sept ans dans la prison de Québec. Marie-Caroline avait dix ans au décès de sa sœur. Elle aurait voulu en savoir plus sur celle que l'on surnommait Dorille. Chaque fois qu'elle questionnait sa mère ou l'une de ses sœurs à ce sujet, elle n'obtenait pas de réponse. Comme s'il ne fallait pas prononcer ce prénom à la maison. Qu'avait donc fait Marie-Darie pour mériter un tel sort? Pourquoi avait-elle gagné la grande ville plutôt que de demeurer à Saint-Pierre-de-la-Rivière-du-Sud? Avait-elle été contrainte de quitter la maison familiale? Était-elle partie à Québec pour cacher une grossesse illégitime et mettre au monde un enfant issu du péché dans l'anonymat? Tant de suppositions qui n'avaient jamais été éclaircies! Marie-Darie restait un mystère. Tout ce dont Marie-Caroline se souvenait, c'étaient des larmes intarissables que sa mère avait versées lorsqu'on était venu la prévenir du décès de la jeune femme survenu le 3 octobre 1849. Dorille avait été inhumée trois jours plus tard dans le cimetière Saint-Louis. Ce cimetière de Québec avait été ouvert en 1832 pour enterrer les corps de ceux qui mouraient du choléra. Cette année-là, l'épidémie s'était étendue dans tout le pays et avait semé un vent de panique au sein de la population. Riches et pauvres craignaient cette maladie foudroyante qui rendait les cadavres bleus. L'été 1849 avait aussi été marqué par une épidémie de choléra qui avait fait plus de mille victimes à Québec. Marie-Darie Létourneau était l'une d'elles. *Pourquoi penser à tout ça aujourd'hui? Ressasser tous ces vieux souvenirs me fait plus de mal que de bien,* se dit la jeune accouchée. *Mieux vaut suivre le conseil de Clémentine et dormir un peu avant le retour de Jean-Baptiste et des autres.* Les paupières lourdes, elle ne met pas de temps à s'assoupir.

Réveillée en sursaut par le rire de sa sœur, elle se redresse d'un bond et tend l'oreille. Des bruits de conversation lui parviennent. Elle reconnaît la voix de son beau-frère. *Je ne rêve pas, tout le monde est de retour de l'église.* Étouffant un bâillement, elle se lève, enfile sa vieille robe de chambre et ses pantoufles usées. Elle fonctionne au ralenti, la tête lui tourne légèrement. À petits pas prudents, elle se rend à la cuisine. Assis autour de la grande table, tout le monde bavarde gaiement, alors que la petite Emma repose dans les bras de sa marraine. Jean-Baptiste verse généreusement dans des gobelets le vin de cerise qu'il garde pour les grandes occasions. Dès qu'il aperçoit sa femme, il suspend son geste et s'empresse de lui tirer une chaise.

— Viens t'asseoir, lui murmure-t-il de sa voix un peu rude.

— Comme c'est beau de voir un homme aussi prévenant! s'écrie Clémentine. Profites-en, Caro. Avec les années, ça change.

Tout le monde éclate de rire, y compris Jean-Baptiste. La bonne humeur règne dans la pièce ensoleillée.

— As-tu dormi un peu?

Caroline sourit à son mari.

— Oui et ça m'a fait du bien. Racontez-moi comment s'est déroulée la cérémonie à l'église.

— Comme sur des roulettes, répond Prosper Gaudreau, le frère de Jean-Baptiste.

— La petite a-t-elle pleuré?

— Et comment! s'exclame le parrain. Jamais je n'aurais imaginé qu'un si petit corps pouvait émettre un tel vacarme.

— C'est bon signe, ça prouve qu'Emma a de bons poumons et que, plus tard, elle ne se laissera pas manger la laine sur le dos. Ce sera une femme de caractère, tout comme sa marraine, affirme Clémentine en déposant un baiser sonore sur le front de l'enfant.

Il n'en faut pas plus pour réveiller Emma.

— Donne-la-moi. Elle a sans doute faim.

Dès que l'enfant commence à téter le sein de sa mère, la conversation reprend de plus belle, ponctuée de grands éclats de rire. Caroline se sent heureuse. Certes, la vie n'est pas toujours facile. Il faut besogner dur sur une terre et ne pas compter ses heures. C'est le lot de tous les cultivateurs. La jeune femme observe son mari qui discute avec son frère. *Nous sommes mariés depuis huit ans et jamais Jean-Baptiste ne m'a déçue. C'est un bon travailleur, un bon père de famille. Il n'abuse pas de la bouteille et il est de bonne compagnie.* Caroline n'avait que quatorze ans à son mariage. Elle se souvient combien elle était intimidée par ce grand gaillard de quatorze ans son aîné durant les premières semaines de vie commune. Peu à peu, il avait su gagner sa confiance, suffisamment pour qu'un enfant voie le jour quelques mois plus tard. Malheureusement, cette petite fille était morte peu de temps après sa naissance. «Tu en auras d'autres», lui avait dit sa mère pour la réconforter. Caroline avait ravalé ses larmes, confiant sa peine à un journal intime qu'elle dissimulait sous le lit. Pourtant, elle n'avait pas besoin de le cacher puisque Jean-Baptiste ne savait ni lire ni écrire. Elle était reconnaissante à ses parents de lui avoir permis de fréquenter la petite école de rang. *Mes enfants auront eux aussi cette chance, même si Jean-Baptiste et moi devons nous priver pour y parvenir. L'instruction, c'est important,* pense-t-elle en posant son regard sur Emma.

Chapitre 4

— Dépêche-toi, Edmond. Nous sommes déjà en retard.

— J'arrive dans deux minutes, maman.

Au bas de l'escalier, Hortense fait les cent pas. « Quand donc apprendra-t-il à être ponctuel ? » grommelle-t-elle. Vêtue de bourgogne de la tête aux pieds, les cheveux dissimulés sous un large chapeau à plumes, la femme de quarante-sept ans consulte sa montre-médaillon pour la troisième fois. D'un geste impatient, elle la remet dans son corsage. Elle, qui s'est toujours fait un point d'honneur d'être à l'heure, tolère difficilement qu'il en soit autrement pour son fils.

Assis confortablement au salon, Eugène Casgrain feuillette le journal et semble indifférent à ce qui l'entoure. Hortense le rejoint.

— Je constate que le retard de votre fils ne vous préoccupe guère, laisse-t-elle tomber d'une voix sèche.

Le seigneur de L'Islet lève les yeux de son journal.

— Ce ne sont pas quelques minutes de plus ou de moins qui feront une grande différence. N'en faites pas tout un plat.

Mécontente de cette réponse, sa femme fronce les sourcils.

— Chaque année, c'est la même histoire. Edmond se fait un malin plaisir de prendre tout son temps le jour de la rentrée scolaire. Ses frères ne se comportaient pas ainsi.

— Il faut croire que le collège l'attire moins. Ce ne sont pas tous les jeunes qui aiment la vie au pensionnat.

— Il devra s'y faire, tranche la mère. De plus, c'est sa dernière année au collège. Il a dix-huit ans, ce n'est plus un enfant. Vous ne pensez pas qu'il est temps pour lui d'agir en adulte?

Au moment où Eugène s'apprête à répliquer, des bruits de pas se font entendre.

— Je suis prêt, maman.

Hortense tourne la tête et aperçoit son fils. Habillé sobrement, les cheveux propres et bien placés, elle lui trouve des airs de ressemblance avec Eugène. *La même élégance*, pense-t-elle pendant que son époux dépose le journal sur la table devant lui, puis se lève en accueillant Edmond d'un sourire.

— Ce n'est pas trop tôt, ronchonne la mère. Ta malle est déjà hissée à l'arrière de la voiture. Le cocher nous attend. Dépêchons!

Elle quitte la pièce dans un bruissement de jupes. Le père et le fils échangent un regard de connivence avant de lui emboîter le pas. Dehors, il fait un temps splendide. Edmond n'est pas pressé de partir. Il passerait volontiers la journée au grand air. Une fois ses parents installés dans la calèche, il n'a d'autre choix que d'y grimper à son tour. Le jeune homme prend place à côté du conducteur. Partager la banquette de celui-ci lui semble plus intéressant que d'être coincé à l'arrière entre ses parents plongés dans leur lecture tout au long du trajet. L'employé de son père n'est jamais à court d'anecdotes et le voyage paraît moins long en sa compagnie. Dans la voiture qui les conduit à Sainte-Anne-de-la-Pocatière, Hortense a du mal à respirer tant son corset est serré. *Si ça continue, je vais m'évanouir.* Pâle comme un drap, les yeux fermés, elle prie le ciel de lui éviter le pire. Pour ajouter à son inconfort, une forte odeur de tabac envahit bientôt l'intérieur de la voiture.

— Auriez-vous l'obligeance d'éteindre votre pipe, Eugène? La fumée m'incommode. Je ne me sens pas très bien depuis notre départ. Sans doute cette chaleur inhabituelle pour ce temps de l'année…

— Détendez-vous un peu. Je vous trouve bien nerveuse aujourd'hui, constate-t-il en l'embrassant sur la joue. J'éteins cette pipe et je vous promets de ne plus fumer du reste de la journée.

— Merci, j'apprécie, répond-elle sans ouvrir les yeux.

Le seigneur de L'Islet l'observe un moment tout en lissant sa moustache du bout des doigts. *Hortense est une belle femme. Elle est adorable, coiffée de son chapeau qui s'harmonise si bien avec sa robe. Dommage qu'elle ne supporte pas les déplacements en voiture.* Il reprend bientôt sa lecture, indifférent aux cahots de la route. Après un temps qui lui semble interminable, Hortense entend la voix forte du cocher les prévenir qu'ils sont arrivés.

— Déjà! s'étonne Eugène. Le trajet m'a semblé bien court.

Le visage crispé, Hortense ne se donne pas la peine de répondre. Dès que le couple est sorti de la voiture et que le cocher a déposé la grande malle devant l'entrée du collège, Edmond prend conscience que les vacances sont bel et bien terminées.

— Veux-tu un coup de main pour transporter ta malle à l'intérieur?

— Ce ne sera pas nécessaire, papa. Je demanderai à un compagnon de m'aider.

— Dans ce cas, il ne me reste plus qu'à te souhaiter une bonne année scolaire. Nous nous reverrons à la Toussaint.

Le père et le fils échangent une poignée de main chaleureuse en se regardant droit dans les yeux, puis le jeune homme embrasse sa mère sur les deux joues.

— Travaille bien et ne fais pas trop suer tes professeurs.

Elle me dicte ma conduite comme si j'avais dix ans, pense Edmond.

— Et n'oublie pas de nous écrire, ajoute la mère de famille. Ne ménage pas le papier et l'encre. C'est moi qui ai préparé ta malle. J'ai veillé à ce que tu en aies suffisamment. Et même si tu en manquais, tu peux t'en procurer au magasin du collège. Tu n'as donc pas d'excuse pour te faire silencieux.

— Je vous écrirai chaque semaine, promet le collégien.

— Si vous avez toujours l'intention de rendre visite à votre mère, il ne faudrait plus tarder, Hortense.

Celle-ci approuve de la tête alors qu'Edmond retient un soupir de soulagement. Les mille et une recommandations de sa mère lors des derniers jours qui précèdent la rentrée scolaire l'agacent un peu plus chaque année.

— J'aurais aimé saluer ton directeur avant de partir, mais ce sera pour une autre fois. Transmets-lui mes salutations.

— Je n'y manquerai pas, maman. Embrassez mamie Dionne de ma part.

Hortense sourit à son fils avant de prendre place dans la calèche. Eugène la rejoint quelques secondes plus tard et donne ordre au conducteur de partir. Edmond suit des yeux la voiture de ses parents qui s'éloigne rapidement dans un nuage de poussière, le long de l'allée centrale. *Bon! La malle ne se déplacera pas toute seule,* se dit le fils du seigneur de L'Islet. *Il me faut trouver une âme charitable pour la monter jusqu'au dortoir.*

— T'as besoin d'aide, Casgrain?

En se retournant, il reconnaît l'un de ses camarades, debout devant la porte principale du collège.

— Voilà mon sauveur! Merci, mon Dieu, de l'avoir mis sur ma route, s'écrie Edmond, les yeux levés vers le ciel et les mains jointes.

— Grouille avant que je change d'idée, réplique le collégien sur le même ton moqueur.

Les deux amis empoignent chacun un côté de la malle et pénètrent à l'intérieur de la grosse bâtisse de pierres grises.

— Il pèse une tonne ce coffre. Laisse-moi reprendre mon souffle avant de monter au second étage.

Pierre sue à grosses gouttes. L'effort déployé est énorme pour quelqu'un de sa corpulence. Edmond regrette d'avoir accepté son aide.

— T'es arrivé quand? s'informe-t-il.

— Hier, en fin d'après-midi, répond Pierre. Mon père avait affaire à Québec et m'a déposé au collège avant de s'y rendre.

— T'as passé un bel été?

Le visage de Pierre s'allonge.

— Horrible. Je me suis éreinté dans les champs du matin au soir. Mon père s'était mis dans la tête que si je travaillais comme une bête de somme, je perdrais du poids. Comme tu peux le constater, ses manières draconiennes n'ont rien donné. J'étais presque content de revenir au collège. Et toi, comment s'est déroulé ton été?

— Bien, répond simplement Edmond.

Devant la mine basse et l'air découragé de son ami, il n'ose pas avouer qu'il a eu des vacances formidables où il était libre de faire ce que bon lui semblait. Il a profité de son été au maximum. Ses plus beaux moments: pêcher avec son frère Léonce et parcourir la seigneurie en compagnie de son père.

— Bon, on la hisse cette malle? demande Pierre, qui semble avoir retrouvé son aplomb.

Edmond acquiesce de la tête. La montée se poursuit en silence. La respiration de Pierre est saccadée et sifflante. Son visage rouge est crispé par l'effort.

— Mais qu'as-tu mis là-dedans? parvient-il à dire une fois là-haut.

— Ça, il faudrait le demander à ma mère.

— Ce n'est pas toi qui prépares ta malle? s'étonne son ami.

— Eh non! Ma mère tient mordicus à s'en charger. Ça ne sert à rien de s'obstiner avec elle. Elle finit toujours par gagner.

— La mienne n'a jamais été aux petits soins avec moi. Elle ne lèverait pas le petit doigt pour m'aider. Sa devise, c'est: «Débrouille-toi.» Ma mère attache plus d'importance à ses œuvres de bienfaisance qu'à ses enfants, conclut-il en se laissant choir lourdement sur la malle.

Originaire du Bas-du-Fleuve, Pierre ne rêve que de quitter cet endroit qu'il qualifie de bout du monde. Il préfère l'agitation de la ville au calme pesant de son coin de pays. Son idée est bien arrêtée: être notaire à Québec ou à Montréal. Plus d'une fois, il en a discuté avec son père. Celui-ci l'encourage dans cette voie, heureux de voir l'un de ses fils choisir une profession libérale. Pour cet homme de peu d'instruction, la réussite sociale de l'un des siens est une source de fierté. À force de travail, de sacrifice et de persévérance, il s'est bâti un petit empire dans le domaine de la pêche. Quant à sa femme, elle vient d'une famille aisée de Gaspé. Pierre ne s'est jamais senti à l'aise auprès de sa mère, une personne froide et hautaine. Enfant, chaque fois qu'elle posait son regard dénué de chaleur sur lui, il baissait la tête. Inévitablement, il l'entendait murmurer en soupirant: «Mon pauvre Pierre, qu'allons-nous faire de toi? Être aussi timide et grassouillet, quelle tristesse!»

Les paroles de sa mère meurtrissaient son cœur d'enfant et l'éloignaient un peu plus de celle qui l'avait mise au monde. Edmond perçoit la peine et l'amertume de son ami. Pour le dérider un peu, il essaie de tourner la situation à la blague.

— Et si l'on échangeait nos mères pour un temps? Je te parie que tu ne tiendrais pas une semaine auprès de la mienne. Crois-moi, tu as de la chance de ne pas être traité comme un petit garçon à qui l'on distribue consignes et recommandations.

Pierre lui adresse un pâle sourire et change de sujet.

— Dire que c'est notre dernière année entre ces murs.

— La discipline du collège va-t-elle te manquer?

— Grand Dieu, non! s'écrie Pierre. En sept ans, je ne m'y suis jamais fait. Ici, c'est pire qu'à l'armée.

Edmond éclate de rire.

— Bon, je te laisse ranger tes effets personnels. Ma bonne action s'arrête ici.

— Merci, Pierre. Je te revaudrai ça.

— Je l'espère bien, répond ce dernier en lui adressant un clin d'œil moqueur.

Le collégien quitte le dortoir en fredonnant «au pas camarade, au pas camarade, au pas, au pas, au pas...» Edmond hoche la tête en souriant.

Seul dans le grand dortoir, il s'affale de tout son long sur son lit. Au collège, chaque étudiant doit fournir son matelas, un traversin et un oreiller. *Encore une année avant de quitter cet endroit pour de bon.* Pourtant, il doit reconnaître qu'il a eu de bons moments au collège. Le jeune homme s'est découvert une véritable passion pour la musique, à la grande joie de sa mère. Il a aussi apprécié les leçons de dessin, ainsi que ses périodes libres qu'il a consacrées au travail du bois et du fer. Durant ces quelques heures, il peut se libérer l'esprit des cours plus théoriques. Le fils du seigneur de L'Islet est un bon élève. Curieux de tout, il aime apprendre, sans pour autant être un rat de bibliothèque. Le programme d'études est complet et exigeant. Edmond a beaucoup travaillé, désireux de faire honneur à sa famille. Il sait que son grand-père Casgrain et son grand-père Dionne ont tous les deux contribué financièrement à la construction du collège de Sainte-Anne-de-la-Pocatière qui a ouvert ses portes à l'automne 1829. À l'époque, c'était la première maison d'enseignement secondaire à voir le jour dans le Bas-du-Fleuve. Treize ans plus tard, Pierre Casgrain et Amable Dionne unissaient de nouveau leurs efforts pour promouvoir cette fois-ci un projet de cours commercial au sein du collège. Ce cours était plus adapté au milieu local et répondait aux attentes de bien des familles rurales de la région qui n'avaient pas les moyens financiers d'envoyer leurs fils au collège. Le cours commercial offrait une belle solution de rechange au cours classique. L'enseignement serait plus accessible et pratique, car il visait à former des marchands plutôt que des prêtres. Les élèves recevraient des notions de comptabilité, de tenue de livres et d'anglais.

Edmond se revoit à onze ans, quelques jours avant son admission au collège. Son père le jugeait capable de réussir. «Tu es aussi intelligent et talentueux que tes frères. Il n'y a aucune raison pour que tu n'y parviennes pas», avait-il décrété en posant une main affectueuse sur l'épaule de son fils. Ne voulant pas le décevoir, le jeune garçon s'était appliqué dans ses études. La grammaire, les mathématiques, la géographie, l'histoire, le latin, le grec, le français, l'anglais et la philosophie ne lui avaient pas causé trop de difficultés. Il avait une mémoire prodigieuse et l'utilisait à bon escient. Mais ce qui l'avait le plus attiré, c'étaient les cours de physique et de chimie. «Votre fils a l'esprit inventif», avait souligné au seigneur de L'Islet l'un des professeurs lors de l'examen semi-annuel. Olivier-Eugène Casgrain n'avait pas émis de commentaire, mais une lueur de fierté avait brillé dans son regard. Ce jour-là, Edmond avait obtenu l'admiration de son père. *Tout comme mes frères, je terminerai mes études classiques et je me taillerai un bel avenir*, s'était-il promis.

Allongé sur son lit, il pense à ses frères. Eugène, l'aîné, est arpenteur-géomètre à L'Islet. Georges est vicaire et aspire à devenir curé. Arthur, le jumeau de Georges, et Jules sont avocats. *Et moi, quelle profession m'attire?* se demande-t-il. D'entrée de jeu, il élimine le droit et la politique. Sa famille compte déjà des avocats, des juges et des politiciens. *Je veux innover, entreprendre quelque chose de différent. Mais quoi?* Il a beau se creuser la tête depuis des semaines, il ne trouve pas. *Sûrement pas la prêtrise.* Une fraction de seconde, il s'imagine vêtu d'une soutane noire, un bréviaire à la main, à réciter des prières en latin du matin au soir. Il secoue la tête pour chasser cette idée saugrenue. *Non, je n'ai pas la vocation religieuse. Je ferais un très mauvais prêtre.* Remuant ses pensées, il bâille à se décrocher la mâchoire. Pour tromper la somnolence qui le gagne, il se lève d'un bond et décide d'aller se délier les jambes dans la cour extérieure du collège. Comme les cours ne commenceront que le lendemain matin, les élèves peuvent occuper leur temps comme bon leur semble. *Un peu d'exercice me fera du bien. Je déferai ma malle en soirée.* Dans sa tête, il entend la voix de sa mère le réprimander: *Pourquoi toujours remettre à plus tard ce que tu peux faire maintenant?*

Chapitre 5

Une semaine avant Noël, Edmond est convoqué au bureau du procureur du collège. *Que peut-il bien me vouloir ?* s'interroge l'étudiant en empruntant le long corridor. Parvenu à la porte du principal, il cogne discrètement.

— Entrez !

Il ouvre doucement.

— Monsieur Casgrain, asseyez-vous.

Le ton du directeur est bienveillant, mais Edmond y décèle un certain malaise. Dès que le jeune homme est assis, François Pilote fait tourner son verre d'eau entre ses doigts.

— J'ai une mauvaise nouvelle à vous apprendre.

Les yeux de l'ecclésiastique deviennent fuyants. Il se racle la gorge avant de poursuivre :

— Nous avons reçu une dépêche de votre mère…

Il s'interrompt pour prendre quelques gorgées d'eau. De plus en plus tendu, Edmond s'agite sur sa chaise.

— Votre père est au plus mal.

Edmond voit les lèvres du procureur bouger, mais il n'entend plus rien, tout à sa peine. La nouvelle l'a assommé. *Comment est-ce possible ? Papa n'a jamais été malade. Il ne peut pas mourir à cinquante-deux ans. C'est trop tôt.* Plongé dans son désarroi, il n'a pas conscience que François Pilote le regarde avec compassion. Celui-ci se lève et lui tapote l'épaule.

— Soyez fort, Edmond. Votre mère aura besoin de votre courage et de votre soutien en ces moments pénibles.

La tête entre les mains et l'air catastrophé, le jeune Casgrain se sent comme dans un mauvais rêve.

— Il serait préférable de rentrer chez vous dès aujourd'hui, insiste le procureur. Le temps presse.

Comme un automate, Edmond se lève à son tour.

— Rassemblez vos affaires. Quelqu'un vous conduira à la diligence.

À l'instant où l'étudiant s'apprête à sortir du bureau, il entend la voix chagrinée de François Pilote.

— Nos pensées seront avec vous et avec votre famille.

Edmond incline la tête et quitte la pièce. Du trajet qui le mène jusqu'à chez lui, il ne garde aucun souvenir. Le paysage défile sans qu'il y prête la moindre attention. Silencieux, il ne souhaite pas lier conversation avec les trois autres passagers. Qu'on le laisse tranquille, voilà tout ce qu'il désire. À L'Islet, il descend du véhicule, marmonne un vague merci au cocher qui lui tend son sac de voyage et entreprend le reste du chemin à pied. Il sent le besoin de se retrouver seul avant d'affronter ce qui l'attend. Sur la route, il croise quelques traîneaux tirés par des chevaux. En d'autres circonstances, il aurait été sensible au tintement joyeux des grelots. La neige est bien tapée. Il avance rapidement. Le temps n'est pas froid pour cette période de l'année. Il aperçoit bientôt le manoir. La grande maison de cinquante pieds de long par trente-quatre pieds de large ne lui a jamais semblé aussi lugubre. Un frisson lui parcourt l'échine. Il doit se faire violence pour continuer d'avancer. Lorsqu'il atteint le portail, il soulève le lourd heurtoir de cuivre qu'il laisse retomber à deux reprises. Des bruits de pas précipités, puis la porte s'ouvre sur une domestique aux yeux rougis.

— Monsieur Edmond ! Entrez vite, chuchote la vieille femme.

Il prend le temps de secouer ses bottes enneigées sur le tapis devant la porte. Puis il retire son bonnet de fourrure, ses mitaines de laine et son pardessus d'hiver qu'il suspend à la patère dans le hall. D'une main nerveuse, il replace ses cheveux blonds rebelles.

— Votre mère est auprès de votre père, l'informe la servante en s'essuyant les yeux avec le coin de son tablier.

D'un pas résolu, Edmond se dirige vers la chambre de ses parents. Il aperçoit sa mère qui sort de la pièce, un mouchoir à la main. Elle lève les yeux vers lui. Son visage est si triste qu'Edmond craint le pire. Arrive-t-il trop tard ? Comme si elle avait lu dans ses pensées, elle le rassure :

— Ton père vient de s'assoupir. La nuit dernière a été difficile.

Hortense prend le bras de son fils et l'entraîne vers le boudoir, en face du salon.

— Viens, il a besoin de repos.

Edmond suit sa mère sans prononcer une seule parole.

— Tes frères et ta sœur Joséphine sont passés ce matin. Ils ont promis de revenir en soirée.

Elle s'assoit sur le sofa en soie bleue. Visiblement, elle retient ses larmes.

— Le médecin a tout tenté : les sirops, les cataplasmes de moutarde, les saignées… Il ne reste plus que la prière. Pour soulager la douleur, il lui a prescrit du laudanum. Ce médicament le fait aussi dormir. On devra augmenter le nombre de gouttes graduellement afin qu'il ne souffre pas trop.

Même si elle essaie de contenir ses émotions, le timbre de sa voix la trahit.

— Pauvre Edmond! J'aurais souhaité te donner de meilleures nouvelles.

— Il n'y a donc aucun espoir de rétablissement? demande le jeune homme d'une voix tremblante.

Hortense secoue tristement la tête.

— Le sait-il?

— Oui. Ton père est très courageux. Il a déjà remis son âme à Dieu.

Cette fois, c'en est trop pour le collégien dont les épaules sont brusquement secouées de sanglots.

— Pleure un bon coup, Edmond. Mais lorsque tu seras devant ton père, je veux que tu affiches un air placide. Il n'a pas besoin de nos larmes. C'est déjà assez difficile pour lui sans que nous en rajoutions. Tais ton chagrin afin qu'il puisse partir le cœur en paix. Me le promets-tu?

Le visage décomposé, il acquiesce de la tête.

— Merci, mon garçon, murmure-t-elle en posant ses lèvres froides sur la joue brûlante d'Edmond.

Le chignon défait, les traits tirés par le manque de sommeil, un châle de laine jeté sur les épaules, Hortense Dionne-Casgrain fait preuve de dignité malgré sa peine.

— Va te changer. Tu te sentiras mieux sans ton habit de collège. Je te préviendrai dès que ton père se réveillera.

Edmond se décide à poser la question qui le tourmente.

— Comment est-ce possible? Papa a toujours eu une santé de fer.

— J'aimerais pouvoir te répondre. Même le médecin l'ignore. Il y a des choses que l'on ne peut pas expliquer. Il faut respecter la volonté de Dieu.

Le jeune homme ouvre la bouche pour répliquer, mais sa mère a un air si las qu'il y renonce.

— Je ne serai pas long, se contente-t-il de dire.

— Bien, lui répond Hortense qui s'enroule dans son châle en fixant les flammes du foyer.

Derrière elle, la porte se referme avec un bruit sec. Dès qu'elle se retrouve seule, la femme du seigneur de L'Islet se met à trembler de tous ses membres. Son cœur cogne dans sa poitrine. Devant son fils, elle s'est montrée brave et forte. Mais ce n'était qu'une façade. Depuis la maladie de son mari, elle se sent perdue et désorientée. *Comment vais-je me débrouiller sans lui ?* Il y a deux jours, voyant ses forces décliner, Eugène Casgrain avait fait mander le notaire pour rédiger ses dernières volontés : transmettre la seigneurie à sa femme. Devant l'hésitation de celle-ci, Eugène lui avait assuré qu'elle en était parfaitement capable. Pourtant, Hortense est loin d'en être convaincue. *J'ai quarante-huit ans et encore des enfants à ma charge. Le poids des années commence à se faire sentir.*

— Maman, dormez-vous ?

Hortense tourne la tête vers sa fille qui l'observe avec inquiétude.

— Non, ma belle Clara.

La petite fille de onze ans semble nerveuse. *Pauvre petite. Je ne lui ai pas accordé beaucoup d'attention ces derniers jours.* Envahie de remords, la mère ouvre ses bras et l'enfant s'y précipite en sanglotant.

— Je suis là, Clara, répète Hortense en lui caressant le dos.

Les cheveux soyeux de sa fille frôlent sa joue. Doucement, la mère fredonne une berceuse. Quelques minutes plus tard, Edmond revient dans la pièce.

— Regarde qui est ici, Clara, murmure Hortense.

En apercevant son frère, la fillette sourit à travers ses larmes.

— Edmond ! Je me suis tellement ennuyée de toi.

Puis, son sourire se fige.

— T'es revenu parce que papa est très malade ?

Edmond et Hortense se concertent du regard. Que lui répondre ?

— Je sais bien qu'il va mourir, insiste Clara. Il ne quitte plus son lit depuis des jours. On l'entend tousser à toute heure du jour et de la nuit. Maman passe son temps auprès de lui. Joséphine et nos frères viennent chaque jour. Tout le monde est triste au manoir. Même les domestiques.

Edmond plonge ses yeux dans ceux de sa sœur.

— Tu as raison, papa est très malade et...

— Qu'y a-t-il, Marie ? l'interrompt Hortense qui vient d'apercevoir la tête de la bonne dans l'entrebâillement de la porte.

La jeune fille a l'air affolée.

— C'est monsieur... il ne va pas bien du tout.

— Dis au cocher d'aller quérir le docteur Lavoie et le prêtre. Dépêche-toi, Marie.

Hortense s'adresse ensuite à son fils :

— Va auprès de ton père. Je te rejoindrai.

Edmond fait ce que sa mère demande. C'est avec appréhension qu'il pénètre dans la chambre. Il est aussitôt accueilli par une odeur de médicaments. Dans la pièce règne une chaleur étouffante. Sur la table de chevet trônent plusieurs bouteilles d'élixirs. Il a envie de tourner les talons et de prendre la fuite.

— Approche, murmure péniblement le malade.

Le jeune homme obéit et s'assoit sur le bord du lit. Il prend la main de son père entre les siennes. *Il a tellement changé*, observe-t-il, le cœur étreint par la peine. Le visage déformé par la douleur, Olivier-Eugène Casgrain essaie de parler, mais les mots restent prisonniers au fond de sa gorge. Une larme roule sur sa joue. Incapable de soutenir son regard, Edmond détourne les yeux. *Fais un homme de toi*, se sermonne-t-il. Le malade laisse échapper une plainte. Impuissant à lui venir en aide, Edmond se sent au comble du supplice. Que faire ? Quoi dire ?

— Ne sois pas triste. Je n'ai pas peur de mourir.

Une violente quinte de toux secoue le malade. Edmond s'empresse de lui donner à boire et attend avec anxiété que la crise passe. Son père ferme les yeux et respire avec difficulté. *Que fait donc Napoléon ? Il habite tout près. Pourquoi met-il autant de temps ?* s'interroge Edmond, de plus en plus angoissé à l'idée d'être seul avec le mourant. Dehors, il entend le vent mugir. Soudain, il perçoit des chuchotements suivis de bruits de pas dans l'escalier. *Enfin !* songe-t-il avec soulagement. Le curé de L'Islet entre dans la chambre. Il fait un signe de tête au jeune homme avant de s'avancer vers le lit. Pendant que le prêtre donne l'extrême-onction au malade, Edmond observe la scène presque irréelle qui se déroule devant lui. Cloué sur place, il n'ose faire aucun geste. Napoléon Lavoie entre à son tour, accompagné d'Hortense. Cette dernière ne laisse rien paraître de la peur qui lui noue l'estomac. *Comment peut-elle être aussi calme alors que son mari se meurt ?* se demande Edmond. L'homme en soutane cède sa place au docteur. Celui-ci ausculte son patient et procède à un examen sommaire. Il range ensuite ses instruments dans sa trousse, puis fait signe discrètement à Hortense de le suivre.

— Prévenez vos enfants, chuchote-t-il dès qu'ils se retrouvent hors de la pièce. Je crains que votre époux ne passe pas la nuit. Ses poumons sont très congestionnés. Chaque respiration devient un effort. Le cœur se fatigue et ne tiendra plus longtemps.

Hortense reste de marbre, à la grande surprise du médecin.

— Dites quelque chose, madame Casgrain. Votre silence m'inquiète.

— Que voulez-vous que je vous dise, Napoléon ? Tout a été dit. Excusez-moi, je dois retourner auprès de mon mari.

— Bien, je vais chercher Joséphine et je reviens.

Du bout des lèvres, Hortense remercie son gendre. Napoléon Lavoie dévale l'escalier. Il comprend la réaction de sa belle-mère et se sent déçu de ne pouvoir rien faire. Au début, il avait cru à un simple refroidissement. Pour venir à bout de la fièvre et combattre la grippe, il avait prescrit du vin au quinquina, recommandant de le prendre chaud avec du miel. L'état du malade avait empiré de jour en jour, malgré les pilules, les cataplasmes de moutarde, les sirops à base de résine de sapin, les purgatifs et les saignées. Le médecin n'y comprenait rien. Constatant l'état de faiblesse de son père, Joséphine avait supplié son mari de le sauver. « Tu es médecin, guéris-le. » Dieu lui était témoin, il avait tout tenté. Mais aujourd'hui, Napoléon doit s'avouer vaincu. La médecine a ses limites.

***

Chacun se relaie au chevet du malade. À l'intérieur du manoir, tout le monde vit dans l'attente. La peine et la fatigue se lisent sur les visages. À la cuisine, les domestiques sont réunis. Tous affectionnent le seigneur de L'Islet et sont affligés de ce qui lui arrive. Attablés devant une tasse de thé ou de tisane, aucun d'eux ne songe à aller dormir. Comment le pourraient-ils ? Les heures s'égrènent lentement. Six des garçons et deux des filles d'Olivier-Eugène Casgrain veillent leur père à tour de rôle. Sont absents Georges, le vicaire, ainsi qu'Eugénie, la religieuse. Sur le poêle, une soupe aux légumes mijote. Soudain, un grand cri suivi d'un concert de pleurs se fait entendre. Les domestiques échangent des regards consternés.

— Monsieur Casgrain a rendu l'âme, sanglote Marie.

Personne ne la réconforte.

— Je monte à l'étage, les informe la doyenne des servantes.

Au bas de l'escalier, elle aperçoit Clara qui se cramponne à la rampe. Aussi vite que ses vieilles jambes le lui permettent, la domestique avance vers l'enfant éploré.

— Papa…

Incapable de dire autre chose, la fillette tremble de la tête aux pieds. Constatant qu'elle est en état de choc, la bonne la serre contre elle. Que peut-elle faire d'autre ? Un à un, les enfants d'Olivier-Eugène Casgrain descendent l'escalier. À leur mine basse, elle comprend que son patron vient de mourir. *Pauvre madame Hortense !* pense-t-elle.

— Viens, Clara.

À regret, l'enfant s'écarte de la servante et suit son frère Edmond. La vieille femme monte péniblement les marches. Ses genoux raidis par les rhumatismes la font souffrir. Une fois en haut, elle hésite. Peut-elle entrer dans la chambre du défunt sans autorisation ? Le médecin la rejoint sur le seuil de la porte.

— Madame Casgrain a besoin de vous, lui dit-il simplement.

Prenant son courage à deux mains, la servante se dirige vers la veuve, prostrée sur une chaise droite.

— Mes sympathies, madame Casgrain.

Celle-ci tourne la tête en sa direction. Bien que son visage n'exprime aucune émotion, la domestique la sent sur le point de craquer. Elle doit lui faire quitter cette chambre.

— Il faut vous reposer un peu. Les prochains jours seront éprouvants.

De toutes ses forces, Hortense lutte contre la panique qui la gagne. *Comment ferai-je sans lui?*

— C'est inutile, je ne pourrai pas fermer l'œil.

— Le laudanum vous fera dormir, intervient Napoléon Lavoie.

— Je ne veux pas le laisser seul.

— Il y aura toujours quelqu'un près de lui. Ne vous inquiétez pas, maman, répond Joséphine, venue prêter assistance à son mari.

Résignée, la veuve se lève. Elle s'appuie au bras de sa fille et marche vers la porte sans se retourner. Dans la chambre voisine, elle se dévêt avec l'aide de Joséphine. Après avoir enfilé une longue chemise de nuit, elle s'assoit au bord du lit. Joséphine verse quelques gouttes de laudanum dans un verre d'eau.

— Buvez tout.

Hortense obéit sans protester. Une fois le verre vide, elle le dépose sur la petite table puis se glisse entre les draps froids. Peu à peu, son corps s'engourdit. Elle n'arrive plus à penser. Comme si elle avait l'âme vide et les membres ankylosés. Dormir pour oublier.

Pendant que la veuve sombre dans un sommeil lourd, ses enfants prennent les choses en main. L'aîné se rend au presbytère prévenir le curé. Au salon, Jules arrête l'horloge puis couvre le piano de sa mère d'un drap blanc.

— Pourquoi fait-il ça? demande Clara, toujours blottie contre Edmond.

— C'est la coutume lorsque quelqu'un meurt, lui répond son frère. Arrêter l'horloge indique l'heure du décès. Durant six mois, personne ne pourra jouer du piano ou d'un autre instrument de musique au manoir. Il sera aussi interdit de chanter ou de danser pendant un an.

— Mais pourquoi? s'écrie la fillette.

— Baisse le ton, Clara. À partir de maintenant, il faut parler à voix basse. C'est par respect pour le défunt que l'on agit ainsi.

— Mais papa aimait rire, chanter et danser, proteste l'enfant. Il ne serait pas content de nous voir nous comporter ainsi.

Dans le corridor, Joséphine a entendu les propos de sa petite sœur. Les bras chargés de draps blancs, elle s'approche et lui murmure à l'oreille :

— Papa est au ciel avec les anges. Là-haut, il y a de la belle musique. Maintenant, il veille sur nous et il n'est pas malheureux.

À demi convaincue, Clara se tourne vers Edmond, sollicitant son avis.

— Joséphine a raison, dit-il.

La femme du docteur Lavoie remercie son frère du regard avant de lui demander :

— Peux-tu installer ces draperies à l'extérieur ?

— Où veux-tu que je les dispose?

— Fais-les pendre le long de la galerie et sur les rampes de l'escalier. Les visiteurs les verront de loin.

— Et le crêpe noir? Tu y as pensé?

— Ne bouge pas, je vais le chercher.

La jeune femme revient rapidement avec le tissu de soie qu'elle tend à son frère.

— Si c'était l'été, j'aurais pu confectionner une couronne de fleurs blanches que tu aurais accrochée à la porte.

Joséphine étouffe un sanglot. La mine triste, Edmond prend le crêpe noir et se dirige vers le vestibule. Le soleil se lève. La journée promet d'être belle et lumineuse. Au manoir de L'Islet, elle s'annonce éprouvante.

— Qui se chargera de la toilette funéraire? s'informe Jules.

— Je demanderai aux domestiques de s'en charger. Il serait inconvenant que je procède à la toilette de notre père.

— Tu as raison. J'espère qu'elles auront terminé avant le réveil de maman.

Joséphine jette un regard à sa sœur. Recroquevillée dans un fauteuil aux accoudoirs usés, la petite fille fixe la fougère placée dans un coin du salon.

— Sois gentille, Clara, et va promener le chien. Il n'a pas mis le nez dehors depuis hier.

L'enfant se lève et marche vers la porte.

— Couvre-toi bien. Il fait froid ce matin.

Clara ne répond pas. Joséphine ne lui en tient pas rigueur. Le drame qui touche la famille les affecte tous. Chacun réagit à sa manière.

— Je t'accompagne, Clara.

— Non, Léonce.

L'adolescent de treize ans dévisage avec étonnement sa grande sœur.

— À la place, j'aimerais que tu te rendes au bureau de poste. Envoie des dépêches aux sœurs et frères de maman et de papa. Il faut les prévenir du décès. Je vais dresser une liste des noms et des adresses afin que tu n'oublies personne. Donne-moi deux minutes.

La jeune femme se dirige vers le petit secrétaire niché dans un angle du salon. À la hâte, elle inscrit sur une feuille blanche les noms des oncles et tantes Dionne et Casgrain, ainsi que ceux de sa sœur religieuse et de son frère prêtre.

— Voilà, c'est fait.

Sans un mot, Léonce s'empare de la liste.

— Les funérailles auront lieu dans trois jours. Mentionne-le, c'est important, précise Joséphine avant qu'il ne franchisse le seuil de la porte.

Prise d'un étourdissement, elle s'assoit un moment. Elle n'a rien mangé depuis des heures, mais ne ressent pas la faim. Sa peine est trop grande. Brusquement, elle tend l'oreille, croyant entendre du bruit à l'extérieur. Son sang se fige dans ses veines. Elle vient de reconnaître le son du glas qui annonce aux gens de L'Islet la mort de l'un des leurs. Trois coups succincts frappés sur les cloches signifient que la personne décédée est un homme. Elle se mord la lèvre supérieure pour ne pas pleurer. *Papa est mort cinq jours avant Noël. Personne n'aura le cœur aux réjouissances. Le temps des fêtes se passera sous silence,* songe la fille du défunt. Jules vient bientôt la rejoindre au salon. À voix basse, il lui demande ce que leur père doit porter comme vêtements.

— Ses plus beaux habits, répond-elle. Maman les a choisis hier. Tu les trouveras dans la chambre verte, soigneusement pliés sur la commode.

Jules remonte à l'étage pendant que Joséphine file à la cuisine donner des directives aux domestiques. Les meubles du salon doivent être poussés le long des murs afin de placer la dépouille au centre de la pièce.

— Il faudra aussi couvrir toutes les fenêtres de draperies noires, leur rappelle la fille du seigneur.

En sortant de la cuisine, elle croise son mari.

— Maman est réveillée ? lui demande-t-elle.

— Elle dort encore. Et toi, tu tiens le coup ?

— Je fais mon possible, mais c'est si dur, Napoléon.

Il l'attire contre lui et l'entoure de ses bras.

— J'entends encore ses éclats de rire dans ma tête. Ça me fait mal de savoir que papa ne sera plus jamais là.

Le couple reste enlacé quelques minutes, puis Joséphine se dégage doucement.

— Je dois me ressaisir. Il y a encore beaucoup à faire. J'ai peur de manquer de temps.

— Calme-toi, Joséphine. Ce n'est pas à toi de tout prendre sur tes épaules.

— Mes frères fournissent leur part d'efforts.

Elle fronce soudain les sourcils.

— Qu'est-ce qu'il y a?

— La bière! Personne n'y a pensé.

— Moi si.

Joséphine et Napoléon sursautent au son de la voix d'Edmond.

— Je suis passé chez le menuisier il y a quelques minutes, explique le collégien. Tout sera prêt dès demain, m'a-t-il assuré. L'homme m'a suggéré un cercueil en érable plutôt qu'en merisier ou en épinette. Je me suis fié à lui. Il s'y connaît mieux que moi en la matière.

— Tu as bien fait. Merci de ton initiative, Edmond. Sortons d'ici afin de laisser les domestiques préparer le salon. J'aimerais que tout soit en place lorsque maman se réveillera.

— J'ai deux patients à visiter et je reviens ensuite. Ce ne sera pas long.

La jeune femme de vingt-deux ans fait un petit signe de tête pour donner son accord.

— Si tu vas à la maison, peux-tu prendre ma robe noire, Napoléon? J'en aurai besoin.

Sa voix se brise dans un sanglot.

— Courage, Joséphine, fait Napoléon en lui caressant la joue.

Après le départ de son mari, elle s'adresse à Edmond:

— Peux-tu descendre le prie-Dieu de maman et l'installer au salon? Il servira aux visiteurs qui viendront se recueillir près du corps.

Le collégien obéit sans répondre. Joséphine le regarde s'éloigner. *Depuis que papa est mort, j'ai l'impression de donner des ordres à tout le monde. Je n'aime pas du tout ce nouveau rôle que je joue. Mais qui d'autre l'assumerait autrement ? Maman est épuisée et mes frères semblent attendre mes directives pour agir.*

***

Les premiers visiteurs se présentent au manoir en début de soirée. La plupart sont des voisins et des amis de la famille. Hortense les accueille, entourée de ses enfants. Tout comme ses deux filles, elle est vêtue en noir de la tête aux pieds. Quant à ses six fils, ils portent tous un costume sombre, ainsi qu'un brassard de deuil. Les formules de sympathie s'échangent à voix basse. À tour de rôle, les gens entrent au salon sans faire de bruit. Du coin de l'œil, Clara les observe. Elle est intriguée par leur comportement, mais n'ose pas questionner sa sœur ou sa mère. Pourquoi chaque personne enlève-t-elle son chapeau lorsqu'elle pénètre dans la pièce ? Pourquoi chacun trempe-t-il dans l'eau la petite branche de sapin déposée sur la table, puis la secoue-t-il sur le corps du défunt ? C'est la première fois que la fillette assiste à une veillée funèbre. Joséphine lui a dit que les gens de L'Islet viendraient en grand nombre durant les deux prochains jours et que leur visite était une façon de rendre hommage au disparu. « Mais papa est mort, s'était écriée la petite fille. Que ces gens viennent ou pas, cela ne lui fait rien. » « Ce n'est pas le moment de discuter, Clara. C'est comme ça, c'est tout », s'était impatientée sa grande sœur avant de tourner les talons.

Depuis une heure, Clara se tient debout entre sa mère et sa sœur. Elle transpire sous sa robe de fin lainage noir qui lui pique le dos depuis qu'elle l'a enfilée. Si seulement elle avait pu mettre un vêtement plus confortable. Mais sa mère avait insisté pour qu'elle revête cette affreuse robe qui lui démange la peau. La chaleur lui donne soif et mal à la tête. De temps en temps, elle jette un regard vers son père, allongé au beau milieu du salon. Les mains jointes du défunt tiennent un chapelet et son cou est entouré d'un scapulaire. Son visage est aussi blanc que les cierges allumés près de lui. Depuis qu'il est exposé, Clara ne s'est pas approchée une seule fois du corps. La mort l'effraie. Le manoir devient vite bondé. Joséphine s'est éclipsée à la cuisine pour s'assurer qu'il y aura suffisamment de nourriture. Une collation est servie vers minuit. Clara est si fatiguée qu'elle pique du nez dans son assiette. Hortense fait signe à l'un de ses fils de l'amener à sa chambre. Edmond aide sa sœur à se lever.

— Tu seras mieux dans ton lit, lui souffle-t-il à l'oreille.

La première nuit de veille commence. Les membres de la famille se relaient auprès du corps. Des voisins et des amis se joignent à eux. Les heures s'égrènent lentement, rythmées par la récitation du chapelet. La veuve et les enfants du seigneur Casgrain tiennent bon et cachent leur peine du mieux qu'ils peuvent.

Le lendemain, la mère d'Hortense se présente au manoir, accompagnée de son fils Élisée.

— Je serais venue à pied si ton frère avait refusé de me conduire.

La vieille dame a volontairement haussé le ton tout en glissant un regard de reproche en direction de son fils. Celui-ci hausse les épaules, mais ne relève pas la remarque.

— Merci d'être là, répond Hortense qui réprime difficilement ses larmes.

— Clara te présente ses condoléances. Elle est restée à Kamouraska. Dans son état, cela aurait été imprudent de se déplacer en voiture, explique Élisée.

— Je comprends, répond Hortense. Je lui souhaite une belle fille en santé.

— C'est aussi ce qu'elle espère.

— Après avoir mis au monde cinq garçons, il est temps que son vœu soit exaucé.

— Tu as les yeux bien cernés et la mine pâlotte, ma fille. Va te reposer un peu, lui ordonne gentiment Catherine Perrault.

— J'irai plus tard.

— Comme tu veux, mais n'abuse pas de tes forces, Hortense. Les funérailles ont lieu demain.

— Je sais, mère.

— Ton frère Amable et ta sœur Georgina ont promis de venir. J'espère qu'ils tiendront parole.

La septuagénaire s'interrompt. Elle parcourt des yeux le salon.

— Bien des gens se sont déplacés, constate-t-elle à mi-voix. Cela prouve que ton époux était respecté et estimé. Cependant, je n'aperçois aucun Casgrain.

— Olivier-Eugène n'avait que deux sœurs encore vivantes : Luce et Justine. Aucune des deux ne pourra être présente. Luce demeure à Québec. Quant à Justine, elle habite Montréal. Voyager l'hiver est périlleux, surtout pour de longues distances.

— C'est bien dommage ! Mourir en hiver apporte bien des complications à ceux qui restent.

— On ne choisit pas le moment de notre mort, mère.

— Je sais, je sais… Georges et Eugénie viendront-ils aux obsèques de leur père ?

— Georges est vicaire à Saint-Anselme depuis peu. La route est trop longue. Quant à Eugénie, sa communauté ne lui permet pas d'assister aux funérailles.

— Les Augustines de l'Hôpital général de Québec pourraient faire une exception lorsqu'il s'agit de la perte d'un proche, grommelle la vieille dame.

Hortense garde le silence bien qu'elle partage l'opinion de sa mère. Elle a une pensée pour Hermine, son autre fille religieuse décédée cinq ans plus tôt et inhumée dans le caveau de la Congrégation de Notre-Dame de Montréal. Sa fille aînée lui avait semblé heureuse durant ses huit années de vie religieuse. *Elle est morte si jeune… vingt et un ans,* songe-t-elle.

∗ ∗ ∗

Très tôt le lendemain matin, le menuisier apporte le cercueil au manoir de L'Islet. Eugène et Jules déposent avec précaution le corps de leur père à l'intérieur de la caisse en bois d'érable. Hortense s'avance. Une dernière fois, elle pose ses lèvres sur la joue froide de son mari, puis glisse une lettre cachetée près de lui. Les larmes aux yeux, elle quitte le salon afin de ne pas voir le couvercle se refermer. Sa sœur Georgina, arrivée la veille de Saint-Denis-De La Bouteillerie, l'observe discrètement, prête à intervenir au moindre malaise.

— Il est temps de s'habiller, réussit à dire la veuve.

Chacun revêt son manteau et ses bottes. Eugène et Jules sortent le cercueil de la maison et l'insèrent dans le corbillard. Clara ouvre de grands yeux à la vue de l'imposant véhicule noir stationné devant la porte du manoir. Sa couleur sombre contraste avec la neige blanche. La fillette remarque les tentures en velours noir, les anges sculptés aux quatre coins du corbillard, la croix ornée d'un ruban noir sur le toit ainsi que les deux chevaux au poil noir lustré. Les roues du corbillard ont été remplacées par des patins. Clara est intriguée par l'inconnu posté devant le véhicule. L'homme porte un capot en poil d'ours et ses yeux disparaissent presque sous son casque noir.

— Qui est-ce? demande-t-elle à Joséphine en le pointant du menton.

— Le charretier. C'est lui qui s'occupe du cortège funèbre.

L'enfant ne comprend pas trop l'explication de sa grande sœur, mais doit s'en contenter. Dehors, il fait froid et humide. Pour se réchauffer les pieds, Clara saute sur place. Joséphine pose une main sur son bras pour l'inciter à cesser son manège. Lentement, le corbillard tiré par les deux chevaux se met à avancer. Derrière marchent le charretier et un jeune homme qui porte une croix drapée de noir. Les fils du défunt suivent, ainsi que sa veuve et ses filles. Viennent ensuite les proches de la famille, les amis, les domestiques et la plupart des gens de L'Islet. Le long défilé est impressionnant. La mère d'Hortense marche avec difficulté. Bien qu'elle s'appuie sur sa canne et sur le bras de sa fille Georgina, elle ne se sent pas solide sur ses jambes et craint de tomber. Heureusement, l'église n'est pas loin du manoir. Tout au long du trajet, la cloche de l'église sonne le glas. Une fois à l'intérieur, le cercueil est transporté jusqu'à la nef, puis déposé sur une estrade noire entourée de quatre cierges. Toutes les fenêtres de l'église sont recouvertes de draperies violettes.

— Pourquoi les draperies ne sont pas noires? chuchote Clara.

— Parce que notre père était le seigneur de L'Islet. À cause de son rang, il mérite des égards. Maintenant, tu te fais silencieuse et tu ne poses plus de questions, la sermonne Joséphine.

La fillette hoche la tête pour montrer qu'elle a bien compris le message de sa sœur. Durant l'office religieux, pour tromper son ennui, elle examine la tenue des femmes et des hommes. *C'est maman la plus jolie,* conclut-elle. Pour l'occasion, la veuve a revêtu sa longue pelisse à col de fourrure. Une toque de fourrure est posée sur ses cheveux. Comme l'église n'est pas chauffée, personne n'a retiré son manteau. La musique est si triste que plus d'une femme de l'assistance verse une larme durant la cérémonie. *Papa aurait détesté ces chants lugubres,* se dit Clara. Elle essaie de chasser ses idées noires en pensant à quelque chose de joyeux, mais n'y parvient pas. À ses côtés, Joséphine se mouche discrètement. Clara glisse sa main dans celle de sa sœur. Ce simple geste la réconforte. Les yeux clos, elle attend que la cérémonie se termine. Le moment venu, Joséphine lui donne un léger coup de coude dans les côtes. Lentement, Clara reboutonne son manteau et suit les gens jusqu'à la sortie. Constatant que le cercueil est resté dans l'église, elle en demande la raison.

— Le corps de papa ne sera pas enterré au cimetière, lui explique Joséphine à voix basse. Il sera inhumé sous son banc seigneurial dans l'église. C'est un privilège accordé aux seigneurs et aux membres de leur famille.

Clara fait la grimace.

— Moi, je ne veux pas être mise sous le plancher quand je serai morte.

Joséphine ne répond pas. À quoi bon lui dire que ce n'est pas elle qui décidera du lieu de sa sépulture? Deux de leurs frères décédés en bas âge ont été inhumés sous le banc seigneurial. Clara n'était pas encore née lors du décès d'Adolphe. À la mort de son autre frère, elle n'avait que trois ans et n'en garde aucun souvenir.

— Dépêche-toi, Clara, lui intime-t-elle.

D'un pas rapide, Joséphine va au-devant de sa grand-mère qui s'appuie lourdement sur sa canne et semble avoir besoin d'aide. La jeune femme glisse son bras sous celui de la vieille dame.

— À deux, la marche jusqu'au manoir semblera moins longue. Catherine Perrault lance un regard reconnaissant à sa petite-fille.

Chapitre 6

Quelques jours après la mort de son mari, Hortense reçoit deux lettres de condoléances. L'une provient de Montréal et a été envoyée par Justine Casgrain, la sœur d'Olivier-Eugène. Celle-ci s'excuse de n'avoir pu se rendre aux funérailles de son frère en compagnie de son époux, le docteur Pierre Beaubien. *Nous n'avons pas osé entreprendre un si long voyage. L'hiver, on ne sait jamais à quoi s'attendre. On peut prendre la route sous un ciel clément et se retrouver au milieu d'une violente tempête de neige quelques heures plus tard. Lorsque le conducteur ne voit ni ciel ni terre, la voiture risque de s'écarter du chemin battu. Parcourir de grandes distances sur les rivières ou sur la surface gelée du fleuve n'est pas exempt de dangers. Il arrive que la glace cède sous les sabots des chevaux.*

Hortense est touchée par la seconde lettre, celle de Luce Casgrain. Sa belle-sœur a perdu son mari, l'honorable juge Louis-Philippe Panet, dix ans plus tôt et comprend bien ce qu'Hortense peut ressentir. Elle s'est exprimée avec des mots simples et chaleureux qui contrastent avec les nombreux témoignages de sympathie froids et impersonnels qu'Hortense a reçus depuis la mort d'Eugène. À soixante et un ans, Luce est encore une belle femme. Ses cheveux noirs ont blanchi, mais elle conserve un air de jeunesse grâce à son sourire permanent et sa taille fine. À Québec, elle se dévoue pour plusieurs œuvres de charité. La cause qui lui tient le plus à cœur est celle des enfants pauvres et des orphelins. Elle s'ingénie à leur venir en aide au moyen de campagnes de financement. Hortense l'admire et souhaiterait la voir plus souvent.

***

Un an après le décès d'Olivier-Eugène Casgrain, un autre malheur s'abat sur la famille. Clara, la plus jeune des filles, meurt à l'âge de douze ans. Ce décès prend tout le monde par surprise. Le choc est si grand pour Hortense qu'en l'espace de quelques jours, ses cheveux blanchissent.

Deux jours avant sa mort, la fillette s'était plainte d'un gros mal de gorge. Comme elle faisait un peu de fièvre et qu'elle se sentait faible et fatiguée, Hortense avait jugé plus sage de faire venir le médecin. Après avoir examiné la malade, Napoléon Lavoie avait entraîné la mère à l'écart. «J'ai bien peur que ce soit la diphtérie, avait-il laissé tomber d'un ton grave. Votre fille en présente tous les symptômes : fièvre, gorge rouge, pâleur du teint, toux rauque qui ressemble à un aboiement, voix éteinte, difficulté à respirer, cou enflé et douloureux, pouls rapide et odeur fétide de l'haleine.» Horrifiée, Hortense avait porté une main à sa bouche. Elle connaissait les ravages de cette terrible maladie qui touchait surtout les enfants entre six mois et quinze ans. Plus de la moitié en mourait. «Pas Clara, pas ma petite fille! avait-elle chuchoté, les larmes aux yeux. Mon Dieu! Je vous en prie, épargnez-la.» Au cours des heures suivantes, la maladie avait progressé à un point tel que le médecin avait suggéré une trachéotomie pour aider la petite à mieux respirer. Hortense était effrayée par l'idée. «Il faut faire vite, madame Casgrain», l'avait pressé son gendre. D'un signe de tête, elle avait donné son accord, puis était sortie précipitamment de la chambre. La souffrance de sa fille lui était devenue intolérable. Joséphine avait assisté son mari dans la délicate intervention chirurgicale. Elle s'était révélée alerte et efficace. Pas une fois, elle n'avait détourné les yeux. Malheureusement, la trachéotomie n'avait pas suffi. L'enfant avait rendu son dernier soupir au cours de la nuit. Le docteur Lavoie avait ordonné aux domestiques de brûler tout ce qui avait appartenu à Clara : vêtements, draps, couvertures et taies d'oreillers. «La diphtérie est une maladie très contagieuse», avait-il expliqué à la mère. Napoléon avait refusé que celle-ci coupe une mèche de cheveux de la défunte. «Je sais que vous souhaitez garder un souvenir de votre fille, mais le risque de contagion est trop grand.» Hortense avait ressenti colère et rancœur à l'égard de son gendre. *Il se montre bien cruel*, avait-elle pensé en le fusillant du regard. Elle avait quand même suivi la recommandation du médecin, ne voulant pas exposer les autres membres de la famille à la contagion.

Alors que le noir avait prévalu aux obsèques du seigneur de L'Islet, c'est plutôt le blanc qui domine aux funérailles de sa fille. Le crêpe à la porte de la maison, les draperies sur la galerie, le tissu couvrant les fenêtres de la chambre mortuaire, la robe de Clara, le cercueil, le corbillard, les chevaux… tout est blanc. Cette couleur est de mise lorsqu'il s'agit du décès d'un enfant. Joséphine insiste auprès de sa mère pour que Clara soit enterrée au cimetière plutôt que sous le banc seigneurial. «C'était sa volonté, maman.» Hortense hésite, attristée à l'idée que sa fille cadette ne repose pas auprès de son père et de ses deux frères. Mais elle finit par accepter, sensible aux arguments de Joséphine. Il faudra attendre au printemps suivant pour que le corps de Clara soit mis en terre, car le décès est survenu en décembre 1865. À cette période de l'année, le sol est gelé. La sépulture passera tout l'hiver dans le charnier du cimetière.

***

Même si deux ans se sont écoulés depuis le décès de son mari, Hortense persiste à s'habiller en noir, à l'exception d'une touche de violet sur son chapeau ou sur son châle. «C'est ma façon de perpétuer la mémoire de votre père», répond-elle à ses enfants. Edmond espère que sa mère n'imitera pas l'exemple de la reine Victoria. La souveraine britannique porte le deuil depuis cinq ans. La mort du prince Albert, survenue en décembre 1861, l'a plongée dans une tristesse infinie. Plusieurs la surnomment «la veuve inconsolable» puisqu'elle semble avoir perdu toute joie de vivre et qu'elle s'isole dans son château. Ses neuf enfants n'arrivent pas à la sortir de sa torpeur. *Maman ne se terre pas au manoir. Elle s'occupe de la seigneurie et voit à notre bien-être à tous*, reconnaît Edmond.

La nouvelle seigneuresse s'acquitte de ses fonctions avec moins de difficultés qu'elle l'aurait cru. Même si le régime seigneurial a été aboli le 18 décembre 1854 par l'assemblée des députés du Haut et du Bas-Canada, le gouvernement s'est engagé à dédommager en argent les seigneurs pour la perte de leurs privilèges. De plus, chaque censitaire doit payer à son seigneur une rente pour racheter sa tenure et se libérer de ses obligations envers celui-ci. Ce montant d'argent fixé par le gouvernement peut être payé en plusieurs années. Officiellement, Olivier-Eugène Casgrain a été le dernier seigneur de L'Islet. Mais les paroissiens continuent de désigner sa veuve sous le vocable de « madame la seigneuresse » et de s'adresser à elle avec le plus grand respect. Depuis leur mariage, ni Eugène ni Hortense n'ont abusé de leur pouvoir auprès de leurs censitaires. Ils se sont comportés envers eux d'une façon juste et équitable, ce qui leur a valu l'admiration et la reconnaissance de tous. Au manoir, les domestiques ont toujours été bien traités, jamais d'une façon méprisante ou condescendante. Le travail est parfois ardu, mais personne ne s'en plaint. Un sourire ou une parole gentille les encourage à poursuivre leurs tâches quotidiennes.

Edmond se sent moins inquiet de partir, sachant que sa mère ne se laissera pas gagner par la mélancolie ou le désespoir. *C'est une femme forte malgré sa petite taille. Les épreuves l'ont endurcie. Même si elle s'entête à porter le deuil, cela ne l'empêche pas de vouloir continuer à vivre*, conclut-il en bouclant sa valise. Lorsqu'il descend à l'étage, il retrouve sa mère dans le petit boudoir qu'elle a converti en coin de lecture et de détente. Autrefois, son père y fumait la pipe ou le cigare.

— Tu es prêt? lui demande-t-elle en levant les yeux de son roman.

— Oui, je crois n'avoir rien oublié.

— Bien, fait la veuve. Dis à Jules qu'il peut nous conduire à la gare. Je vous rejoins dans quelques minutes.

Edmond file aussitôt à l'extérieur. Hortense referme son livre et enlève ses lunettes de lecture. Elle quitte son fauteuil, empoigne sa petite valise et se rend au vestibule où elle s'arrête un instant devant la glace pour vérifier sa tenue. Rien ne laisse à désirer. Son costume de voyage en toile noire l'amincit. D'une main experte, elle enfonce une épingle dans son chapeau, puis enfile une paire de gants en dentelle. C'est avec un brin de nervosité qu'elle franchit le seuil de la maison. S'absenter de la seigneurie, ne serait-ce que pour quelques jours, l'inquiète. Prendre le train, encore plus. Malgré sa peur, elle se fait un point d'honneur d'accompagner son fils à Québec. «Je veux savoir où tu logeras durant les deux prochaines années», avait-elle répliqué à Edmond qui ne comprenait pas pourquoi elle insistait tant pour venir. Sans prononcer un seul mot, Hortense accepte la main tendue de Jules pour monter dans la voiture. Elle sourit à Edmond et prend place près de lui sur la banquette. Durant le trajet jusqu'à la gare de L'Islet, la veuve essaie de mettre de l'ordre dans ses idées. Depuis la veille, elle remet en question ce petit voyage à Québec. *Était-ce vraiment nécessaire de m'y rendre? L'un de ses frères aurait très bien pu conduire Edmond jusqu'à la capitale. Je dois cesser de le couver autant. Il vient d'avoir vingt ans. Mais la grande ville est bien différente de la campagne. Là-bas, il y a tant de distractions et de tentations pour un jeune homme peu habitué à ce mode de vie libertin. Je me fais du souci pour lui. Si seulement il avait accepté l'offre de sa tante. J'aurais eu le cœur tranquille de le savoir en pension chez Luce.* Edmond la tire de ses rêveries en lui mentionnant qu'il est temps de descendre.

— Nous sommes arrivés à la gare, maman.

Pendant qu'Edmond aide sa mère à descendre du véhicule, Jules récupère les deux valises à l'arrière de la voiture.

— Inutile d'attendre le train avec nous, Jules. Il aura sûrement du retard. C'est toujours le cas, d'ailleurs. Ces locomotives à vapeur ne sont jamais à l'heure.

Les deux fils d'Hortense échangent un regard amusé, sachant combien leur mère attache d'importance à la ponctualité.

— Bon voyage, Edmond, dit Jules en lui serrant la main. Et pas de folies dans la grande ville, ajoute-t-il en lui adressant un clin d'œil.

— Ton frère va à Québec pour étudier et non pour s'amuser, précise Hortense.

— Mais l'un n'empêche pas l'autre, réplique Jules, d'un ton moqueur.

La veuve lève les yeux au ciel.

— Si tu n'as rien de plus intelligent à dire, tu ferais mieux de partir.

Jules sourit, puis embrasse sa mère sur la joue.

— Je reviens vous chercher à la gare dans deux jours, maman.

— J'y serai. Pars maintenant.

Le jeune homme grimpe sur son siège. Pendant que la voiture s'éloigne sur la route, Hortense l'entend fredonner un air joyeux. *En voilà au moins un qui est de bonne humeur*, pense-t-elle.

— Nous sommes chanceux, il y a peu de monde, constate Edmond.

Sa mère jette un regard à la petite maison rectangulaire recouverte de briques jaunes et dont le toit est percé d'une lucarne frontale. À peine une dizaine de personnes attendent patiemment l'arrivée du train. Ayant reconnu la veuve, le chef de gare se précipite vers elle. Un large sourire éclaire son visage.

— Madame Casgrain! Quel plaisir de vous revoir!

Se tournant vers Edmond, il ajoute :

— C'est le grand jour, mon garçon ?

— On ne peut rien vous cacher, répond le jeune Casgrain. Eh oui, je vais étudier à Québec pour deux ans.

L'homme émet un sifflement admiratif.

— Vous étudiez quoi au juste ? demande-t-il.

— Je suis inscrit à la faculté de médecine de l'Université Laval.

— Mince alors ! Un futur docteur. Votre beau-frère Lavoie aura bientôt de la concurrence à L'Islet.

Pour mettre fin au bavardage du chef de gare qu'elle trouve un peu trop curieux, Hortense prétexte le besoin de s'asseoir.

— Vous m'excuserez. Le soleil du midi m'incommode et parler me donne mal à la tête.

— Bien sûr, je comprends, madame la seigneuresse. Ma femme me dit souvent que j'importune les gens avec mes questions.

Et elle a bien raison, songe Hortense qui se contente de sourire à l'homme. Avec vingt minutes de retard, le train s'arrête enfin à la station de L'Islet. Comme si tous les voyageurs s'étaient donné le mot, ils laissent monter leur seigneuresse et son fils en premier. Hortense incline la tête pour les remercier. Edmond trouve rapidement deux sièges libres et invite sa mère à s'asseoir. Elle choisit la place près de la fenêtre. La nervosité la gagne. C'est son premier trajet en train et elle ressent un mélange d'anxiété et d'excitation. Un coup de sifflet se fait bientôt entendre. La locomotive repart dans un nuage de fumée. Hortense pose une main crispée sur l'avant-bras de son fils.

— Détendez-vous, maman. Tout va bien aller.

Elle a une pensée pour son défunt mari qui lui vantait les voyages en train. Olivier-Eugène Casgrain avait assisté à l'inauguration de la voie ferrée, le 17 octobre 1859, entre Montmagny et Rivière-du-Loup. « Un événement historique que je ne veux pas manquer. Le train facilitera la communication entre Québec et le Bas-du-Fleuve. C'est le moyen de transport de l'avenir, Hortense », lui avait-il dit. Il était revenu enchanté de cette journée mémorable. « Vous imaginez, Hortense, le train a mis moins de cinq heures pour parcourir cette distance. Par moments, il filait à plus de trente-sept milles à l'heure. On a raison de le surnommer le cheval d'acier. »

— Vous verrez, maman. Nous serons à Lévis en très peu de temps.

La voix d'Edmond la ramène au présent. Les yeux rivés sur ses bottines de cuir souple, Hortense évite de croiser le regard de son fils. *Je ne veux pas qu'il lise dans mes yeux combien j'ai peur de voyager dans cet engin.* Pour combler le silence de sa mère, Edmond se lance dans un discours sur l'avancée du progrès dans plusieurs aspects de leur vie. Il se met ensuite à déclamer quelques vers de *La Grand-Tronciade* composé récemment par son frère Olivier-Arthur :

— Puis, ce chemin de fer qui rend l'espace infini,
C'est lui-même un grand pont jeté sur un abîme…

— Ce n'est pas parce que ton cousin Desbarats a imprimé le poème d'Arthur que tu dois me le réciter. Tu sais ce que j'en pense d'ailleurs. L'ironie et l'humour n'ont pas toujours leur place. Ton frère devrait s'en tenir au droit et oublier la littérature.

— Il ne décrivait qu'un voyage en train de Lévis à Rivière-du-Loup, proteste le jeune homme.

— Écoute, Edmond, je ne suis pas d'humeur à causer. Mon mal de tête persiste et un peu de silence serait le bienvenu.

— Bien, je me tais. Réveillez-moi lorsque nous arriverons.

— Tu ne vas quand même pas dormir ?

— Pourquoi pas ? Le siège est confortable. Vous devriez en faire autant.

— Dormir en public n'est pas convenable, Edmond. Fais quelque chose d'utile. Profites-en pour lire.

Elle me dicte encore ma conduite, pense le jeune homme, qui se plie une fois de plus à la volonté maternelle. Satisfaite de le voir se plonger dans la lecture du journal, Hortense lui tapote affectueusement le bras. Peu à peu, elle se sent plus calme. Autour d'elle, les passagers discutent à voix basse. Personne ne semble effrayé ou agité. Elle se félicite d'avoir choisi une tenue confortable pour voyager. Ce matin, elle a prié Marie de ne pas lacer son corset trop serré afin de pouvoir respirer plus librement. La jeune servante a obéi sans poser de questions. Même si l'air ne circule guère dans le train, Hortense ne se sent pas incommodée par la chaleur. Septembre a toujours été son mois préféré. Une période colorée et joyeuse qui marque une pause avant la pluie triste et froide et les vents cinglants de l'automne. Durant le trajet, la veuve s'étonne que les employés à bord du train ne parlent que l'anglais. *Heureusement, je me débrouille bien dans cette langue. Sinon, j'aurais de la difficulté à me faire comprendre,* pense-t-elle. Le regard tourné vers la fenêtre, elle observe le paysage qui défile devant ses yeux, tout en se laissant aller à la rêverie. Lorsque le train arrive à la gare de Lévis, elle est forcée d'admettre que le voyage n'a pas été aussi désagréable qu'elle le craignait. Prendre le traversier jusqu'à Québec est source de plaisir. À bord du vapeur, elle n'a d'yeux que pour la ville majestueuse qui se dresse devant eux.

— C'est beau ! s'exclame-t-elle, émerveillée.

Elle ne regrette plus d'être venue.

***

Après avoir laissé son fils à la maison de pension où il séjournera durant ses deux années d'études, Hortense hèle un fiacre pour se rendre chez sa belle-sœur. La veuve du juge Panet l'accueille à bras ouverts.

— Je suis si heureuse de ta visite, Hortense! J'avais si peur que tu changes d'idée à la dernière minute et que tu ne viennes pas. Entre, ne reste pas sur le seuil de la porte.

Dès que la visiteuse pénètre à l'intérieur, elle est surprise par la modestie des lieux. Le mobilier n'a rien de luxueux. Pendant qu'elle se débarrasse de son mantelet et de son chapeau, mille questions se bousculent dans sa tête.

— Suis-moi à la cuisine. Nous causerons mieux devant une bonne tasse de thé et quelques biscuits.

Pendant que son hôtesse s'affaire à verser la boisson chaude dans les tasses, Hortense l'observe discrètement. Malgré sa tenue austère, Luce Casgrain respire la joie de vivre.

— Ta maison de la rue Sainte-Ursule ne te manque pas? demande la visiteuse.

— Pas du tout. C'était beaucoup trop grand pour une seule personne. Je préfère la louer et utiliser l'argent qu'elle me rapporte pour venir en aide aux pauvres de la ville. Ils sont si nombreux!

— Qu'en est-il de ton implication au sein de l'hôpital de la Maternité?

— Elle se poursuit de plus belle, répond Luce d'un ton enthousiaste. Depuis que Marie Métivier en a pris la direction en 1852, cet hospice est devenu un véritable refuge pour les femmes enceintes non mariées. Ces pauvres femmes sans ressources et rejetées par la société font peine à voir lorsqu'elles viennent frapper à la porte de l'hôpital. Marie Métivier s'est tant dévouée auprès de ces dernières!

— Mais toi aussi, proteste Hortense. Ne sois pas si modeste, Luce. Tu es l'une des fondatrices de l'hôpital de la Maternité. Sans ton apport, cet établissement n'existerait peut-être plus aujourd'hui.

— Je soutiens financièrement Marie afin qu'elle puisse continuer son beau travail. Je ne suis pas la seule à contribuer. Plusieurs dames patronnesses de la ville en font autant. Tes sœurs Caroline et Hénédine font partie de notre petit groupe de bienfaitrices.

— Oui, je sais. Caroline est une grande dame de la haute bourgeoisie, réplique Hortense d'un ton aigre.

— C'est aussi une femme au cœur sensible dotée d'une grande générosité.

Hortense affiche une mine sceptique.

— Tu n'es pas de mon avis ?

— Depuis que ma sœur a épousé Cyrice Têtu, elle a changé. Son mode de vie princier y est sûrement pour quelque chose. L'an prochain, Cyrice, Caroline et leurs deux aînés projettent de se rendre à l'exposition universelle de Paris. Ensuite, ils visiteront la Normandie. Elle a promis de me montrer ses croquis à son retour.

— Caroline dessine tellement bien, lui fait remarquer Luce. J'ai vu certaines de ses aquarelles, elles sont magnifiques.

— Elle a beaucoup de talent artistique, reconnaît Hortense. Il y a vingt ans, lors de son voyage de noces à Paris, elle a croqué sur le vif des scènes de la vie quotidienne si réelles que l'on se serait cru sur place. Elle a donné plusieurs de ses dessins à ma mère qui les conserve précieusement.

— Tu n'as fait aucun commentaire sur ton autre sœur. La considères-tu elle aussi comme une grande bourgeoise ?

Hortense plisse le front.

— Pauvre Hénédine! Elle n'a pas été épargnée par les épreuves. En épousant Elzéar Taschereau, elle a dû quitter Kamouraska pour aller vivre en Beauce. Son mari était à la fois avocat, député et seigneur. Elle devait souvent se sentir bien seule dans ce grand manoir lorsque son époux s'absentait de longues semaines pour siéger au Parlement, à Québec ou à Montréal. À la mort d'Elzéar, elle n'avait que vingt-sept ans et sept enfants en bas âge. Lorsqu'elle a pris la décision de quitter le manoir seigneurial de la Beauce pour s'installer à Québec avec ses enfants, je l'ai trouvée bien courageuse. Elle souhaitait offrir la meilleure instruction à ses garçons en les inscrivant au Petit Séminaire de Québec. Crois-moi, elle a bien du mérite. Sa vie a été semée d'embûches.

— Hénédine est une femme modeste. Elle ne parle jamais d'elle, constate Luce. Pourtant, je ne suis pas surprise de ce que tu m'apprends à son sujet. On sent qu'elle est habitée par une force de vivre et une grande détermination. Bon, raconte-moi les dernières nouvelles. Il me semble que nous avons beaucoup de temps à rattraper. Cela fait si longtemps que nous nous sommes vues. Gérer les terres n'est pas trop difficile?

— Oh! Tu sais, depuis que le conseil législatif a aboli le régime seigneurial, les choses sont bien différentes.

— Le regrettes-tu?

— Oui et non. J'ai baigné dans ce monde toute ma vie. Fille, puis femme de seigneur… À cinquante ans, le changement ne se fait pas sans heurt.

— Tu t'y feras, Hortense. Ce n'est qu'une question de temps.

La voix douce et apaisante de Luce réconforte la visiteuse qui esquisse un sourire.

— Ainsi, ton fils s'est inscrit en médecine. As-tu été surprise par ce choix, Hortense?

— Edmond est plutôt cachottier. Il m'informe de ses projets à la dernière minute.

— Sans doute veut-il être certain de sa décision avant de t'en parler. À mon avis, c'est une façon de faire qui est sage et réfléchie.

— Peut-être, mais je souhaiterais qu'il soit moins secret. Je ne connais presque rien de lui, même si c'est mon fils.

— Les filles se confient davantage à leur mère, Hortense.

— Oui, je sais…

— Opter pour la médecine lui assure un bel avenir. Cela doit te réjouir.

— Edmond n'a pas l'intention de devenir médecin, Luce. Il souhaite être dentiste. Pour y parvenir, il doit faire deux ans à la faculté de médecine, puis se rendre au collège dentaire de Pennsylvanie où il étudiera durant deux autres années.

— Le moins que l'on puisse dire, c'est que mon neveu choisit un parcours plutôt original.

La mère d'Edmond rit de bon cœur.

— Tu as raison, il sort des sentiers battus.

— Mais pourquoi les États-Unis? Edmond aurait très bien pu faire son apprentissage de la profession en travaillant pour un dentiste de Québec.

— Je lui ai posé la même question. Il m'a expliqué qu'il voulait être diplômé d'un collège de chirurgie dentaire. Comme il n'en existe aucun au Québec, il doit se tourner vers les États-Unis. Là-bas, il y en a quelques-uns. Savais-tu que le premier collège de chirurgie dentaire à avoir été fondé dans le monde est celui de Baltimore? Il a vu le jour en 1840.

— Non, tu me l'apprends. Avec tout ce que tu viens de me dire, tu n'as pas raison de t'inquiéter. Ton fils a pris le temps de réfléchir à son avenir. Il s'est bien renseigné et a pesé le pour et le contre avant de prendre sa décision. Être diplômé d'une école reconnue fera de lui un meilleur dentiste. Il y a trop de praticiens ambulants mal formés. Les bons dentistes, on peut les compter sur les doigts de la main.

La veuve du juge Panet s'interrompt le temps de croquer dans un biscuit. Sa belle-sœur l'imite.

— Passons au salon. Nous y serons mieux.

Dans le salon aux boiseries sombres et aux lourds rideaux de velours, Hortense se sent retirée du monde extérieur. Elle a l'impression d'être à l'abri et protégée des agressions de toutes sortes.

— J'aurais tant souhaité qu'Edmond habite chez toi, dit-elle en poussant un soupir.

— Moi aussi, mais vivre auprès de sa vieille tante n'est pas très emballant pour un jeune homme. As-tu pris le temps de visiter sa pension?

— Oui, j'ai même rencontré sa logeuse. Une femme dans la cinquantaine. Elle m'a paru plutôt sympathique. La maison compte déjà trois autres pensionnaires, tous des étudiants inscrits à l'Université Laval.

— Tant mieux, Edmond s'y sentira moins seul.

— Il a promis de te rendre visite ces prochains jours. J'espère qu'il tiendra parole.

— S'il ne vient pas, c'est moi qui me déplacerai jusqu'à lui, réplique Luce avec un petit sourire en coin. J'ai peut-être soixante-quatre ans, mais je suis encore solide sur mes jambes. Une petite marche dans les rues de Québec ne m'effraie pas.

* * *

Edmond revient de la gare où il a été reconduire sa mère. Celle-ci était de bonne humeur. Durant son bref séjour, elle a arpenté les rues de la ville en compagnie de sa belle-sœur. Edmond s'est même joint aux deux femmes un après-midi. L'enthousiasme de sa mère l'avait surpris. Elle voulait tout voir, tout découvrir, posant mille et une questions, s'intéressant à tout. La joie et la gaieté se lisaient dans ses yeux. Elle semblait infatigable. Edmond l'avait rarement vue ainsi. Sa mère semblait avoir rajeuni de dix ans. Durant ce bref séjour, Hortense a aussi rendu visite à Olivier-Arthur, son fils avocat qui vit à Québec depuis son mariage avec la fille d'un arpenteur. Avant de quitter la ville, Hortense a promis de revenir bientôt. Sa valise à la main, elle est montée dans le train, puis s'est retournée pour faire un petit geste de la main à Edmond. «Bon voyage, maman», a-t-il crié pour qu'elle l'entende bien. Elle lui a souri avant de disparaître de sa vue. Lorsque le train est reparti, emportant sa mère, Edmond Casgrain s'est senti à la fois libre et anxieux. Une nouvelle vie commençait pour lui. Il ne savait pas trop à quoi s'attendre, mais il se sentait prêt à relever le défi.

Chapitre 7

— Ce soir, je souperai avec des amis, madame Leblanc.

— Bien, je mettrai un couvert de moins. Ne rentrez pas trop tard, Edmond.

— J'essaierai, mais je ne vous promets rien, madame Leblanc.

Le jeune homme salue courtoisement sa logeuse avant de refermer la porte derrière lui. La femme grommelle entre ses dents tout en remontant l'escalier qui mène aux chambres de ses pensionnaires. «Je devrais me montrer plus sévère. S'il logeait ailleurs, il aurait sûrement un couvre-feu à respecter. Ma maison n'est pas une auberge où l'on entre à toute heure de la nuit. Sa mère n'aimerait pas le savoir courir les rues, la nuit tombée.»

Une fois dehors, Edmond respire à pleins poumons. Quelques heures de liberté ne lui feront pas de tort. Il a été tellement occupé ces dernières semaines. Le 9 février dernier, une dépêche lui était parvenue. *Olivier-Arthur décédé cette nuit. Félixine.* Sous le choc, la missive lui avait glissé des mains. Blanc comme un drap, il avait dû s'asseoir, car ses jambes ne le portaient plus. Il savait que son frère était malade, mais pas au point d'en mourir. Ce jour-là, Edmond n'avait pas trouvé la force de se rendre à l'université. De toute façon, il n'avait pas la tête à ses cours. L'image de son frère hantait ses pensées. Marié depuis trois ans, père de deux enfants, Arthur avait été admis au Barreau en 1860. Il était entré au bureau du greffier de la province de Québec l'an dernier. *Maman était si fière de lui,* avait songé Edmond. *Arthur avait un tempérament d'artiste.* Dans le manoir de L'Islet, les murs étaient ornés de ses tableaux. *Il aurait pu devenir peintre.* Pourtant, Arthur avait mis ses talents d'artiste en veilleuse sachant qu'une carrière en droit lui assurerait un meilleur avenir. Ce qui ne l'avait pas empêché de peindre et de rédiger des poèmes pour les journaux, dont *Le Courrier du Canada*. Edmond avait eu une pensée pour Georges, le jumeau d'Arthur, maintenant curé à Saint-Étienne-de-Lauzon. *Félixine l'a-t-elle prévenu?* Edmond s'était mordu le poing pour ne pas pleurer. Surmontant sa peine, il avait enfilé son manteau. Le bonnet bien enfoncé sur la tête, il avait quitté sa pension sans saluer la logeuse. D'un pas vif, il avait marché dans les rues enneigées de la ville, indifférent au froid et aux passants qu'il avait croisés. Devant la maison de son frère, il avait hésité un moment avant d'appuyer sur le bouton de la sonnette. La porte d'entrée s'était ouverte presque aussitôt. Félixine s'était jetée dans ses bras en sanglotant. Doucement, il avait refermé la porte derrière lui, puis il avait entraîné sa belle-sœur dans le petit salon. Une domestique l'avait débarrassé de son bonnet, de ses gants et de son manteau. Quelques minutes plus tard, la jeune fille était revenue avec du thé bien chaud. Après avoir posé le plateau sur la table basse, elle s'était discrètement retirée de la pièce. Edmond avait tu sa peine pour tenter de consoler la femme de son frère qui se retrouvait veuve à trente-deux ans. Au fond de lui, il se doutait que la jeune femme ne mettrait pas de temps à se remarier. Mais pour l'instant, Félixine pleurait la mort de son homme et ses larmes semblaient intarissables. À ce souvenir douloureux, Edmond pousse un long soupir. Les jours ont passé et la vie a repris peu à peu son cours normal. Avec ses cours à l'université et ses visites au dispensaire de Québec, ses journées sont bien remplies. Les soirées, il les consacre à l'étude. S'il veut réussir, il doit agir ainsi. Le jeune homme entame sa deuxième année de médecine avec confiance. Ses notes sont bonnes et il a gagné le respect de ses professeurs par son assiduité au travail. «Un élève modèle», se moquent gentiment ses camarades. Edmond s'est lié d'amitié avec deux d'entre eux: Nazaire Levasseur et Michael-Joseph Ahern. Le premier a fait ses études classiques au Séminaire de Québec. L'autre était enseignant à Saint-Romuald avant de s'inscrire en médecine. Ils se sont vite découvert des affinités et passent leur temps libre ensemble lorsque l'occasion se présente. *Comme ce soir,* pense le jeune Casgrain, un sourire heureux accroché aux lèvres. *Mais d'ici là, je dois me rendre au dispensaire.* Il presse le pas afin de ne pas être en retard. La semaine suivant son entrée à l'université, il s'était fait reprocher son manque de ponctualité. Honteux de s'être fait admonester devant les autres étudiants, il s'était juré que cela ne se reproduirait plus. Maintenant, il se fait un devoir d'être à l'heure, peu importe l'endroit. En plus du dispensaire, l'enseignement se donne aussi dans les services cliniques de l'Hôtel-Dieu de Québec et de l'Hôpital de la Marine. Edmond préfère la pratique à la théorie. Assister à l'examen des malades et recevoir des explications cliniques de la part des médecins de service, voilà la vraie façon d'apprendre selon lui. «Chaque patient est unique et mérite votre attention et votre respect, qu'il soit riche ou pauvre.» Cette phrase prononcée par l'un de ses professeurs dès la première journée de cours est restée ancrée dans sa mémoire. Depuis qu'il vit en ville, Edmond a pu constater l'ampleur de la misère. Une grande partie de la population de Québec est pauvre. Les mendiants, les vagabonds et les sans-abri sont de plus en plus nombreux. Il lui arrive souvent de croiser un enfant en haillons qui demande la charité. Chaque fois, son cœur se serre. «Surtout, ne leur donnez pas d'argent. Ce n'est pas ainsi que vous les aiderez à se sortir de la misère», clament haut et fort le clergé et les journalistes. Mais que faire alors? Détourner les yeux et passer son chemin? Edmond a beaucoup de mal à se faire à cette idée. *Heureusement qu'il y a le dispensaire de Québec pour les démunis de la ville,* se dit-il. La clinique des pauvres, comme le surnomment les étudiants, a été ouverte le 19 février 1866. Le projet a été rendu possible grâce à la générosité du supérieur du Séminaire de Québec, l'abbé Elzéar-Alexandre Taschereau, et à celle du curé de Québec, l'abbé Joseph Auclair. Les deux hommes se sont entendus pour payer tous les frais de l'établissement. Les pauvres de la ville peuvent venir consulter un médecin et recevoir des médicaments sans débourser un sou. Les Sœurs de la Charité ont été si enthousiasmées par le projet qu'elles ont voulu y contribuer en mettant un local à la disposition du Séminaire pour y aménager le dispensaire. Deux religieuses de cette communauté accueillent quotidiennement les malades qui s'y présentent. Elles voient aussi à l'entretien des salles. Six médecins viennent à tour de rôle offrir leur temps au dispensaire. Edmond se trouve privilégié de faire partie des premiers étudiants en médecine de l'Université Laval à fréquenter l'endroit. *Aujourd'hui, c'est le docteur Larue qui est de service*, se rappelle-t-il en empruntant la rue Saint-Olivier. De loin, il aperçoit la bâtisse qui abrite le dispensaire. *Je suis à l'heure*, se réjouit-il après avoir consulté sa montre de poche. À l'extérieur, plusieurs personnes attendent patiemment que la porte ouvre. Dès qu'il pénètre dans le local, une religieuse vient à sa rencontre.

— Vous êtes le premier arrivé. J'espère que les autres suivront bientôt, car l'après-midi s'annonce bien chargé. Le docteur Larue vous attend.

Edmond se dirige aussitôt vers le fond de la salle. Assis devant un petit bureau, un homme dans la trentaine griffonne quelques mots dans un cahier. Percevant la présence de l'étudiant, le médecin relève la tête et lui sourit.

— Bonjour Edmond, dit-il en refermant son cahier.

Il surprend le regard du jeune homme posé sur celui-ci.

— J'écrivais un article pour *Le Courrier du Canada,* explique-t-il. Je n'aime pas demeurer oisif.

— Oui, je sais et je me demande comment vous réussissez à mener de front la médecine, l'enseignement et l'écriture. Il me semble que cela fait beaucoup pour un seul homme.

— Ma femme pense comme toi. Alphonsine souhaiterait que je passe un peu plus de temps à la maison. Je voudrais bien faire plaisir à ta cousine. Malheureusement, ce n'est pas possible.

Le médecin retire ses lunettes et se frotte les paupières. Il semble fatigué et las.

— Pourtant, elle devrait comprendre que j'ai un horaire chargé et des obligations à respecter, ajoute-t-il. Son père, l'honorable juge Panet, ne devait pas être souvent à la maison.

Il passe sa main dans son abondante chevelure, l'air songeur. Edmond ne sait que répondre. Il connaît peu cette cousine de vingt-neuf ans qui a grandi en ville et qui venait rarement en visite à L'Islet.

— Mais je t'embête avec mes états d'âme, dit Hubert Larue en se levant brusquement de sa chaise. Ce n'est ni le moment ni le lieu pour entretenir de tels propos. Bon, suis-moi que l'on commence les consultations. Ne faisons pas attendre plus longtemps ces pauvres gens.

De son pas nerveux, le médecin traverse la salle. Edmond marche derrière lui, réfléchissant aux paroles entendues. *Lorsque viendra mon tour, quelle importance accorderai-je à la vie de famille ? Serai-je un époux et un père absent, comme tant d'autres hommes avant moi ?* À vingt-deux ans, le mariage lui semble encore loin. *J'ai bien le temps d'y penser.* La porte du dispensaire s'ouvre enfin, déversant son lot de femmes, d'hommes et d'enfants à l'intérieur du local.

— Ne poussez pas. Placez-vous en file, leur recommande l'une des deux religieuses. Le docteur Larue vous examinera à tour de rôle. Rassurez-vous, il ne quittera pas le dispensaire tant qu'il n'aura pas vu chacun de vous.

Edmond admire le calme dont elle fait preuve. En quelques minutes, elle réussit à faire régner l'ordre et la discipline. Après s'être soigneusement lavé les mains, le médecin fait signe à son étudiant d'en faire autant. Edmond s'empresse d'obéir. « L'hygiène est la règle de base en médecine. Grâce à elle, bien des maladies peuvent être évitées », affirment les professeurs de l'Université Laval à leurs élèves. Durant plus de trois heures, les malades se succèdent à un rythme régulier. Quatre autres étudiants se sont joints à Edmond. Bien sûr, ils ne font qu'assister à l'examen des patients. Attentif et silencieux, Edmond ne manque aucune des explications cliniques du médecin. Malgré une physionomie sévère, Hubert Larue agit avec douceur. Le malade se sent en confiance et perd rapidement son air apeuré ou découragé. *C'est cette approche calme et rassurante que je souhaite avoir auprès de mes patients,* songe l'étudiant. Depuis quelques semaines, il prépare et distribue les remèdes aux patients. Il s'occupe aussi de faire les pansements. Edmond s'acquitte de ces tâches sans difficulté, sous l'œil satisfait des médecins en service.

Hubert Larue referme sa trousse de médicaments, puis il étire les muscles de son dos.

— Nous avons fait du bon travail, dit-il aux cinq étudiants. Certains cas n'étaient pas faciles cet après-midi. Bravo à tous. Aucun de vous n'a perdu son sang-froid.

Edmond revoit mentalement la jeune femme qui s'était présentée au dispensaire en milieu d'après-midi. Elle portait une robe de cotonnade ample pour dissimuler une grossesse pourtant évidente. La tête baissée, elle semblait terrorisée. Le médecin avait dû faire preuve de patience et de persuasion pour qu'elle accepte de se faire examiner. Tout au long de l'examen, elle avait gardé les yeux et les poings fermés. Avec horreur, Edmond avait découvert la source de son mal : la syphilis. Cette maladie honteuse qui ne pardonnait pas et dont l'issue était fatale. Il avait échangé un regard navré et impuissant avec le docteur Larue. Après l'examen, le médecin avait posé quelques questions à sa patiente. La voix étouffée par les larmes, celle-ci lui avait avoué être une servante congédiée par son patron, un bourgeois de la ville qui l'avait mise enceinte après avoir assouvi ses bas instincts. Révolté par ce qu'il venait d'entendre, Edmond avait dû se maîtriser pour ne pas réagir. Qu'allait-il advenir de cette pauvre fille qui n'avait même pas vingt ans ? Avait-elle un toit ou une famille pour s'occuper d'elle ? Où mettrait-elle son enfant au monde ? Qui accepterait de l'accueillir dans son état ? Le médecin avait pris la situation en main. D'un geste discret, il avait fait signe à l'une des religieuses de s'approcher. Après avoir écrit un mot à son attention, il lui avait tendu le papier. Celle-ci l'avait lu, puis avait hoché la tête en direction du médecin. «Venez avec moi, avait-elle murmuré à la patiente. On va prendre soin de vous.»

— Ça va, Edmond?

La voix du médecin le ramène brusquement au moment présent. De la tête, il fait signe que oui. Les étudiants quittent bientôt le local alors qu'Edmond s'attarde dans la pièce.

— Maintenant que nous sommes seuls, dis-moi ce qui te tracasse.

Le jeune homme tripote nerveusement son cahier de notes, ne se décidant pas à parler.

— Bon, je vais t'aider un peu. Tu t'inquiètes du sort de la jeune syphilitique?

Surpris qu'Hubert Larue ait deviné aussi facilement, Edmond fixe le médecin avec des yeux étonnés. Ce dernier sourit, puis redevient sérieux.

— Comme tu as pu le constater, cette jeune fille a été rejetée par les siens. Elle n'a plus de travail, plus de famille et pas de toit pour se loger. Le fait qu'elle soit malade et enceinte complique les choses.

— Les gens n'ont donc aucune compassion? demande l'étudiant qui contient difficilement sa colère.

— Pas lorsqu'il s'agit de cette maladie et que la grossesse est illégitime. La société condamne celle qui s'est écartée du droit chemin. Aux yeux des gens, cette fille est responsable de son malheur. Elle n'avait pas les vertus assez solides et mérite son sort.

— Mais c'est faux, s'indigne le jeune Casgrain en haussant le ton. Elle n'a pas cédé au premier venu, c'est son patron qui a abusé d'elle.

L'une des religieuses tourne la tête dans leur direction. Le médecin lui fait signe que tout va bien.

— Je sais, Edmond, mais nous ne changerons pas la façon de penser des gens. Ce qui importe, c'est de veiller sur cette pauvre fille.

— Qu'adviendra-t-il d'elle ?

— J'ai demandé à sœur Louise de l'amener à l'hôpital de la Maternité. Là-bas, elle sera bien accueillie.

— L'hospice de tante Luce ! s'écrie le jeune homme. Bien sûr, j'aurais dû y penser. C'est le refuge des femmes enceintes non mariées.

— Oui, ma belle-mère a cette cause à cœur. Quelle femme généreuse ! s'exclame le docteur Larue.

— Existe-t-il un espoir que cette jeune fille guérisse ?

— Il y a le traitement au mercure, mais je doute de son efficacité. La maladie est avancée. Ses parties intimes, sa langue et sa gorge étaient couvertes de chancres. Ses ganglions étaient enflés et douloureux.

— Je croyais que la syphilis évoluait lentement, que le mal pouvait s'étendre sur plusieurs années.

— Oui, tu as raison. Cette maladie est sournoise. Par moments, elle semble disparaître, mais c'est un leurre. Les symptômes reviennent avec encore plus de force quelques mois plus tard. Plusieurs malades deviennent aveugles. À la fin, tous les organes du corps sont rongés par l'infection : le cerveau, le cœur, le foie, les os. Mourir de syphilis, c'est une mort atroce que je ne souhaite à personne.

— L'enfant qu'elle porte sera-t-il atteint de cette maladie ?

— Malheureusement, oui. Les risques sont grands que la mère fasse une fausse couche, ce qui serait préférable, conclut le médecin.

Bouleversé par ce qu'il vient d'entendre, Edmond reste sans voix.

— Ne prends pas trop à cœur le sort des patients, autrement tu n'y survivras pas. Il faut apprendre à se détacher, à se faire une carapace si l'on veut exercer la médecine, Edmond. Bon, je ne veux pas te mettre à la porte, mais le temps file et les bonnes sœurs ont hâte de mettre le local sous clé.

L'étudiant lève un œil vers Hubert Larue qui boutonne son pardessus. Rouge de confusion, il se confond en excuses. Le médecin lève la main pour le faire taire.

— Ce soir, change-toi les idées. Oublie les livres et l'étude. Il est bon de décrocher un peu de temps à autre.

Edmond approuve de la tête, puis quitte le dispensaire en compagnie de son professeur. Au coin de la rue, les deux hommes échangent une poignée de main avant de se séparer. Lorsqu'il se retrouve seul, Edmond ne peut s'empêcher de repenser à la jeune femme atteinte de syphilis. Il revoit son regard effrayé, ses traits tirés, sa robe défraîchie, le châle qu'elle tenait résolument fermé sur sa poitrine, l'examen médical qu'elle avait dû subir devant six hommes, puis son départ précipité avec la religieuse. Il ressent sa peur, sa douleur, son humiliation, sa frustration, son désespoir. Une tristesse sourde et profonde l'envahit. Lui qui, ce matin, se faisait une joie de sortir entre amis n'a plus envie que de solitude. La journée qui avait commencé sous un ciel bleu et prometteur s'est transformée au fil des heures. Le ciel gris et maussade annonce une pluie prochaine. Edmond relève le col de son manteau. Il fait frais en cette fin de journée printanière. *La vie est injuste. Pourquoi certains n'ont pas droit au bonheur ?* se demande-t-il.

Chapitre 8

Me voici enfin arrivé, se dit Henri-Edmond Casgrain, soulagé. Le voyage en train jusqu'à Philadelphie s'est révélé long et périlleux. À plusieurs reprises, le jeune homme s'était demandé pourquoi il avait entrepris une telle aventure. La veille de son départ, sa mère avait tenté une dernière fois de le faire renoncer à son projet. «Tu seras seul dans un pays que tu ne connais pas. Qui s'occupera de toi si tu es malade?» Il avait perçu l'angoisse de celle qui l'avait mis au monde. Se séparer de son fils n'est jamais facile. Même à vingt-trois ans, Edmond avait l'impression de rester un enfant aux yeux d'Hortense. C'était le temps de couper le cordon ombilical, selon lui. «À mon retour, je serai dentiste et vous serez fière de moi», lui avait-il dit avec aplomb. «Tu n'as pas besoin d'aller aussi loin pour le devenir», avait-elle répliqué en fronçant les sourcils. Edmond l'avait embrassé sur la joue en guise de réponse. Il savait bien que le changement angoissait sa mère et qu'elle s'inquiéterait tant et aussi longtemps qu'il ne serait pas revenu. Mais sa décision était prise et rien ni personne ne le ferait changer d'idée.

Sa valise à la main, Edmond se sent un peu désemparé. Il ignore quelle direction prendre. Dans son dos, il entend soudain une voix masculine.

— Puis-je vous être utile?

En se retournant, il aperçoit un homme dans la cinquantaine qui lui sourit avec bienveillance.

— Volontiers. Je suis canadien et je viens d'arriver, répond-il en anglais.

— Le sourire de l'homme s'élargit, puis il s'adresse à Edmond dans un français impeccable:

— Bienvenue à Philadelphie.

— Mais où avez-vous appris à parler aussi bien français ?

— J'ai fait mes études en France, il y a bien longtemps. Quant à vous, quel bon vent vous amène jusqu'ici ?

— Les études. Je suis inscrit au collège dentaire.

— Suivez-moi, jeune homme. Je vais vous y conduire. Ce n'est pas très loin.

Edmond lui emboîte le pas et remercie intérieurement la Providence d'avoir mis sur son chemin un bon Samaritain. *J'aime déjà ce pays,* se dit-il.

* * *

Philadelphie a tout pour plaire au jeune Canadien. Cette ville industrielle importante est riche en histoire. Le «berceau des États-Unis» selon ce qu'il a lu. Curieux de nature, Edmond s'est documenté sur la région avant de venir s'y installer pour deux ans. Il a été impressionné d'apprendre que la Déclaration d'indépendance ainsi que la Constitution américaine avaient été signées dans cette ville. Mais ce qui l'a impressionné encore plus, c'est le rôle joué par Philadelphie durant la guerre de Sécession. Cette guerre civile américaine avait opposé le Nord et le Sud du pays. Le Nord (ou «l'Union») dirigé par Abraham Lincoln voulait abolir l'esclavage, tandis que le Sud (ou «la Confédération») mené par Jefferson Davis s'y refusait. Philadelphie avait mis ses usines et ses hôpitaux au service de l'Union. Les usines fabriquaient les armes et les hôpitaux accueillaient les soldats blessés. Le conflit qui déchirait le pays s'était échelonné sur quatre longues années. En 1865, la paix était enfin survenue. Le Nord avait gagné. L'esclavage était aboli aux États-Unis. Edmond lève les yeux et contemple la cloche surmontée d'un aigle qui trône sur un piédestal au rez-de-chaussée de l'Independance Hall. «La cloche de la liberté», murmure-t-il non sans une certaine émotion. Il sait que cette cloche symbolise la victoire du mouvement abolitionniste. Au cours des premiers jours passés à Philadelphie, il a été étonné de voir autant de personnes à la peau noire circuler dans les rues de la ville. « Ce sont d'anciens esclaves du Sud qui ont migré vers le Nord dans l'espoir de trouver un travail, lui a expliqué un commerçant. L'ennui, c'est qu'ils sont de plus en plus nombreux. » Tout à ses pensées, Edmond n'a pas vu le temps passer. Lorsqu'il prend conscience de l'heure, il étouffe un juron. Au pas de course, il franchit la distance le séparant du collège dentaire. Ce matin, il a un cours de chimie et le professeur ne tolère aucun retard. En coup de vent, l'étudiant traverse le rez-de-chaussée, heureusement désert, et grimpe les marches de l'escalier quatre à quatre. Au premier étage, il aperçoit Henry Morton, la main sur la poignée de porte, qui le regarde s'approcher d'un œil sévère. L'étudiant presse le pas, tentant de se composer un visage calme. Il parvient à la porte au moment où la cloche sonne. Saluant poliment le professeur, il s'introduit dans le laboratoire de chimie, le cœur battant la chamade. *Ouf ! Il s'en est fallu de peu pour que je me cogne le nez sur une porte fermée.* Adoptant une démarche décontractée, il se dirige vers l'un des deux établis comptoirs. Un élève lui chuchote :

— Morton n'est pas à prendre avec des pincettes, ce matin.

— J'ai remarqué, répond-il à voix basse avant de s'asseoir.

Edmond reconnaît que le professeur Morton connaît sa matière sur le bout de ses doigts et qu'il enseigne avec passion. L'étudiant ouvre l'armoire devant lui et prend ce dont il a besoin pour le cours. Chaque élève dispose d'un tel rangement. Le laboratoire de chimie est propre, bien rangé et parfaitement organisé. Il y a même un robinet à chaque place. Ceux-ci sont reliés à des conduites d'eau. Cela est bien utile pour procéder aux manipulations et aux expériences. Le Canadien se trouve privilégié d'avoir pu s'inscrire au collège de chirurgie dentaire. Il sait bien que de telles études à l'étranger ne sont pas à la portée de toutes les bourses. *Si j'étais né au sein d'une famille de cultivateurs ou d'ouvriers, j'aurais dû renoncer à ce rêve.* Les frais de scolarité sont élevés et vivre aux États-Unis l'est encore plus. Il remercie son père d'avoir insisté pour qu'il apprenne l'anglais lorsqu'il faisait ses études classiques au collège de Sainte-Anne-de-la-Pocatière. Aujourd'hui, le jeune homme se débrouille très bien dans cette langue et ne manque aucune explication durant les cours magistraux et les travaux pratiques.

La journée se déroule rondement. Après les cours, il décline l'invitation de ses camarades. En d'autres temps, il aurait accepté d'aller jouer aux cartes avec eux, mais ce soir, il a projeté d'écrire à sa mère. Il reporte cette tâche depuis trop de jours. Résigné à s'y soumettre, il dirige ses pas vers la bibliothèque du collège. Là-bas, il ne risque pas d'être dérangé. Quelques étudiants y sont. Aucun ne lève la tête pour le saluer. Chacun semble concentré sur sa lecture. Edmond choisit une place près d'une fenêtre. De son cartable, il sort plume, encre et papier. Durant plusieurs minutes, il contemple la feuille blanche devant lui, se demandant quoi raconter à sa mère. Chaque fois qu'il lui écrit, il doit peser ses mots afin de ne pas l'inquiéter ou la contrarier. C'est ainsi depuis toujours. Hortense Dionne-Casgrain décortique chacune de ses phrases. «Ta mère essaie de trouver le sens caché de tes mots, disait le seigneur de L'Islet avec un brin d'humour. Attention à ce que tu lui écris.» Laissant échapper un soupir, Edmond se décide enfin à rédiger.

Philadelphie, 8 décembre 1869

Chère maman,

Je viens de terminer ma journée de cours et j'en profite pour vous donner de mes nouvelles. Déjà, je vous entends répliquer : « Tu ne prends pas la plume bien souvent lorsqu'il s'agit d'écrire à ta mère. » Ne m'en veuillez pas. Je manque de temps pour le faire, ce qui ne m'empêche pas de penser souvent à vous.

Noël approche à grands pas. J'imagine que grand-mère Dionne viendra passer quelques jours au manoir, comme elle le fait depuis deux ans. Embrassez-la de ma part. *Le temps des fêtes me paraîtra triste loin de vous tous. Ici, la température est plutôt clémente. Nous avons connu quelques journées douces et ensoleillées. L'hiver s'annonce moins rigoureux qu'à la Côte-du-Sud. Je ne m'en plaindrai pas. Soyez sans crainte, je ne sors jamais sans mon écharpe de laine bien enroulée autour de mon cou. Ainsi, je ne risque pas de prendre froid. Aucun flocon de neige n'est encore tombé sur la ville.*

Philadelphie est une bien jolie ville, moderne et agréable à vivre. Les gens sont accueillants. Rassurez-vous, je ne suis pas venu ici en vacancier, mais pour étudier. Je mène donc une vie rangée, consacrant mon temps libre à l'étude et non à faire la fête. Les cours au collège sont variés et intéressants. En voici la liste : chimie, anatomie générale et microscopique, physiologie, matière médicale, chirurgie, dentisterie mécanique, métallurgie dentaire, pathologies dentaires, histologie dentaire et opérations dentaires. Mes deux années en faculté de médecine à l'Université Laval ont contribué à ce que je me sente moins dépaysé par la matière enseignée ici. Il m'est arrivé d'aider des étudiants qui éprouvaient de la difficulté à assimiler certaines notions apprises en classe. Ce que j'aime par-dessus tout, c'est d'accompagner les professeurs en clinique. En général, nous nous y rendons les samedis. Bientôt, je ferai des plombages et j'extrairai des dents. Sous la supervision d'un professeur, bien entendu. Chaque semaine, nous nous exerçons à la cautérisation et à l'aurification. Vous serez sans doute contente d'apprendre que l'on me considère comme un élève brillant et adroit. Je n'ai pas l'intention de m'enfler la tête après avoir reçu de tels compliments de la bouche de certains professeurs. Mais un commentaire élogieux agit sur le moral et aide à vouloir se dépasser. Je vous le répète, vous serez fière de moi à mon retour. Je vous embrasse affectueusement.

Henri-Edmond

* * *

Bien, il ne reste plus qu'à me rendre au bureau de poste, se dit le fils d'Hortense. Satisfait, il décide de s'accorder une pause et d'aller rejoindre ses amis. *Une fois n'est pas coutume. J'étudierai plus fort demain.*

Chapitre 9

Marie-Caroline Gaudreau s'assoit lourdement sur une chaise. Ses chevilles enflées et douloureuses ne lui permettent plus de rester debout de longues heures. Elle songe à toutes les tâches qui l'attendent et se demande comment elle trouvera la force de les accomplir. Elle n'a qu'une envie : se recoucher. La nuit dernière, elle est restée longtemps éveillée, des idées plein la tête. Depuis quelques jours, elle se fait du mauvais sang. *Si je dois m'aliter, Caro pourrait-elle s'occuper seule du ménage, de la lessive, des repas et des plus jeunes ? Ce n'est pas ma première grossesse, pourquoi est-ce que je m'inquiète autant ?* Devant son mari, elle tait ses craintes. *On n'a pas besoin d'être deux à se faire du souci. Jean-Baptiste ne comprendrait pas de toute façon.* Elle fixe sa tasse, la mine triste. La journée s'annonce chaude et humide. Les cris des oiseaux lui font lever la tête, qu'elle tourne vers la fenêtre. *Ils volent bas. L'orage n'est pas loin. Tant mieux, ça chassera l'humidité.* Elle n'a jamais eu peur du tonnerre et des éclairs. D'un trait, elle avale le reste de son thé froid. Des éclats de rire lui parviennent de la chambre du fond. *Les filles sont réveillées.* Elle resserre contre elle les pans de sa vieille robe de chambre et se compose un visage serein. Des bruits de pas se font bientôt entendre. Elle sourit en apercevant ses trois filles. Caroline, l'aînée, s'approche et dépose un baiser sur la joue de sa mère.

— Vous êtes bien matinales, les filles.

L'adolescente de quatorze ans répond :

— Il faisait trop chaud pour dormir. Tant qu'à tourner dans le lit, j'ai préféré me lever.

— C'est la même chose pour vous deux ?

Emma et Angelina acquiescent de la tête.

— Dans ce cas, venez déjeuner.

Elle fait mine de quitter sa chaise pour les servir, mais Caroline intervient aussitôt :

— Restez assise, maman. Je vais m'en occuper.

Leurs yeux se croisent un instant. La mère se sent rassurée devant le calme et la détermination qu'elle lit dans le regard de sa fille aînée.

— Merci, Caro, répond-elle simplement.

— Les garçons sont partis aux champs avec papa pour la journée. Après déjeuner, Emma et Angelina vont me donner un coup de main au potager. La maison sera alors silencieuse. Vous devriez en profiter pour faire une petite sieste.

— Je ne peux pas, proteste la mère de famille. Il y a tant de choses à faire.

— Faites-moi confiance, je me charge de tout.

Marie-Caroline hésite. Elle se sent coupable de laisser la maison-née aux soins de l'adolescente. Pourtant, celle-ci lui a démontré à plusieurs reprises qu'elle en était capable. *Elle a une maturité peu commune pour ses quatorze ans.*

— Bon, d'accord. Je vais m'étendre un peu.

La femme enceinte se lève péniblement. Avant de quitter la cuisine, elle recommande aux deux plus jeunes :

— Écoutez bien votre grande sœur. Lorsque je n'y suis pas, c'est elle qui mène. Compris ?

— Oui, maman, répondent en chœur les fillettes.

La femme de Jean-Baptiste Gaudreau regagne sa chambre l'esprit plus tranquille. Dès qu'elle pose sa tête sur l'oreiller, un sentiment de bien-être l'envahit. *Comme c'est bon de paresser un jour de semaine! Il y a si longtemps que cela ne m'était pas arrivé!* songe-t-elle, un sourire béat aux lèvres. Les yeux fermés, elle laisse le sommeil la gagner. Trente minutes plus tard, Caroline entre dans la chambre de sa mère sur la pointe des pieds. Constatant que celle-ci ronfle la bouche ouverte, l'adolescente referme doucement la porte et rejoint ses sœurs à la cuisine.

— Elle s'est endormie. Suivez-moi dehors et ne claquez pas la porte de la maison en sortant. Vous savez combien maman a le sommeil léger.

— Il va bientôt pleuvoir, Caro.

— Pour l'instant, ce n'est pas le cas. S'il pleut trop fort, nous rentrerons.

La fillette de cinq ans ne semble pas très convaincue et reste assise sur sa chaise.

— Cesse de faire l'enfant, Angelina. Quelques gouttes de pluie n'ont jamais fait mourir personne. Tu as promis à maman d'être sage. Viens, le potager ne se désherbera pas tout seul.

Jusqu'ici muette, Emma s'avance et prend la main de sa petite sœur.

— À trois, le travail se fera rapidement. Et maman sera tellement contente à son réveil.

Angelina jette un coup d'œil craintif à la fenêtre. Le ciel lui semble bien menaçant. Malgré tout, elle se résigne à accompagner ses sœurs à l'extérieur. Caroline remercie Emma d'un sourire. Dès que les trois filles se retrouvent dehors, elles sont surprises par la chaleur et l'absence de vent. Même les feuilles dans les arbres ne bougent pas. Un instant, Caroline songe à renoncer à l'entretien du potager. *Non, cette corvée ne peut plus attendre,* se dit-elle en rassemblant ses cheveux en un chignon serré. Tout en relevant les manches de sa chemise jusqu'aux coudes, elle donne les directives à ses sœurs. Aucune des deux ne conteste les ordres reçus. Chacune fait preuve de bonne volonté. À plusieurs reprises, elles doivent s'arrêter pour s'essuyer le front avec leur avant-bras. Le travail avance plus vite que Caroline l'espérait. Bien sûr, Emma et elle accomplissent le plus gros de la besogne. Du coin de l'œil, l'aînée observe sa cadette. Âgée de neuf ans, les bras et les jambes brunis par le soleil, Emma incarne la fille de la campagne, solide et vaillante. Elle n'a pas peur de se salir les mains et rien ne semble la rebuter. Les premières gouttes de pluie interrompent les pensées de Caroline.

— Il commence à pleuvoir, dit-elle. Heureusement, nous avons eu le temps de terminer.

Angelina abandonne aussitôt son seau et se met à courir vers la maison.

— Hé! pas si vite, il n'y a pas le feu! s'écrie Caroline.

Emma éclate d'un grand rire joyeux.

— On dirait qu'elle a le diable à ses trousses.

— Je n'ai jamais vu quelqu'un craindre autant la pluie. Ce n'est pas normal, soupire l'aînée.

— Elle n'a que cinq ans, Caro.

— Je sais. Pourvu qu'elle ne réveille pas maman dans sa précipitation. Tu m'aides à tout ramasser avant de rentrer?

Emma saisit la bêche et les seaux et marche rapidement vers la grange pour entreposer les outils. La pluie s'intensifie. C'est au pas de course que les sœurs Gaudreau regagnent la maison.

— Il va falloir changer de vêtements, chuchote Caroline.

Emma aperçoit Angelina, tapie derrière la chaise berçante. La petite fille semble terrifiée.

— N'aie pas peur. Dans quelques minutes, la pluie aura cessé.

L'enfant sort de sa cachette et met sa main dans celle de sa sœur.

— Allez, on se change, puis on prépare les confitures, déclare Caroline. Les fruits que nous avons cueillis hier sont prêts à cuire.

Quelques minutes plus tard, Angelina est assise à la table de la cuisine, affairée à équeuter les grosses fraises juteuses. De temps en temps, elle s'arrête pour en manger une. Elle est si concentrée dans son travail qu'elle en oublie la pluie qui martèle les fenêtres. Emma et Caroline lui prêtent main-forte. L'après-midi passe rapidement.

— Hum! Ça sent rudement bon ici.

Les trois filles se retournent d'un bloc et aperçoivent leur mère dans l'embrasure de la porte. La mine souriante et reposée, la femme semble en bien meilleure forme.

— On a fait de la confiture aux fraises, annonce fièrement Angelina. Et Caro a préparé le souper. Il y aura même un gros gâteau pour dessert, ajoute-t-elle, les yeux brillants de convoitise.

Heureuse de ce qu'elle entend, la mère pénètre dans la cuisine avec entrain.

— Avez-vous pu dormir un peu? s'informe Caroline.

— Comme un bébé.

— La pluie ne vous a pas réveillée? s'étonne Emma. Par moments, elle tombait fort.

— Je n'ai rien entendu. C'est l'odeur en provenance de la cuisine qui m'a sortie du lit. Mes narines n'ont pas pu résister.

— Il ne pleut plus, constate Emma. Je te l'avais dit, Angelina, que cela ne durerait pas longtemps.

— J'avais oublié la pluie.

— Et tu sais pourquoi ?

L'enfant fait non de la tête.

— Parce que tu travaillais fort et que ton esprit n'avait pas le temps de s'inquiéter. Chaque fois que tu auras peur de quelque chose, change-toi les idées en travaillant. Tu verras, ta peur s'envolera.

— À la campagne, le travail ne s'arrête jamais, souligne la mère. Tu n'auras donc jamais peur, conclut-elle avec un sourire en coin avant de s'asseoir dans la chaise berçante. J'ai toujours aimé la senteur de la terre après la pluie, dit-elle en se berçant. Ça me rappelle les moments heureux de mon enfance.

Emma observe le visage nostalgique de sa mère. Brusquement, tout devient clair dans son esprit. Elle ne veut pas de cet avenir tout tracé d'avance. Elle attend plus de la vie que de travailler d'un soleil à l'autre avec une ribambelle d'enfants accrochés à ses jupes. *Je ne sais pas encore ce que je ferai de ma vie, mais elle sortira de l'ordinaire*, se promet-elle, le menton appuyé sur ses mains.

— À quoi rêves-tu, Emma ?

La voix de sa mère la fait sursauter. Marie-Caroline regarde sa fille avec un sourire indulgent.

— À quand je serai grande, répond spontanément la fillette.

— Tu as bien le temps d'y penser. Contente-toi de vivre l'instant présent. La vie se chargera du reste.

Le ton de la femme exprime une lassitude qui n'échappe pas à l'enfant de neuf ans.

— Mais je ne veux pas juste attendre…

— Emma, laisse maman tranquille, l'interrompt Caroline. Va plutôt me chercher quelques œufs au poulailler. J'en ai besoin pour faire le gâteau.

— Je viens avec toi, s'écrie Angelina qui a déjà bondi sur ses pieds.

L'enthousiasme de la petite fille arrache un sourire à Emma.

— Allez, viens ! Mais dès que mon panier est rempli, on rentre. Promis ?

— Promis.

Main dans la main, les deux sœurs quittent la cuisine. Dès qu'elle entend la porte claquer, la femme de Jean-Baptiste Gaudreau pousse un soupir.

— Emma m'inquiète par moments, lâche-t-elle à voix haute.

— Pourquoi dites-vous ça, maman ? interroge Caroline en lui apportant une tasse de café brûlant.

— Ta sœur espère trop de la vie. J'ai peur qu'elle soit déçue.

— C'est le propre des enfants de rêver.

— Je sais, mais pas autant que ça. Emma est différente des autres.

Le visage de la femme s'assombrit et elle cesse de se bercer.

— Que craignez-vous à ce point, maman ?

— Que ta sœur vive de grandes désillusions et qu'elle soit malheureuse. On ne tire rien de bon à s'éloigner des sentiers battus. Elle se condamne à la solitude et à l'incompréhension des gens.

— Mais de quoi parlez-vous ? Là, c'est moi qui ne comprends rien.

— Oublie ce que j'ai dit, Caroline. Je m'inquiète peut-être pour rien, répond la mère d'une voix peu convaincante.

Chapitre 10

Edmond ne regrette pas de s'être accordé quelques jours de vacances. Certes, il a hésité à s'éloigner de la ville et, surtout, à fermer son bureau de dentiste, même pour une courte période. Mais sa mère a tant insisté qu'il a fini par céder et prendre la route pour L'Islet. Avant de partir, il a pris soin d'accrocher à la porte de son cabinet une affiche indiquant : *De retour dans une semaine.* Il a pensé ajouter *Raison : vacances estivales,* puis il s'est ravisé par respect pour ceux et celles qui ne peuvent s'offrir un tel luxe. Chaque fois qu'il revient à l'endroit qui l'a vu naître, le jeune homme de vingt-sept ans ressent une certaine émotion. L'image de son père lui traverse l'esprit. «Le gentilhomme campagnard», comme le surnommait affectueusement sa mère, lui manque beaucoup. Auprès de lui, Edmond a appris dès son jeune âge à aimer la nature. Même si le manoir était magnifique, Olivier-Eugène Casgrain n'avait jamais fait étalage de faste ni de son titre de seigneur. Il se sentait heureux sur ses terres et prenait plaisir à s'en occuper lui-même.

— C'est si bon de te savoir à la maison !

Edmond sourit à sa mère, assise en face de lui sur la véranda.

— On ne peut pas dire qu'il vient souvent nous rendre visite.

Hortense pousse un léger soupir.

— Vous savez bien qu'Edmond ne peut pas fermer son cabinet quand bon lui semble, mère. Autrement, les gens iront consulter un autre dentiste de la ville.

— Bien sûr, bien sûr, marmonne la vieille dame. Bon, je vous souhaite une bonne nuit. Il se fait tard.

Edmond se lève aussitôt pour prendre le bras de sa grand-mère et l'aider à gagner sa chambre. À quatre-vingt-six ans, Catherine Perrault-Dionne n'a plus les jambes très solides. Hortense reste seule sur la véranda. *Mère n'a même pas fini son thé,* constate-t-elle en regardant la tasse de porcelaine anglaise abandonnée sur le guéridon. Depuis que la vieille dame a quitté le manoir de La Pocatière pour venir vivre à L'Islet, Hortense se sent soulagée de la savoir auprès d'elle. À la mort d'Angélique, sa fidèle et dévouée servante, Catherine Perrault-Dionne avait manifesté le désir d'habiter chez Hortense. Celle-ci avait accepté de bon cœur, d'autant plus qu'elle se doutait que l'harmonie ne régnait pas entre Élisée et sa mère. «Ton frère n'attend que mon départ pour prendre possession du manoir seigneurial. Je ne le ferai pas languir davantage», avait-elle confié à Hortense sur un ton mi-figue mi-raisin. Les premières semaines avaient été difficiles. La veuve d'Amable Dionne avait ses petites habitudes et n'entendait pas y déroger. Il avait fallu s'adapter de part et d'autre. Hortense lui avait donné la meilleure chambre de la maison, celle avec vue sur le fleuve. Elle avait demandé aux domestiques d'être attentifs aux attentes de la vieille dame. L'après-midi, Catherine se permettait une petite sieste sous les grands saules. Elle aimait jardiner avec Hortense et l'accompagnait régulièrement à l'église. Entendre sa fille jouer de l'orgue était un plaisir dont elle ne se privait pas. Peu à peu, la vie avait repris son rythme normal au manoir de L'Islet. Un mois plus tard, Élisée était venu porter à sa mère deux vieilles malles remplies de souvenirs familiaux. «Elles contiennent toutes les lettres que vous avez reçues de mes sœurs lorsqu'elles étaient pensionnaires chez les Ursulines. Il y a aussi celles d'Henriette, d'Hénédine, d'Adèle et de Georgina une fois mariées et parties loin de la maison. J'ai pensé que cela vous ferait plaisir de les relire. Je me souviens combien vous aimiez leur écrire et recevoir de leurs nouvelles», lui avait-il dit avant de retourner au manoir de La Pocatière.

Des sept enfants encore vivants d'Hortense, seuls Jules et Adolphe vivent encore sous le toit familial. À trente-six ans, Jules est toujours célibataire, mais il est fiancé depuis peu à la fille du docteur Michaud. Reçu notaire en 1860, il pratique sa profession dans la maison paternelle. Hortense espère secrètement qu'il épousera Amélia et que le couple viendra s'installer au manoir. Pour accélérer les événements, elle a déclaré à son fils qu'elle lui ferait don du manoir, des terres et des deux moulins à farine s'il acceptait sa proposition. « Je te sais très attaché à ce domaine et c'est ce qui motive ma décision », lui a-t-elle dit un soir. À la fois ému et heureux, Jules n'a pas eu besoin d'une longue période de réflexion pour y consentir. « J'accepte avec plaisir, maman. Il n'y a pas d'autre endroit où je souhaiterais vivre qu'ici. » Quant à Adolphe, son plus jeune fils, Hortense ne se fait pas trop d'illusions à son sujet. Tout comme ses frères avant lui, il fait ses études classiques au collège de Sainte-Anne-de-la-Pocatière. L'adolescent de seize ans souhaite devenir médecin. *Adolphe a toujours mille et un projets en tête. Dans un an ou deux, il aura peut-être changé d'idée. Ce garçon est une vraie girouette.* Hortense sent soudain quelque chose de doux se poser sur ses épaules. Elle tourne la tête et aperçoit Edmond.

— La soirée est fraîche, il vaut mieux vous couvrir.

— Prévenant comme toujours ! Merci, mon garçon, répond-elle en appréciant la chaleur du châle de cachemire sur sa robe de cotonnade.

— Est-ce que cela vous ennuierait si je faisais une partie d'échecs avec Jules ?

— Pas le moins du monde. Je vais en profiter pour lire les journaux avant d'aller au lit.

— À la noirceur ?

Hortense émet un léger rire.

— Bien sûr que non. À mon âge, mieux vaut protéger ce qu'il me reste de vision. Je rentre dans quelques minutes.

— Je suis content que vous ayez opté pour des lampes au kérosène. C'est un combustible peu coûteux et qui ne produit pas de fumée. Les lampes à l'huile emboucanent toutes les pièces et sont de plus en plus démodées. Vive le progrès!

— Le progrès n'est pas toujours un gage de réussite, Edmond.

Le jeune dentiste embrasse sa mère sur le front, puis va rejoindre son frère qui l'attend au salon. Jules a déjà aligné les pions sur la table de jeu.

— Je commençais à croire que tu avais pris racine sur la véranda.

— Très drôle. Alors, pressé de te faire damer le pion? riposte Edmond en prenant place devant l'échiquier.

— Ne fanfaronne pas trop vite. Je suis meilleur que toi à ce jeu.

— C'est ce que nous verrons.

Hortense, qui a tout entendu, sourit dans la pénombre. *Tant qu'ils se contentent de jouer aux échecs, il n'y a pas lieu de s'inquiéter. Heureusement, aucun de mes fils n'a développé d'intérêt pour le poker.* L'image de son frère lui effleure l'esprit. Pascal-Amable Dionne, seigneur de Saint-Roch-des-Aulnaies, avait tout pour lui: brillant et d'agréable compagnie, marié à une femme belle et cultivée et père de huit enfants. Malheureusement, sa passion pour le poker et son train de vie fastueux l'avaient obligé à hypothéquer le manoir et le moulin banal de sa seigneurie. *Une chance que père n'est plus de ce monde. Il n'aurait pas supporté de voir un tel gâchis, lui qui avait fait construire ce manoir pour Pascal en 1850.* Pour freiner ses dépenses, la famille avait dû faire interdire Pascal en 1865. Cinq ans plus tard, Pascal-Amable Dionne décédait de tuberculose à l'âge de quarante-trois ans. Hortense reste persuadée que son frère s'était senti profondément humilié par la décision prise par sa famille et qu'il s'était laissé mourir. Personne ne pourrait lui enlever cette idée de la tête. « Tant de morts déjà! » murmure-t-elle. Le décès qui l'affecte le plus est celui de son fils Léonce. Trois ans ont passé et la douleur reste aussi vive. Ses nuits sont encore peuplées de cauchemars. Elle se revoit courir à son chevet, le 13 mai 1870. La scène qui l'attendait au collège de Sainte-Anne-de-la-Pocatière avait été déchirante. Son beau grand garçon dont elle était si fière n'était plus que l'ombre de lui-même. La fièvre typhoïde le faisait délirer. Il ne l'avait même pas reconnue. Elle avait dû se faire violence pour ne pas éclater en sanglots. De l'autre côté du lit priait Georges, son fils devenu prêtre. Elle avait tenu à rester près de Léonce jusqu'à ce qu'il rende son dernier soupir. Les prêtres du collège avaient admiré sa force de caractère durant toute cette épreuve. Même aux funérailles qui avaient eu lieu à L'Islet, Hortense avait gardé les yeux secs. Sa douleur, elle l'avait enfouie au fond de son cœur. Elle s'était toujours fait un devoir de ne pas étaler sa peine en présence des autres. Digne et solennelle dans sa tenue de deuil, elle avait serré les mains des confrères de classe de Léonce qui étaient venus lui rendre un dernier hommage. *Léonce n'avait que dix-neuf ans. Il avait la vie devant lui.* Elle croit soudain entendre la voix calme de son défunt mari lui souffler à l'oreille : « Tiens bon, ma belle. Il le faut, malgré ta peine. » Elle sent la présence d'Eugène, rassurante et apaisante. Du salon, les rires joyeux de Jules et d'Edmond viennent jusqu'à elle. *Tu as raison, Eugène. La vie continue.*

***

— Les journées passent toujours trop vite en vacances.

— Essaie d'en profiter au maximum, Edmond. Tous n'ont pas la chance de pouvoir en prendre, lui fait remarquer sa sœur Joséphine.

La femme de trente et un ans dessert la table en l'absence de sa domestique partie dans sa famille pour la journée.

— C'est bien mon intention. Et toi, comment ça va ?

Surprise par la question de son frère, Joséphine détourne la tête avant de répondre :

— Je n'ai pas à me plaindre.

— Mais encore… je sens que tu ne me dis pas tout.

— Moi, ça va. C'est Napoléon qui m'inquiète.

— Il n'est pas malade, j'espère.

— Non, mais s'il continue de travailler autant, il risque de le devenir. Il ne s'est pas accordé une seule journée de repos depuis Noël dernier. Si tu calcules, cela fait plus de six mois.

— Ton mari est médecin de campagne…

— Crois-tu me l'apprendre ? réplique-t-elle sur un ton agressif. Beau temps, mauvais temps, il se rend chez les malades. Je l'ai souvent vu partir de la maison en pleine tempête de neige. L'angoisse m'habite jusqu'à son retour. La neige, le froid, le vent, rien ne l'arrête s'il sait que quelqu'un souffre et a besoin de son aide. Les gens viennent frapper à notre porte à n'importe quelle heure du jour ou de la nuit.

— Je me suis laissé dire que tu lui donnais un bon coup de main.

— Qui t'a dit ça ? Jules ou maman ?

— Les deux.

Joséphine dépose la soupière vide sur la table et se laisse tomber sur une chaise.

— Je l'aide du mieux que je peux en visitant ses patients. Il m'arrive même d'en soigner quelques-uns. Mais le plus souvent, ma collaboration se limite à leur offrir une oreille compatissante, un sourire ou une prière pour qu'ils guérissent vite.

— Tu es une véritable femme de médecin, ma petite sœur. Ton époux a bien de la chance de t'avoir.

— Le penses-tu vraiment ou dis-tu ça simplement pour me remonter le moral?

— Je dis toujours ce que je pense même si, parfois, je dois mettre des gants blancs.

Edmond s'adosse à la chaise de bois et porte son regard sur sa sœur.

— Si je me marie un jour, je souhaite avoir une femme aussi vaillante et généreuse que toi à mes côtés.

— Comment ça «si»?

— Je n'envisage pas le mariage dans un avenir rapproché.

— Mais pourquoi? s'étonne-t-elle.

— Avant de songer à me marier, je veux bien m'établir. Cela ne fait pas longtemps que j'exerce ma profession et je n'ai pas une clientèle bien florissante. Pour être honnête, on ne se bouscule pas dans la salle d'attente.

— Ça viendra, ce n'est qu'une question de temps. Peu de dentistes sont allés étudier aux États-Unis. Sers-toi de cet atout. Tu n'es pas un simple arracheur de dents.

— Je sais bien, mais les gens sont encore réticents à consulter un dentiste diplômé. Plusieurs préfèrent avoir recours à un colporteur, à un charlatan ou même à un forgeron. En quelques secondes, la dent est arrachée et la douleur a disparu.

— Et à moindre coût, ajoute Joséphine. J'admets que les soins dentaires coûtent cher et que tout le monde n'a pas les moyens de se les payer.

— Tu as tout compris.

— N'empêche qu'en ville, il y a sûrement des notables susceptibles de s'offrir tes services.

— Bien sûr. Ne t'inquiète pas pour moi, Joséphine. Comme dit le proverbe, tout vient à point à qui sait attendre. Il me suffit d'être patient.

Désireux de clore le sujet, il lance d'un ton joyeux :

— Tu m'as servi un repas digne d'un prince !

— Je n'ai pas de mérite. La petite bonne avait tout préparé la veille. Cette fille est une vraie perle. Je ne regrette pas de l'avoir prise à mon service. Les enfants l'adorent.

Edmond s'essuie les coins de la bouche avec la serviette de table, puis fait mine de se lever. Joséphine met sa main sur celle de son frère.

— Pourquoi ne pas dormir ici cette nuit ? lui propose-t-elle. Ça me ferait plaisir. Je n'ai pas souvent l'occasion de te voir, encore moins de t'accueillir chez moi. Et puis, demain, tu pourrais aller pêcher avec les garçons. Ils seraient fous de joie.

Edmond comprend surtout que sa sœur n'a pas envie de se retrouver seule.

— Dans ce cas, j'accepte.

— À la bonne heure ! Va t'asseoir dehors pendant que je termine de débarrasser la table. Je te rejoins dans quelques minutes.

Dès qu'Edmond se retrouve seul sur la galerie, il sent le bien-être l'envahir. Au loin, il entend chanter les grenouilles. La soirée est douce et claire. Assis dans un fauteuil confortable, il ferme les yeux et ne pense plus à rien. La voix de sa sœur lui fait bientôt ouvrir les paupières.

— Tiens, Edmond.

Joséphine lui tend un verre de brandy.

— Merci.

Après en avoir bu une gorgée, il soupire d'aise.

— Tout est calme et tranquille. Si tu savais à quel point cela fait du bien d'oublier les bruits incessants de la ville.

— Je l'imagine sans peine. Quant à moi, je serais incapable d'habiter à Québec. Toute cette agitation dans les rues ! Ces gens pressés qui te bousculent au passage sans même s'arrêter pour s'excuser, les nombreux cabarets de la Basse-Ville, le port qui grouille de marins souvent ivres et de prostituées, sans compter le danger de se promener à pied. À tout moment, tu risques de te faire voler ton argent ou de te faire renverser par le tramway hippomobile. Il y a aussi les mendiants qui encombrent les rues et qui se montrent souvent très agressifs envers les passants.

— Tu dresses un portrait bien sombre de la capitale, proteste Edmond.

— Chaque fois que j'y suis allée, j'ai pu constater l'ampleur de la violence qui y régnait. Napoléon croyait me faire plaisir en m'emmenant à Québec pour quelques jours. Mais j'étais si crispée et sur le qui-vive qu'il a vite compris que je n'en retirais aucune joie.

— Dommage, car tu te prives de belles choses.

— Ah oui ? Lesquelles ?

— Comme les boutiques élégantes, les spectacles, les concerts, une promenade sur la terrasse Dufferin, un repas en tête-à-tête dans l'un des bons restaurants de la ville…

— Ne perds pas ton temps à me vanter les attraits de Québec, Edmond. Je suis une femme de la campagne et je le resterai. Ici, je me sens en sécurité. Contrairement à la ville, il est inutile de verrouiller sa porte à double tour. Chacun se fait confiance. J'aime cette vie simple et sans prétention.

— À t'écouter, on croirait que tu t'es transformée en paysanne. Je ne serais pas surpris d'apprendre que tu soignes les vaches à l'étable en plus des patients de ton mari.

— Nous n'avons pas d'animaux, réplique-t-elle d'un ton cinglant.

— Je sais, je te taquine.

— Pourquoi ai-je la désagréable impression que tu te moques de moi ?

— Mais non, ma petite sœur. Au contraire, je t'admire. Tu as des opinions bien tranchées et tu les défends.

Joséphine lui lance un regard sceptique. Edmond se cale dans son fauteuil tout en dégustant son brandy à petites lampées. Après quelques minutes, il ajoute :

— Même si j'habite en ville, je ne renie pas mon village natal. Je m'émerveille toujours de ses couchers de soleil spectaculaires. Le fleuve, les montagnes, les îles, il y a tout ce qu'il faut à L'Islet pour les amoureux de la nature…

— S'ils ne tiennent pas compte du nordet qui souffle sur la région toute l'année, riposte Joséphine avec un sourire en coin.

Le frère et la sœur échangent un regard complice. Les souvenirs heureux de leur enfance remontent à la surface.

— Sais-tu ce qui me ferait plaisir avant mon départ ?

— Non, dis-moi.

— Un bon plat de chiard blanc servi avec des fèves au lard.

Joséphine éclate d'un rire franc.

— Je m'attendais à tout sauf à ça.

— Ne ris pas. En ville, il n'y a pas moyen de s'en faire servir au restaurant.

— Normal, ce sont les gens de L'Islet qui en détiennent la recette et ils la gardent secrète. Blague à part, je demanderai à la bonne d'en préparer pour dîner demain.

— Tu es un ange.

— Non, simplement ta sœur, réplique-t-elle, amusée.

Un doux silence s'installe entre eux. Au bout de plusieurs minutes, Joséphine demande :

— As-tu des nouvelles d'Eugénie ?

— Je lui ai rendu visite il y a trois semaines. Elle était souriante et de conversation agréable.

— Comme toujours… Parfois, je me demande si elle ne simule pas cette bonne humeur.

— Voyons, Joséphine. Notre sœur a prononcé ses vœux il y a dix ans. Personne ne l'a obligée à prendre le voile. C'était son choix de devenir religieuse à l'Hôpital général de Québec.

— Même après toutes ces années, je me questionne encore sur ce qui a motivé sa décision. Quelle tristesse de s'enfermer dans un couvent pour le reste de ses jours !

— Eugénie ne passe pas ses journées agenouillée sur un prie-Dieu. C'est elle qui dirige le chant du chœur des religieuses. Souviens-toi combien elle avait une voix magnifique. Papa la surnommait tendrement son « petit rossignol ».

— Dommage d'en faire bénéficier uniquement sa communauté. Elle aurait pu devenir cantatrice et peut-être même faire carrière en Europe.

— Est-ce bien toi qui parles ainsi, Joséphine ? Toi qui m'affirmais préférer une vie simple et sans prétention. Eugénie aspirait sans doute à cette même simplicité. Voilà pourquoi elle est devenue sœur Saint-Bernard.

— Elle aurait pu se marier, tout comme moi.

— Elle ne souhaitait peut-être pas être une mère de famille nombreuse. Ce ne sont pas toutes les femmes qui rêvent de mariage et d'enfants.

— Eugénie a toujours été secrète. Elle confiait rarement ses états d'âme. Seulement deux ans nous séparaient. Nous aurions pu avoir du plaisir ensemble : discuter, partager des secrets, des jeux, des fous rires. Mais elle préférait s'adonner aux travaux d'aiguille ou jouer du piano en solitaire.

Joséphine se lève et s'accoude à la balustrade. Dos à son frère, elle poursuit, d'une voix si faible qu'il doit tendre l'oreille pour comprendre ce qu'elle dit :

— J'aurais tant aimé avoir une confidente lorsque j'étais adolescente. Malheureusement, je n'ai pas eu cette chance. Des trois sœurs que Dieu m'a données, deux sont devenues religieuses et l'autre est décédée à l'âge de douze ans. Hermine a quitté le manoir à treize ans et Eugénie à dix-sept ans. J'ai donc passé mon enfance et mon adolescence en étant entourée de frères qui m'excluaient de leurs jeux et de leurs activités.

— Qu'aurais-tu voulu faire ? Te baigner dans le fleuve ? Grimper aux arbres ? Faire des courses à dos de cheval ? Jouer aux soldats ou aux Indiens avec nous ? Maman n'aurait jamais accepté que tu nous suives.

La femme du docteur Lavoie se retourne et fait face à son frère.

— Tu sais quoi, Edmond? J'ai toujours trouvé injuste qu'une fille soit soumise à tant d'interdits alors que, pour le garçon, tout est permis.

— Milites-tu pour l'émancipation des femmes? lance-t-il d'un ton enjoué pour détendre l'atmosphère.

Sans se départir de son air grave, elle lui répond:

— Je n'irai pas manifester dans les rues pour réclamer le droit de vote, comme le font de nombreuses femmes en Angleterre. Mais cela ne m'empêche pas de partager plusieurs de leurs revendications comme celle de l'égalité entre les hommes et les femmes.

— Qu'en pense ton époux?

— Je n'ai jamais abordé ce sujet avec Napoléon.

— Crains-tu sa réaction?

— Non, mais avec le temps, j'ai appris qu'il vaut mieux garder certaines choses pour soi.

— Pourtant, tu viens de m'en parler.

— Toi, c'est différent. Tu es mon frère. Je te sens ouvert aux idées nouvelles. Ai-je raison de le croire?

— Cela dépend desquelles, répond-il avec prudence.

Joséphine laisse échapper un petit rire.

— Tu es passé maître dans l'art de ne pas te compromettre, mon cher Edmond.

Sous le regard étonné de son frère, elle rit de plus belle.

— Ne prends pas cet air ahuri. Je sais bien que tu penses comme moi, mais que tu n'oses pas le dire tout haut. De tous mes frères, tu es le seul qui a fait preuve d'originalité dans le choix de ta carrière. Et je t'admire pour ça. Je te sers un autre brandy?

— Non merci. Je vais aller dormir. Depuis que je suis en vacances, je passe mes journées au grand air et j'ai sommeil rapidement le soir.

— Bonne nuit, Edmond.

Sans ajouter un mot, le jeune homme quitte son siège et pénètre dans la maison en marchant doucement pour ne pas réveiller ses neveux et nièces. Les mots de sa sœur résonnent dans sa tête. Il n'en revient pas des confidences qu'elle lui a faites. Jamais il n'aurait cru qu'une telle flamme d'émancipation brûlait en elle. Joséphine lui est toujours apparue sous les traits d'une femme comblée par la vie et menant une existence simple et heureuse. Ce soir, il a découvert une femme qui se pose plein de questions et qui semble inconfortable dans le rôle que l'on attend d'elle. Lorsqu'il se glisse entre les draps propres et frais, il entend un bruit de sanglots en provenance de la galerie. Son premier réflexe est d'aller rejoindre sa sœur. *Non, ce n'est pas une bonne idée. Que pourrais-je lui dire alors que je suis resté muet comme une tombe lorsqu'elle m'a exprimé le fond de sa pensée? J'ai préféré battre en retraite plutôt que d'argumenter avec elle,* songe-t-il tout en laissant retomber sa tête sur l'oreiller. Sans approuver les revendications de Joséphine, il prend conscience qu'être une femme au dix-neuvième siècle n'est peut-être pas aussi facile que les hommes le croient. Il se réjouit d'être un homme. *Rien ne presse pour me marier,* pense-t-il avant de fermer les yeux.

Chapitre 11

Emma sent son cœur battre à tout rompre dans sa poitrine. Encadrée de son père et de sa mère, elle se tient droite et silencieuse. Les yeux fixés sur le grillage, elle distingue le visage sévère d'une religieuse.

— Est-ce une nouvelle pensionnaire ? s'informe cette dernière en apercevant la grosse malle posée sur le sol.

— Oui, nous venons reconduire notre fille, répond Jean-Baptiste.

— Son nom, s'il vous plaît.

— Emma Gaudreau.

La sœur tourière prend le temps de vérifier dans le registre.

— De Montmagny ? demande-t-elle en levant les yeux de son cahier.

— C'est bien ça.

— Vous pouvez entrer.

Jean-Baptiste se penche pour soulever la malle de sa fille.

— Il serait préférable de laisser cet objet lourd et encombrant à la cave avant d'entreprendre la visite des lieux, lui recommande la vieille religieuse.

Elle agite une clochette. Une jeune religieuse se présente à la grille.

— Sœur Marie-Rose, conduisez cette famille à la cave aux malles, puis servez-lui de guide.

— Suivez-moi, je vous prie.

Pétrifiée sur place, Emma sent une immense panique l'envahir. Sa mère lui pousse légèrement dans le dos pour la faire bouger. Comme une automate, elle obéit. Boutonnée jusqu'au col et chaussée de souliers inconfortables, l'adolescente de douze ans avance dans les longs corridors au parquet ciré, en compagnie de ses parents. En chemin, elle croise quelques jeunes filles, accompagnées tout comme elle d'une religieuse et de leurs parents. Certaines affichent un air aussi désemparé qu'Emma, ce qui est loin de la rassurer. Une fois la malle entreposée à la cave, la visite du couvent commence. Sœur Marie-Rose marche d'un pas rapide. *Comme si elle était pressée d'en finir*, pense la fille de Jean-Baptiste qui écoute d'une oreille distraite les explications de leur guide. *J'aurai bien le temps d'apprendre les règles du pensionnat*, se dit-elle.

— Voilà, nous avons fait le tour. Je vous laisse quelques minutes auprès de votre fille. Ensuite, je la mènerai au dortoir où elle pourra déposer ses effets personnels.

Sœur Marie-Rose s'éloigne discrètement. Marie-Caroline observe le visage inquiet de sa fille.

— Tout va bien aller, Emma. Dans quelques jours, tu te seras familiarisée avec ton nouveau milieu.

Incapable de prononcer le moindre mot, l'adolescente retient à grand-peine les larmes qui lui montent aux yeux. Dans le grand parloir, d'autres parents font leurs adieux à leur fille. Tous parlent à voix basse. Jean-Baptiste se sent mal à l'aise et a hâte de quitter les lieux. C'est la première fois qu'il met les pieds dans un couvent. Il regrette d'avoir cédé aux caprices de sa femme. Marie-Caroline lui a rebattu les oreilles durant des mois avec l'importance d'envoyer Emma au pensionnat. À bout de nerfs, il a fini par donner son consentement. Aujourd'hui, en voyant l'air abattu de sa fille, il regrette sa décision. Emma saura-t-elle s'adapter à cette vie de couventine ? Marie-Caroline a beau affirmer que la grande soif de connaissances d'Emma ne peut être comblée par une école de rang, il sait que l'adolescente souffrira de la séparation imposée par ses parents. Loin de la campagne et de sa famille, elle se sentira seule. Le cœur gros, il attire sa fille contre lui et la serre dans ses bras. Témoin de la scène, sœur Marie-Rose choisit ce moment pour s'approcher.

— Mieux vaut ne pas éterniser les adieux, murmure-t-elle d'une voix douce. Cela fait plus de mal que de bien.

— Elle a raison, Jean-Baptiste.

À son tour, Marie-Caroline étreint Emma contre son cœur. Refoulant ses larmes, elle ajoute à mi-voix, la gorge serrée :

— Sois courageuse, ma grande.

Elle desserre son étreinte, puis salue la religieuse d'un bref signe de tête. Le couple marche vers la porte sans se retourner. L'adolescente les suit des yeux jusqu'à ce que la porte s'ouvre, puis se referme derrière eux. Elle tremble de la tête aux pieds. Sœur Marie-Rose met une main compatissante sur son épaule.

— Toutes les pensionnaires passent par là. Je me souviens très bien de mon entrée au pensionnat. Je n'avais que sept ans et j'étais terrifiée. Mille questions se bousculaient dans ma tête d'enfant. Je ne comprenais pas pourquoi mes parents m'envoyaient ici. J'étais convaincue qu'ils ne voulaient plus de moi, que j'avais commis une faute grave et qu'ils me punissaient. J'avais beau chercher, je ne trouvais pas ce que j'avais pu faire de si mal. J'ai traîné une mine basse et triste pendant des jours, refusant de parler à qui que ce soit.

Emma écoute attentivement les confidences de la religieuse. Aucun mot ne lui échappe.

— Un matin, la directrice m'a fait venir à son bureau. Je m'attendais à être réprimandée pour mon attitude, peut-être même renvoyée chez moi. Rien de tout cela ne s'est produit. En me voyant, la directrice a retiré ses lunettes à monture d'acier et m'a adressé un sourire bienveillant. Après m'avoir invitée à prendre un siège, elle m'a parlé un long moment de la vie au pensionnat, insistant sur ma chance d'en faire partie. J'ai alors compris que mes parents m'aimaient et qu'ils avaient fait de gros sacrifices pour m'envoyer chez les Ursulines de Québec. Ils souhaitaient m'offrir ainsi la meilleure éducation qu'une jeune fille puisse avoir. Et je ne pouvais l'acquérir qu'en étant pensionnaire. C'est la même chose pour toi, Emma. Un jour, tu remercieras tes parents de leur geste généreux à ton égard. Viens maintenant.

Un peu rassurée par les paroles de la religieuse, Emma la suit docilement jusqu'à la cave où elle récupère dans sa malle ce dont elle a besoin pour l'immédiat. Les bras chargés, elle prend la direction du dortoir en compagnie de sa guide.

— Tu fais partie de la deuxième division, l'informe celle-ci sans ralentir le pas. Les pensionnaires sont regroupées selon leur âge. Chaque division loge dans un dortoir différent. Au total, il y en a trois.

Emma n'a toujours pas desserré les lèvres. Tant bien que mal, elle essaie d'avancer au même rythme que la religieuse. Après de longues minutes de marche épuisante, sœur Marie-Rose s'immobilise, aussitôt imitée par Emma.

— Nous y sommes. Entre, je vais te présenter à ta maîtresse de division.

Intimidée, l'adolescente baisse les yeux devant la grande femme à la cornette blanche qui semble les attendre.

— Mère Clara, je vous amène une nouvelle pensionnaire : Emma Gaudreau, douze ans, originaire de Montmagny.

— Merci, sœur Marie-Rose.

— À bientôt, Emma.

Après le départ de sa guide, l'adolescente ne sait trop quelle attitude adopter. Mère Clara prend les devants.

— Je vais te montrer le lit qui t'est attribué. Durant la journée, les dortoirs sont fermés à clé. Aujourd'hui, ils sont exceptionnellement ouverts pour accueillir les nouvelles pensionnaires.

Emma lui emboîte le pas le long des lits et des commodes bien alignés. Aucun rideau ne sépare les lits. *Tout est ouvert ici. Aucune intimité n'est possible,* constate la fille de Marie-Caroline.

— Tiens, voici ton petit espace privé. Tu peux déposer tes effets personnels.

Emma s'exécute sous le regard attentif de mère Clara. Dans les tiroirs de sa commode, l'adolescente range ses deux robes, ses chaussettes et sa robe de nuit à manches longues.

— Tu es ordonnée, c'est très bien. J'en profite pour te donner quelques consignes à respecter au dortoir. Le lever est à six heures. Avant de revêtir ton uniforme, lave-toi soigneusement les mains, les oreilles et le visage. Le soir, avant d'aller au lit, refais ta toilette. Une fois la prière récitée, il est interdit de parler ou de converser à voix basse avec tes camarades. Il n'est pas permis d'ouvrir les fenêtres durant la nuit. Ah oui! Les draps de lit sont changés tous les quinze jours et tu peux prendre un bain deux fois par mois. As-tu des questions?

— Non, mère.

— Je ne te retiens pas plus longtemps. Il fait beau dehors. Va rejoindre les autres pensionnaires dans la cour de récréation.

Emma esquisse une petite révérence avant de quitter le dortoir. Dès qu'elle se retrouve à l'extérieur, elle se sent un peu mieux. Sur les bancs, des filles causent ensemble. D'autres se promènent entre les allées de pommiers. Quelques-unes jouent au croquet.

— Tu es nouvelle? lui demande une grande blonde au nez retroussé.

— Oui, je suis arrivée aujourd'hui. Et toi?

— C'est ma deuxième année chez les Ursulines. S'il n'en tenait qu'à moi, ce serait ma dernière.

— Est-ce si pénible ici?

La blonde hausse les épaules et fait la moue.

— Cela dépend pour qui, répond-elle. Si tu aimes l'étude, la religion et le silence, alors tu seras heureuse. Moi, j'ai besoin de bouger, de parler et de grand air.

— Tu viens de la campagne? s'enquiert Emma.

— De La Malbaie, et toi?

— De Montmagny. Je m'appelle Emma et j'ai douze ans.

— Nous sommes du même âge. Moi, c'est Louise. Marchons, Emma. Une religieuse nous surveille. Tu apprendras vite qu'il ne faut pas s'isoler du groupe d'élèves. Les sœurs détestent les amitiés particulières.

— Les quoi?

— Dans le jargon des religieuses, ça signifie deux filles qui sont toujours ensemble. Si tu ne veux pas avoir de problèmes, mélange-toi aux autres et ne passe pas tes récréations toujours avec la même amie.

— Merci du conseil.

***

Emma se glisse enfin sous les couvertures. Mère Clara souhaite une bonne nuit aux pensionnaires. Les filles répondent en chœur : «Merci, mère.» Le dortoir est alors plongé dans le noir et plus personne ne parle. Emma ferme les yeux et s'envole en pensée vers sa famille. Ses frères et ses sœurs lui manquent beaucoup. *Pourquoi suis-je la seule à être pensionnaire ?* se demande-t-elle tristement. Même si elle sait que ses frères aînés préfèrent cultiver la terre plutôt que d'entreprendre de longues études au collège, elle ne comprend pas pourquoi ses parents n'ont pas envoyé Caroline chez les Ursulines. «J'ai besoin de ta sœur à la maison, lui avait répondu sa mère. Elle m'aide avec les plus jeunes et se débrouille bien à la cuisine. Et puis, Caro n'a jamais aimé l'école, alors que toi, tu adores lire et apprendre.»

Quelques lits plus loin, Emma entend Louise tousser et se racler la gorge à plusieurs reprises. Sa nouvelle amie ne semble pas pressée de dormir. Au bout de quelques minutes, la surveillante de nuit se dirige à pas feutrés vers le lit de Louise. Emma a beau tendre l'oreille, elle ne perçoit que des chuchotements. La religieuse circule ensuite entre les lits, s'assurant que les filles sont sages et que rien ne viendra plus troubler le silence. Emma tente de trouver le sommeil, mais celui-ci semble vouloir la fuir. Ce silence imposé l'angoisse. Les bruits familiers et apaisants de la maison lui manquent. Les draps empesés et blanchis dégagent une odeur de désinfectant qui lui donne la nausée. Rien de comparable aux draps que sa mère fait sécher au soleil après les avoir lavés et qui sentent si bon, la nuit venue. D'un mouvement impatient, elle rejette les draps rugueux même si la fraîcheur du soir a déjà envahi la pièce. Le visage tourné vers la fenêtre fermée, elle observe la Lune, bien haute dans le ciel étoilé. *Comment ferai-je pour supporter toute cette discipline et ces règlements ? Les religieuses de ce couvent m'ont paru sévères et pas du tout amicales. Elles n'ont pas cessé de nous jeter des regards désapprobateurs. Toute la journée, je me suis sentie épiée et surveillée. J'avais toujours peur d'être prise en faute. La liste des choses à ne pas faire est si longue. Louise m'a découragée en m'énumérant tout ce qui est interdit. Ne pas parler, ne pas courir ou rire dans les corridors. Ne pas chanter ou tenir des discours. Garder le silence en classe, dans les rangs, au réfectoire… Être propre, ordonnée et obéissante en tout temps…*

— Cesse de gigoter. Ça fait grincer ton lit et ça m'empêche de dormir, lui chuchote sa voisine.

Emma prend conscience que, même au lit, elle ne peut être tranquille. Elle s'efforce de ne plus bouger et de faire le vide dans sa tête. Avec un peu de chance, elle finira par s'endormir.

* * *

L'automne est déjà bien avancé. Les journées raccourcissent et le temps froid s'installe peu à peu. Emma s'est liée d'amitié avec quelques élèves de sa classe. *Des filles d'habitants,* comme les désignent avec dédain celles de la ville. L'adolescente se sent plus à l'aise en leur compagnie qu'auprès des filles de notables qu'elle a facilement reconnues dès les premiers jours de son entrée au pensionnat. Ces demoiselles de bonne famille se donnent de grands airs, parlent avec une élocution recherchée, ont un sourire condescendant en permanence sur les lèvres. Il n'y a rien de spontané chez elles. Tout est calculé, étudié. *Heureusement, elles ne peuvent pas faire étalage de leur richesse en se pavanant dans de belles robes,* songe Emma. Les Ursulines imposent aux étudiantes le port d'un uniforme sombre et peu coûteux. Toutes les élèves, sans exception, doivent revêtir une robe noire à col blanc. Cette tenue austère, sans garniture, aux manches longues et fermées ne laisse place à aucune vanité. Les cheveux des élèves doivent être tirés vers l'arrière et retenus par un nœud plat. La fille de Jean-Baptiste Gaudreau s'accommode bien de cette simplicité vestimentaire. Chez elle, sa belle robe prune n'est portée que le dimanche pour aller à la messe. Les autres jours de la semaine, elle prend dans la commode le premier vêtement qui lui tombe sous la main. «À la campagne, on n'a pas le temps de jouer à la coquette», répète régulièrement Marie-Caroline à ses filles.

Chaque dimanche, Emma écrit à ses parents, à l'instar des autres pensionnaires. Louise déteste ce jour de correspondance obligatoire. «Je ne sais pas quoi leur dire. Il ne se passe rien ici», se lamente-t-elle à son amie. Quant à Emma, elle n'est jamais à court d'idées. Elle a toujours mille et une anecdotes à raconter aux siens. Dans ses lettres, elle passe sous silence ses manquements à la discipline qui lui ont déjà valu plusieurs punitions. Être privée de récréation ou de dessert lui a fait verser quelques larmes, mais n'a pas réussi à la faire taire. La règle du silence est très difficile à respecter pour une fille aussi bavarde qu'Emma. À sa famille, elle décrit en long et en large le code des signes visuels qui prévaut au réfectoire du couvent. Comme personne n'a le droit de parler durant les repas, les élèves doivent user d'ingéniosité pour se faire comprendre. Une tape discrète sur la table signifie «passe-moi le pain», elles lèvent la main droite pour réclamer de l'eau, pincent les doigts pour demander le sel, déposent le couteau dans l'assiette pour obtenir le beurre, etc. Gourmande de nature, Emma reste souvent sur sa faim. Les portions sont moins généreuses qu'à la maison et la nourriture n'est pas très variée. Les mêmes plats reviennent régulièrement sur les longues tables du réfectoire. La plume dans les airs, Emma soupire en pensant à sa mère qui cuisine en abondance. *Ça sent toujours bon chez nous.* Un léger coup de coude dans les côtes interrompt ses pensées. Elle tourne la tête vers la gauche et aperçoit le regard amusé de Louise.

— Toi aussi, tu es en panne d'inspiration?

— Non, pourquoi tu dis ça?

— Tu n'as pas écrit une ligne depuis un quart d'heure.

— Je réfléchissais, c'est différent.

— Silence, mesdemoiselles. Concentrez-vous un peu.

La mine sévère de la religieuse leur fait aussitôt baisser le nez vers leur pupitre. Emma a presque terminé sa lettre. Elle ajoute quelques mots concernant la fête de sainte Cécile qui se tiendra le 22 novembre prochain. Mère Clara les a informées qu'en l'honneur de la patronne des musiciens, les élèves auraient droit ce jour-là à un gâteau des anges. L'adolescente salive déjà. L'enseignement de la musique occupe une place importante au couvent. Plusieurs cours sont offerts aux élèves. Elles peuvent apprendre à jouer du piano, de la harpe, de l'orgue et même de l'accordéon. Emma n'a jamais touché à un instrument de musique de sa vie. Elle aimerait bien prendre des leçons de piano, mais n'ose pas en parler à ses parents. Ces cours ne sont pas gratuits. Elle envie les filles dont les parents sont assez riches pour leur payer des leçons de musique. *Un jour, je jouerai du piano*, se promet l'adolescente. *Pour l'instant, je me contenterai de faire partie de la chorale du couvent.*

* * *

Marie-Caroline a le cœur en émoi. Bientôt, elle tiendra dans ses bras sa grande fille. Elle n'a pas revu Emma depuis son admission au pensionnat en septembre dernier. L'occasion de se rendre à Québec pour aller visiter Emma au parloir des Ursulines ne s'est pas présentée. Jean-Baptiste trouvait toujours un prétexte pour reporter la visite. Mais pour le congé de Noël, Marie-Caroline s'est montrée intraitable. Emma passerait les fêtes à Montmagny avec sa famille. Une religieuse avait accepté de reconduire l'adolescente jusqu'à la gare de Lévis. Une fois là-bas, Emma prendrait le train et voyagerait seule jusqu'à la gare de Saint-Thomas de Montmagny. Emma avait promis d'être sage et de ne pas adresser la parole aux étrangers durant le trajet. À la maison, tout le monde attend fébrilement l'arrivée de la couventine. Aidée de sa fille aînée, Marie-Caroline cuisine depuis trois jours en prévision des fêtes de Noël. La maison est remplie d'odeurs de tourtières, de ragoût de pattes, de tartes et de gâteaux. Dehors, le temps est gris et neigeux. Jean-Baptiste est parti chercher sa fille à la gare depuis un bon moment.

— Maman, c'est quand elle arrive Emma ?

— Bientôt, Marie-Anne, répond la mère pour la énième fois.

La fillette de trois ans tourne en rond dans la cuisine, impatiente de voir sa grande sœur. Stanislas, le petit dernier, suit sa mère pas à pas. À un an, il ne comprend pas la situation, mais sent qu'un événement important va bientôt se produire. Soudain, la porte s'ouvre avec fracas.

— Emma! s'exclame joyeusement Marie-Caroline.

L'adolescente s'empresse d'enlever ses bottes, son manteau de drap noir et son bonnet de laine rouge. La joie se lit sur son visage. D'un bond, elle rejoint sa mère et se réfugie dans ses bras.

— J'avais si hâte d'être ici. Vous m'avez tous tellement manqué.

Dans la pièce, l'émotion est palpable. Les plus jeunes regardent leur sœur avec curiosité. Le pouce dans la bouche, Stanislas semble se demander qui est cette inconnue. Le tablier noué autour de la taille, Caroline observe la scène. Depuis le départ de sa sœur, la jeune fille de dix-sept ans a dû redoubler d'efforts pour aider sa mère à la maison. Même si elle n'envie pas le sort d'Emma, elle souhaiterait de temps à autre avoir un jour de répit. Faire autre chose que cuisiner, récurer les chaudrons, s'occuper de ses frères et sœurs. *Maman n'en a que pour Emma.*

— Tu trembles de froid, Emma, constate la mère. Approche-toi du feu. Caro, peux-tu servir la soupe?

— Bien sûr, se borne à répondre la jeune fille.

Emma jette un regard si chaleureux à sa grande sœur que celle-ci en oublie aussitôt sa rancœur. *Après tout, Emma n'a pas eu son mot à dire pour le pensionnat. Papa et maman ont décidé pour elle. Pourquoi lui en vouloir?*

— Tu as fait un bon voyage, Emma? demande-t-elle en lui offrant un sourire sincère.

— Il m'a paru bien long. Le train était bondé et il faisait très chaud.

— Et le pensionnat, c'est comment? la coupe Angelina.

Emma s'éloigne du feu et vient s'asseoir à la table.

— Ça dépend des jours, répond-elle. Par moments, je trouve ça bien dur. Il y a tellement de règlements. Du matin au soir, on obéit aux religieuses et à la cloche.

Angelina ouvre de grands yeux étonnés.

— La cloche?

— Ben oui, elle sonne pour nous réveiller le matin, pour annoncer le début et la fin des récréations, des cours, des études, des prières, pour l'heure des repas et celle du coucher. Parfois, j'en rêve la nuit.

— À table, tout le monde! clame haut et fort la mère.

Emma remarque l'absence de ses grands frères.

— Où sont Jean-Baptiste et Joseph, maman?

— Ils travaillent à la scierie des frères Price depuis un mois. Mange avant que ça refroidisse.

Emma ne se fait pas prier pour obéir. Marie-Caroline porte sur la couventine un regard perplexe. *Mange-t-elle à sa faim au pensionnat? Dans ses lettres, elle a mentionné plus d'une fois combien la nourriture était fade et ordinaire. Je veillerai à lui remettre quelques petites douceurs lorsqu'elle repartira. Ça la changera des éternelles galettes de sarrasin ou tartines de mélasse du couvent.* La porte de la maison s'ouvre une seconde fois. La tuque bien enfoncée sur la tête, Jean-Baptiste entre, le visage rougi par le froid.

— Pas fâché de rentrer, dit-il en se débarrassant de son capot enneigé. Les bêtes sont au chaud et ne sortiront plus, du moins jusqu'à demain. Il fait un froid de canard dehors.

Caroline se lève et s'empresse de servir son père.

— Merci, ma grande.

— François! Combien de fois t'ai-je répété de te servir d'une cuillère pour manger ta soupe! se plaint la mère, excédée. À six ans, tu devrais avoir compris depuis longtemps. Boire directement au bol, c'est grossier.

— Mais ça va plus vite, réplique-t-il avec un sourire taquin.

Tout le monde éclate de rire, même Marie-Caroline.

— Ça fait du bien de rire un bon coup sans craindre de se faire réprimander! déclare Emma.

— Te fait-on de la misère au couvent? A-t-on déjà levé la main sur toi?

— Voyons, Jean-Baptiste! s'écrie sa femme d'un ton indigné. Les religieuses ne sont pas des tortionnaires.

— Laisse Emma répondre. C'est elle qui vit au pensionnat, pas toi, réplique calmement le père de famille tout en tranchant du pain.

L'adolescente regarde son père, puis sa mère. Elle ne veut pas les inquiéter.

— Il n'y a pas de correction physique au couvent, c'est interdit, répond-elle prudemment.

— Tu vois, je te l'avais bien dit.

Jean-Baptiste lève la main pour inciter sa femme à se taire.

— Continue, Emma.

— Les religieuses nous punissent en nous privant de dessert, de récréation, de sortie ou de visite au parloir. Certaines nous obligent à nous agenouiller en pleine classe devant nos camarades.

— As-tu déjà été punie de cette façon?

— Non, ment-elle avec aplomb.

Cela s'est pourtant produit à deux reprises. L'adolescente veut oublier ces épisodes humiliants dont elle n'est pas très fière. Les deux fois, elle avait été surprise à bavarder en classe. « Tu as la tête dure, Emma Gaudreau, lui avait dit l'enseignante. Ton comportement est inacceptable et tu déranges tout le monde. Va te mettre à genoux dans le coin et réfléchis. » Pressentant que sa sœur ne dit pas la vérité, Caroline cherche à détourner la conversation.

— Parle-nous de ce que tu apprends chez les Ursulines. Quelle est ta matière préférée?

— Le français! Je suis toujours première en dictée et en composition.

— Mais sûrement pas en modestie, réplique sa mère, amusée.

Emma ne tient pas compte du commentaire et ajoute fièrement:

— Si je continue à bien m'appliquer, la maîtresse croit que je pourrai écrire dans *L'Écho du cloître* dès l'an prochain.

— C'est quoi ça? s'informe Caroline.

— Le journal du couvent. On y retrouve les meilleurs textes écrits par les pensionnaires. Il peut s'agir d'un poème, d'une biographie ou d'une activité commune aux pensionnaires.

Elle s'interrompt pour avaler une cuillerée de soupe aux pois. Jean-Baptiste et sa femme se concertent du regard.

— J'ai lu les compositions parues dans le cahier d'honneur du *Papillon littéraire.* C'est l'ancien journal, précise-t-elle. Plusieurs étaient écrites par la même étudiante : Félicité Angers.

— Tu la connais ? s'informe sa sœur.

— Non, j'étais bébé lorsqu'elle était pensionnaire chez les Ursulines. Mais mon amie Marie-Louise connaît bien sa famille. Les Angers possèdent un magasin général. Ils s'occupent du bureau de poste de La Malbaie depuis des années. Le père de Félicité est forgeron. Elle a vingt-huit ans aujourd'hui. Je me demande ce qu'elle est devenue. Peut-être écrivain…

Jean-Baptiste hoche la tête.

— Cela m'étonnerait. À mon avis, elle est mariée et a déjà plusieurs enfants.

— Pourquoi devrait-elle cesser d'écrire sous prétexte qu'elle est mariée et mère ?

— Parce que son devoir premier est de veiller au bonheur et au bien-être de son époux et de ses enfants. Tout le reste est secondaire.

Emma ouvre la bouche pour répliquer, mais d'un regard, sa mère lui impose le silence. L'adolescente comprend que le sujet est clos et qu'il est préférable de ne pas insister.

— Aide-moi à débarrasser la table, Emma. J'en connais qui ont hâte de passer au dessert maintenant que les bols sont vides.

François et Marie-Anne acquiescent de la tête avec vigueur. Le sucre à la crème de leur sœur Caroline est de loin leur dessert préféré. Silencieux, Jean-Baptiste commence à regretter d'avoir envoyé sa fille chez les Ursulines. *Je ne la reconnais plus. En six mois, les sœurs l'ont changée. Faire de grandes études va-t-il lui monter à la tête ? Lèvera-t-elle le nez sur nous une fois ses études terminées ?* À la dérobée, il l'observe. *Dans sa robe de couvent, elle ressemble à une demoiselle de la ville. Où est passée ma petite fille au rire spontané qui prenait plaisir à taquiner ses frères et ses sœurs ? Je la sens constamment sur ses gardes depuis qu'elle a mis les pieds dans la maison. Son visage n'exprime aucune émotion. Comme si elle se retenait en permanence. Je n'aime vraiment pas ça.* Marie-Caroline observe aussi sa fille. Contrairement à Jean-Baptiste, elle ressent une grande fierté. *Emma a grandi en maturité et en sagesse. Elle s'exprime bien et a de belles manières. Je suis vraiment contente de l'éducation qu'elle reçoit chez les religieuses. Cela valait la peine de se priver pour l'envoyer au pensionnat.*

* * *

Emma se sent heureuse d'être avec sa famille. Au contact des siens, elle retrouve sa joie de vivre. Son rire résonne de nouveau dans la maison, au grand soulagement de Jean-Baptiste Gaudreau. Pour souligner le jour de l'An 1874, Marie-Caroline et son époux ont invité quelques membres de la famille Létourneau à se joindre à eux. Les enfants accueillent leurs cousins avec enthousiasme.

— Ça sent le ragoût de pattes de porc et la dinde rôtie à des milles à la ronde ! clame Marie-Clémentine Létourneau. Ça tombe bien, j'ai une faim de loup. Il neige à gros flocons dehors. Sur le chemin, on n'y voyait rien. Pas vrai, Nazaire ?

— T'exagères un peu, ma femme. Ce n'était pas si pire que ça.

— Entrez, entrez ! crie joyeusement Marie-Caroline. Le dîner va bientôt être servi.

— On dirait qu'on n'attendait plus que nous.

— En plein ça, Clémentine, réplique Jean-Baptiste en adressant un clin d'œil moqueur à sa belle-sœur.

Emma s'approche de sa marraine, un sourire timide au coin des lèvres.

— Tiens, tiens! Si c'est pas ma nièce favorite. Alors le couvent, ça te plaît?

— Ça va.

— Quelle réponse enthousiaste!

— Donnez-moi vos manteaux, dit aimablement le maître de maison à ses invités.

Emma fait mine de se rendre à la cuisine pour aider sa mère.

— Pas si vite, ma belle, l'interpelle sa tante. Viens me jaser un peu.

L'adolescente n'a d'autre choix que de suivre sa marraine au salon pendant que son oncle Nazaire en profite pour s'éclipser en douceur. La quarantaine bien sonnée, Marie-Clémentine est une femme bien dans sa peau malgré son embonpoint. Elle fait contraste avec son époux, un petit homme mince au comportement nerveux. Après avoir échangé quelques mots avec les autres femmes présentes, Marie-Clémentine entraîne sa filleule à l'écart.

— Ma sœur prétend que tu adores être pensionnaire. Moi, je n'en suis pas si sûre. Qui a raison? Ta mère ou moi?

Mal à l'aise et ne sachant que répondre, Emma baisse les yeux.

— Parle sans crainte, Emma. Je ne vais pas te manger tout rond.

Le langage coloré de sa tante amuse la fille de Jean-Baptiste.

— Je préfère la vie de famille à celle du couvent, répond-elle avec franchise tout en relevant la tête.

— C'est bien ce que je pensais. En as-tu discuté avec tes parents?

— Cela ne servirait à rien. Et puis, je ne veux pas les décevoir. Ils ont fait de gros sacrifices pour m'envoyer chez les Ursulines.

— Je veux ben croire, mais c'est pas une raison pour y rester si t'es malheureuse là-bas. Dis-le à tes parents. Ils comprendront.

— Il y a aussi de bons côtés au pensionnat, souffle Emma d'une petite voix. J'y apprends des tas de choses.

— Tu veux devenir une femme savante ? questionne la femme à la silhouette généreuse.

N'obtenant pas de réponse, elle ajoute :

— Fais attention, Emma. Les hommes n'aiment pas les femmes savantes. Ils s'en méfient comme de la peste. Savoir lire, écrire et compter, c'est bien suffisant pour nous.

Pourquoi me dit-elle ça ? Qu'y a-t-il de mal à vouloir s'instruire ? Je ne veux pas être une pauvre habitante sans éducation. J'ai bien le droit de rêver à une vie meilleure que celle de ma mère.

— T'es pas très causante, ma nièce. Les bonnes sœurs te tapent-elles sur les doigts chaque fois que tu ouvres la bouche pour parler ?

Emma pouffe de rire.

— Je te préfère ricaneuse que trop sérieuse. À ton âge, on a besoin de rire et non d'avoir une face de carême. Viens, ta mère nous fait signe de nous approcher de la table. Parler creuse l'appétit. Comme j'ai la langue bien pendue, j'ai un appétit d'ogre.

* * *

Les journées passent à une vitesse folle. Emma souhaiterait arrêter le temps. Elle n'est pas pressée de retourner à Québec. *Pourtant, il le faut bien*, se dit-elle en pliant avec soin les chemises et les robes apportées pour la période des fêtes. Dans sa petite valise cartonnée, elle glisse sous la pile de vêtements les dessins d'Angelina et le sucre à la crème de Caro. Une dernière fois, ses yeux parcourent la chambre qu'elle a partagée avec ses trois sœurs. Les meubles sont usés et modestes. Une vieille chaise de bois sépare les deux commodes à trois tiroirs. Sous la fenêtre, deux lits recouverts de courtepointes aux couleurs vives mettent une touche de gaieté dans la pièce. Emma repense aux moments heureux passés à chuchoter et à rire sous les couvertures, alors que Marie-Anne et Angelina dormaient à poings fermés dans le lit voisin.

— Tu n'as rien oublié, ma grande ?

Un chiffon à la main, Marie-Caroline se tient debout près de la porte. Sa longue chevelure ramassée en un chignon lâche, la femme de trente-cinq ans a le visage assombri par la tristesse. Emma se retient de lui sauter au cou.

— Non, maman. J'ai vérifié ma liste deux fois, répond-elle en refermant sa valise.

Marie-Caroline avance jusqu'à sa fille.

— Ne crois pas que je te laisse partir de gaieté de cœur. Si je m'écoutais, je te garderais ici. Mais je n'ai pas le droit de penser juste à moi. Tu es intelligente et tu aimes étudier. Et c'est seulement au couvent que tu pourras poursuivre ton instruction.

Tendrement, elle lui caresse la joue du bout des doigts.

— Maman, vous allez tellement me manquer.

— Toi aussi, ma belle fille.

Une voix forte se fait entendre de l'autre bout de la maison.

— Tu es prête, Emma ?

— Oui papa, j'arrive.

Mère et fille échangent des regards mouillés. Dans la cuisine, les frères et les sœurs d'Emma sont regroupés sagement autour de Jean-Baptiste. Dès qu'ils aperçoivent leur sœur vêtue de sa robe noire de couventine, les langues se délient et tous parlent en même temps. C'est à qui voudrait saluer Emma le premier. Ne voulant pas être en reste, Stanislas se met à pleurer bruyamment. Comme il ne sait pas encore parler, c'est la seule façon qu'il a trouvée pour attirer l'attention de sa sœur. Emma se penche vers le petit garçon d'un an et le prend dans ses bras. L'enfant cesse aussitôt ses pleurs et sourit à sa grande sœur.

— Petit comédien ! lui murmure Emma en le serrant très fort contre elle avant de le déposer au sol.

L'adolescente embrasse ensuite ses frères et ses sœurs.

— Embrassez Joseph et Jean-Baptiste pour moi, dit-elle à sa mère. J'aurais tellement aimé ça les voir.

— Bon, il faut y aller, Emma. Le train ne nous attendra pas.

La couventine ajuste son bonnet de laine sur sa tête, puis enfile ses bottes et ses mitaines.

— T'en vas pas, Emma, pleurniche Marie-Anne.

— Elle reviendra cet été, promet la mère qui a les yeux pleins d'eau.

Son mari ouvre la porte. Un vent froid pénètre dans la maison. Emma relève le capuchon de son manteau avant de suivre son père à l'extérieur. Elle marche rapidement vers le traîneau, pressée de s'enrouler dans la grosse couverture en poil d'ours qui la tiendra au chaud jusqu'à la gare.

— Grimpe vite, Emma.

Dès qu'elle se retrouve assise dans le traîneau de bois monté sur de hauts patins, l'adolescente jette un œil vers les fenêtres de la maison à deux étages. Ses frères, ses sœurs et sa mère agitent la main en sa direction. Le cœur lourd, elle leur envoie un baiser pendant que le cheval avance sur le chemin de terre battue. En cette matinée froide et sombre de janvier, Emma se sent bien triste.

Jean-Baptiste passe un bras autour de la taille de sa fille. Ce geste tendre et affectueux la réconforte encore plus que des paroles. À la gare de Montmagny, Jean-Baptiste scrute les gens. Il reconnaît les Samson, un couple dans la cinquantaine. D'un pas énergique, il s'approche d'eux. Après s'être informé pour savoir si ces derniers se rendent à Québec, il leur demande s'ils accepteraient de veiller sur Emma durant le trajet.

— Bien sûr, répondent en chœur l'homme et la femme.

— C'est très gentil de votre part, dit Jean-Baptiste, visiblement soulagé de savoir que sa fille ne voyagera pas seule. Une religieuse l'attendra à la gare de Lévis pour la mener au couvent des Ursulines.

— Soyez sans crainte, monsieur Gaudreau. Ma femme et moi prendrons soin de votre fille comme si c'était la nôtre. Et si la religieuse n'est pas au rendez-vous, nous irons nous-mêmes conduire cette jolie demoiselle au pensionnat.

— Merci pour tout, bredouille le père.

Les deux hommes échangent une poignée de main pendant que la femme sourit gentiment à Emma. Les mains enfoncées dans les poches de son manteau, l'adolescente esquisse un sourire. Au loin, elle entend le sifflement du train.

Chapitre 12

— J'ai toujours su que tu étais brillant, mais cette fois-ci, tu m'impressionnes vraiment, Edmond, s'exclame Cyrice Têtu.

L'homme de cinquante-huit ans se frotte les mains de satisfaction. Il est persuadé que cette invention lui permettra de se renflouer. Après le désastre financier qu'il a subi en 1870 dans le commerce du bois, la chance semble enfin lui sourire. Depuis qu'il a perdu sa fortune et son magasin de la rue Saint-Pierre, il travaille jour et nuit pour se refaire. Il a touché plusieurs domaines : les assurances, le commerce d'importation, le commerce des pelleteries dans le Nord-Ouest... *Rien ne m'a emballé autant que cette invention,* pense-t-il.

— Ainsi, vous ne regrettez pas notre association ?

— Pas le moins du monde, mon neveu. Ton système d'éclairage au gaz est révolutionnaire et à la portée de toutes les bourses. Nous ferons des affaires d'or, toi et moi. Viens souper à la maison ce soir. Ta tante sera heureuse de te voir.

— Entendu, j'y serai vers dix-huit heures. Ma dernière consultation est à dix-sept heures trente. Une simple extraction. Ce sera vite fait.

Instinctivement, Cyrice porte la main à sa joue droite et grimace. La seule idée de se faire arracher une dent l'effraie toujours autant. Chaque fois, il a souffert le martyre. Même si son neveu est un chirurgien-dentiste diplômé, il espère ne jamais avoir recours à ses soins.

— À ce soir !

Soudainement, le négociant semble pressé de quitter les lieux. Edmond rit sous cape en voyant son oncle prendre la poudre d'escampette. *Ma profession fait encore peur à bien des gens.* Après le départ de Cyrice Têtu, Henri-Edmond Casgrain endosse son veston d'alpaga noir. Il s'assure que tout est en ordre et que chaque instrument est à sa place dans le meuble de rangement en noyer. Le crachoir sanitaire en porcelaine, le miroir buccal et le nécessaire pour anesthésie au chloroforme sont disposés sur un guéridon à proximité de l'imposant fauteuil à bascule qu'il vient d'acquérir et dont il est si fier. Ne lésinant pas sur la dépense, il l'a fait venir des États-Unis. *Le fauteuil Morrison permet au dentiste de travailler assis s'il le désire. De plus, il est très confortable pour le patient,* a-t-il lu dans une revue dentaire à laquelle il est abonné depuis quelques années. Dès l'instant où il a posé les yeux sur l'illustration, Edmond a su qu'il lui fallait cette chaise, coûte que coûte. Durant ses études à Philadelphie, l'un de ses professeurs avait insisté sur l'importance de l'apparence dans cette profession. «N'hésitez pas à investir votre argent dans le mobilier de votre cabinet, ainsi que dans celui de la salle d'attente. Pensez aussi à la publicité. Une annonce avec vos coordonnées dans l'annuaire de la ville et une belle enseigne devant votre bureau inciteront les clients à venir vous consulter.» Ces paroles avaient fait leur chemin dans l'esprit du futur dentiste. Une fois ses études terminées, Edmond s'est fait un devoir de suivre les conseils de son professeur. Tous les ans, son nom figure dans l'annuaire *Marcotte* de la ville de Québec. Cette année, il a même payé pour l'obtention d'une annonce publicitaire en gros caractères. On peut y lire : CASGRAIN DR. EDMOND DDS (St-Joseph, 99). Saint-Joseph est sans contredit l'artère la plus importante du quartier Saint-Roch. Plusieurs commerces y ont pignon sur rue, dont le magasin de Zéphirin Paquet et celui de J. B. Laliberté. Récemment, le pharmacien Wilfrid-Étienne Brunet y a ouvert son commerce. Une ligne de tramway dessert maintenant la rue. Le cabinet d'Edmond n'est pas très grand, mais il est propre, soigné et de bon goût. Son diplôme de chirurgien-dentiste est accroché bien en évidence sur l'un des murs de la salle d'attente afin de donner confiance aux clients. Certains viennent de la Haute-Ville pour consulter le jeune dentiste. La semaine dernière, il a posé une couronne dentaire en or à une fillette. Le père de l'enfant, un banquier anglophone, a été si satisfait du résultat qu'il a promis de le recommander à son entourage. *J'ai de la chance,* se dit Edmond. *Je pratique une profession que j'aime et, dans mes temps libres, je peux m'adonner à mon autre passion : l'invention.* La sonnette de la porte d'entrée retentit. *Le premier patient de la journée. Il n'est pas encore neuf heures. La journée s'annonce bien chargée.*

* * *

À dix-huit heures précises, Edmond se présente chez son oncle. Pour s'y rendre, il a pris le tramway. Construite en 1853 et située sur la rue Sainte-Geneviève, la maison de Cyrice Têtu fait l'envie de bien des gens. Le riche marchand avait demandé au meilleur architecte de la ville, Charles Baillairgé, d'en dessiner les plans. Cette maison princière, il la voulait près des Jardins du Gouverneur, un parc prisé de la ville. L'architecte a su la rendre élégante, cossue et confortable. C'est de loin la plus belle maison de Québec. En plus de l'eau courante chaude et froide, elle dispose de toilettes intérieures, de salles de bain et d'un ingénieux système de chauffage central conçu par Baillairgé. À deux reprises, Edmond agite le lion de cuivre fixé à la porte d'entrée. Une jeune fille vêtue d'une robe noire et d'un tablier blanc vient lui ouvrir et le conduit au salon. Chaque fois qu'il pénètre dans cette pièce, le jeune homme est fasciné par le luxe qui y règne. Le salon est immense et sert aux soirées mondaines et aux réunions sociales. Même si son oncle a perdu sa fortune, il a réussi à garder sa grande maison en pierre de trois étages.

— Edmond! Quelle belle surprise!

Une femme grande et mince vient vers lui, la mine souriante. Le jeune homme se lève aussitôt de son fauteuil à oreillettes.

— Tante Caroline, c'est toujours un plaisir de vous voir, répond-il galamment avant de lui baiser la main.

— Charmant et attentionné, comme toujours. En vieillissant, tu ressembles de plus en plus à ton père.

— Merci du compliment.

— J'affectionnais beaucoup ton père. Dommage qu'il nous ait quittés si vite…

La pendule posée sur le manteau de la cheminée carillonne.

— Cyrice ne devrait plus tarder. Il m'a promis d'arriver tôt. J'espère que tu as faim. Au menu, il y aura du canard à l'orange.

— Vous me gâtez, tante Caroline.

— Je te sers un verre de *sherry* en attendant ton oncle ?

— Laissez, je vais me servir, fait-il en s'avançant vers le cabinet à liqueurs. Désirez-vous quelque chose à boire ?

— Non merci, Edmond. As-tu reçu récemment des nouvelles de ta mère ?

Une ombre passe sur le visage du jeune dentiste.

— Elle se remet difficilement du départ de grand-mère Dionne.

— Maman est décédée depuis plus de six mois, à quatre-vingt-huit ans… Hortense ne pouvait pas s'attendre à la garder auprès d'elle éternellement.

— Vous avez raison, tante Caroline. Il n'empêche qu'elles étaient très proches l'une de l'autre et que la présence de grand-maman lui manque cruellement.

— Ça, je m'en doute, concède la femme de Cyrice. Mais ce n'est pas une raison pour s'enfermer dans son manoir et broyer du noir. Au contraire, elle devrait sortir, rendre visite à ses enfants, à ses sœurs. Clémentine, Georgina et moi serions heureuses de la recevoir à tour de rôle.

— Ces temps-ci, la seule personne qu'elle accepte de voir, c'est ma sœur Joséphine. Ses autres sorties se résument à se rendre à l'église presque quotidiennement.

— Hortense a toujours été très dévote. La plus sérieuse des sœurs Dionne. Tiens, voilà ton oncle.

Très femme du monde, Caroline va au-devant de son mari d'une démarche lente et étudiée. Cyrice dépose un baiser discret sur le front de sa femme.

— Tu as passé une bonne journée? lui demande-t-elle aimablement.

— Merveilleuse.

Les deux hommes échangent un regard de connivence.

— Mon petit doigt me dit que cette bonne humeur est reliée au système d'éclairage conçu par Edmond.

— On ne peut rien te cacher, ma tendre et douce épouse. Notre neveu ici présent est un génie. Grâce à son invention, l'éclairage à l'intérieur des maisons sera constant et diffusera une lumière douce, brillante et paisible pour les yeux. Jamais de flamme vacillante et irrégulière. De plus, ce gaz ne produit aucune odeur désagréable.

— Avez-vous trouvé un nom à cette petite merveille?

— Pas encore, tante Caroline. Avez-vous une suggestion?

— En écoutant Cyrice vanter les mérites de ton invention, une idée m'est venue. Pourquoi pas le gaz Clair de lune? La lune aussi produit une lumière douce et paisible.

— Ça sonne mieux en anglais, affirme le marchand Têtu. Le gaz Moonlight! Qu'en penses-tu, Edmond?

— Excellent! Il sera breveté sous ce nom, répond ce dernier d'un ton enthousiaste.

* * *

L'invention d'Edmond est brevetée le 19 août 1875 sous l'appellation « générateur de gaz Moonlight ». Le brevet en poche, le jeune dentiste et son oncle multiplient leurs efforts pour faire connaître ce nouveau mode d'éclairage à la population de Québec. La publicité circule non seulement de bouche à oreille, mais aussi dans les journaux. Un an plus tard, leurs efforts sont enfin récompensés. Les religieuses du couvent de Bellevue manifestent leur intention d'acquérir l'un de ces appareils à gaz. Les deux hommes jubilent. Ils rencontrent sœur Sainte-Eulalie, supérieure du couvent, et lui expliquent le fonctionnement de l'appareil. Le marché est conclu quelques jours plus tard. Edmond et Cyrice obtiennent des religieuses la permission d'inviter les journalistes pour l'inauguration de l'appareil.

* * *

Ce soir-là, plusieurs journalistes ont répondu à l'appel et se sont massés à l'extérieur du couvent situé sur le chemin Sainte-Foy, à deux milles de la ville de Québec.

— Ils sont tous venus, murmure Cyrice à l'intention de son neveu. Dans l'assistance, j'ai reconnu des journalistes du *Canadien*, du *Journal de Québec*, du *Courrier du Canada*, de *L'Événement*, du *Daily Telegraph* et du *Morning Chronicle*. Je n'en espérais pas autant. Croisons-nous les doigts pour que cette démonstration soit une réussite.

— Elle le sera, assure Edmond. Je vous laisse avec vos invités et je me charge de faire fonctionner le Moonlight.

— Bien, on se revoit tout à l'heure.

Cyrice s'avance vers les journalistes pendant qu'Edmond pénètre dans le couvent.

— Bonsoir, messieurs, merci d'être venus en grand nombre pour assister à cet événement spécial, déclare le marchand Têtu. Dans quelques minutes, vous serez témoins d'une invention digne d'intérêt et que vous n'êtes pas prêts d'oublier de sitôt. Soyez attentifs et ouvrez bien les yeux pour ne rien manquer du spectacle.

Malgré la douce brise, le négociant transpire à grosses gouttes. Il passe sa main dans ses cheveux lisses et soyeux. Nerveux, il ne cesse de consulter sa montre de poche. Plus les minutes passent, plus l'anxiété le gagne. Dans sa tête, il voit déjà les sourires moqueurs et il entend les railleries des journalistes. *Nous nous sommes déplacés pour rien et nous avons perdu notre temps. Tout cela n'était que fumisterie. Du vent, rien que du vent !*

— Oh ! regardez ! s'écrie soudain un homme.

— Et que la lumière soit ! lance joyeusement un autre journaliste.

Cyrice respire plus librement. Devant lui, le bâtiment de cinq étages est entièrement éclairé de l'intérieur. La lumière est blanche, brillante et ne vacille pas du tout. *Il a réussi*, se dit-il, à la fois heureux et soulagé. Pendant que les gens commentent l'événement et échangent des réflexions entre eux, Cyrice aperçoit son neveu qui vient vers lui d'un pas tranquille.

— Comment peux-tu être aussi calme ? glisse-t-il à l'oreille d'Edmond lorsque celui-ci se retrouve à ses côtés.

— Ce n'est qu'une façade, mon oncle. J'ai les mains moites et le cœur qui bat à tout rompre. Lorsque la lumière a illuminé l'intérieur du couvent, je battais des mains comme un enfant et je sautillais sur place. Heureusement, personne ne m'a vu.

— Heureusement, murmure Cyrice en riant tout bas.

Reprenant son sérieux, il s'adresse aux journalistes, ainsi qu'à sœur Sainte-Eulalie :

— Comme vous pouvez le constater, le couvent est éclairé parfaitement jusqu'au dernier étage grâce à un jeu de soixante lumières qui produisent un éclairage régulier et sûr. Cette lumière ne fatigue pas les yeux. Je recommande le gaz Moonlight aux typographes et à tous ceux dont le travail nécessite de lire et d'écrire durant de longues périodes le soir. Chacun sait que la vue est précieuse et qu'elle peut baisser rapidement si l'on ne dispose pas d'un éclairage adéquat. Nos ancêtres l'avaient bien compris et évitaient d'écrire à la chandelle.

Quelques journalistes prennent des notes dans leur calepin.

— Combien coûte cette machine à gaz ? s'informe l'un d'eux.

Cyrice sourit aimablement au petit homme à lorgnette avant de lui répondre.

— Tout dépend de l'endroit où elle sera installée. Une maison familiale aura besoin d'une moins grande quantité de lumières qu'un collège ou un couvent. Le prix varie entre cent cinquante et six cents dollars. Le prix le plus bas donne droit à quarante gallons de gazoline et un jeu de vingt-cinq lumières, tandis que le plus élevé comprend cent soixante gallons et deux cents lumières. Le réservoir doit être rempli une à deux fois par année.

— Y a-t-il un danger d'explosion ou d'asphyxie ?

— J'allais justement vous en parler, mais vous m'avez devancé. Il n'y a aucun danger de mettre le feu à la maison, car le réservoir qui contient la gazoline est enfoui six pieds sous terre, à cinquante pieds de la maison. En plus d'être sécuritaire et peu coûteux, l'éclairage au gaz Moonlight ne dégage aucune odeur désagréable, contrairement aux lampes à pétrole.

— C'est bien beau d'avoir un réservoir à gazoline, mais je ne comprends toujours pas de quelle façon se produit la lumière.

Edmond fait discrètement signe à son oncle.

— Si vous le permettez, je vais laisser le docteur Casgrain répondre à cette question. C'est lui l'inventeur du générateur de gaz Moonlight.

D'une voix calme et posée, Edmond prend la parole :

— L'appareil est composé d'un réservoir, d'une bouilloire verticale et d'une pompe à air, reliés les uns aux autres par des tuyaux. La bouilloire et la pompe sont placées au sous-sol de la maison. La bouilloire consiste en un cylindre rempli d'eau que l'on met en mouvement par un poids que l'on monte une à deux fois par semaine. Le principe est aussi simple que celui d'une horloge grand-père. L'eau chauffe et envoie de la vapeur au carburateur à l'aide d'un tuyau relié à la pompe à air. En un quart d'heure, le gaz est réchauffé et circule dans les tubes. Dès que la pompe à air est arrêtée, il ne se forme plus de gaz. Vous ne dépensez donc que la quantité voulue.

— Où peut-on se procurer cet appareil ?

— Les personnes intéressées n'ont qu'à se rendre chez monsieur Picard, ferblantier et plombier demeurant sur la rue Saint-Jean. Comme il est le fabricant de l'appareil à gaz Moonlight, il pourra répondre à toutes leurs questions et faire fonctionner celui-ci devant elles. C'est également à monsieur Picard qu'il faut s'adresser pour commander un appareil. Avant de clore cette soirée, j'aimerais demander à sœur Sainte-Eulalie si elle est satisfaite de sa nouvelle acquisition.

Toutes les têtes convergent vers la supérieure du couvent.

— Très satisfaite ! Je recommande cet appareil aux autres communautés religieuses.

Quelques minutes plus tard, les journalistes quittent l'endroit, pressés d'aller rédiger leur article. Edmond et son oncle s'attardent un moment auprès de la supérieure du couvent. Avant de se séparer à leur tour, Cyrice Têtu et son neveu se serrent chaleureusement la main. La satisfaction se lit sur le visage du marchand. Edmond retourne à son logis en sifflotant joyeusement.

Chapitre 13

Après la prière du soir récitée en famille, Emma bavarde un peu avec ses sœurs et ses frères. Toute la famille est réunie. Il ne manque personne. Lorsque les plus jeunes montent se coucher et que les plus vieux retournent à leurs occupations, Emma se retrouve seule avec ses parents. Marie-Caroline soulève le rideau de la fenêtre.

— Il va faire beau demain, annonce-t-elle à l'intention de sa fille.

Emma ne commente pas. Pour l'instant, peu lui importe le temps qu'il fera. Elle a d'autres chats à fouetter. Sa mère lui jette un regard curieux avant de s'asseoir dans la chaise berçante, un tricot en main. Quant à son père, il se berce tranquillement, perdu dans ses pensées. Emma n'en peut plus. Elle a besoin d'intimité pour réfléchir en paix. D'un bond, elle se lève, embrasse ses parents, puis leur souhaite une bonne nuit. Marie-Caroline sent sa fille fébrile.

— Il est un peu tôt pour aller au lit, lui fait-elle remarquer. Dans l'état où tu es, je ne suis pas certaine que tu réussiras à trouver le sommeil.

— Je sais, maman. Même si je ne dors pas, j'ai besoin d'un peu de solitude. Ça m'aidera à me détendre.

— Ne sois pas si nerveuse, ma grande. Tout va bien se passer.

Emma serre ses mains l'une contre l'autre. Jean-Baptiste l'observe d'un œil suspicieux.

— Regrettes-tu ton choix ? lui demande-t-il. Il est encore temps de changer d'idée. Lorsque tu auras la bague au doigt, il sera trop tard.

La jeune fille plonge son regard dans celui de son père.

— J'aime Edmond, répond-elle avec ferveur.

— Alors pourquoi cette mine d'enterrement? Demain devrait être le plus beau jour de ta vie.

Emma passe ses bras autour du cou de Jean-Baptiste.

— Je ne suis pas triste de me marier, mais je le suis de vous quitter et de vivre loin de Montmagny.

Marie-Caroline intervient d'une voix douce.

— Voyons, Emma. Québec n'est pas au bout du monde et tu connais bien cette ville maintenant. Tu y as passé les cinq dernières années.

Emma se retient de lui répliquer qu'être pensionnaire chez les Ursulines ne lui a guère donné d'occasions de visiter la ville. Les sorties n'étaient autorisées qu'en cas de mortalité d'un proche, d'une visite chez le médecin ou chez le dentiste. Ce dernier mot lui arrache un sourire. N'est-ce pas ainsi que tout a commencé pour elle?

— Enfin un sourire! s'exclame Jean-Baptiste.

— À demain! dit-elle avant de se diriger vers sa chambre.

— À demain, Emma, répondent ses parents à l'unisson.

Marie-Caroline suit sa fille des yeux pendant qu'elle monte les marches de l'escalier.

— Qu'en penses-tu? demande Jean-Baptiste, occupé à bourrer sa pipe.

Elle tourne les yeux vers son mari. *À cinquante-quatre ans, il est encore solide et en bonne santé. Jean-Baptiste a plus d'énergie et d'endurance que moi qui viens d'en avoir quarante,* constate la femme.

— Emma a fait le bon choix. Elle sera heureuse.

— Tu sembles bien sûre de toi. On connaît si peu l'homme qu'elle va épouser demain.

— Les longues fréquentations ne garantissent pas un meilleur mariage, Jean-Baptiste. Les nôtres ont été de courte durée.

— Nous appartenions au même monde, Caroline.

— La famille Casgrain vient elle aussi de la Côte-du-Sud.

Jean-Baptiste a un mouvement d'impatience.

— Le fais-tu exprès de ne rien comprendre ? Le père d'Edmond était le seigneur de L'Islet et son grand-père maternel était Amable Dionne, l'homme le plus riche de la région.

Marie-Caroline délaisse son tricot.

— Et puis alors ? Aurais-tu honte de tes origines de paysan, Jean-Baptiste Gaudreau ?

— Là n'est pas la question. Je m'en fais pour Emma. Je ne voudrais pas qu'elle souffre. Que tu le veuilles ou non, il y a une grosse différence entre être la fille d'un habitant et être le fils d'un seigneur.

Marie-Caroline pose une main apaisante sur celle de son homme.

— Je ne suis pas inquiète pour Emma. Elle saura s'adapter à sa nouvelle vie. N'oublie pas qu'elle a reçu la meilleure éducation qu'une jeune fille puisse obtenir. Elle en sait maintenant autant que les demoiselles de la ville. Elle a appris à bien se comporter en société. Les bonnes manières, les règles d'étiquette, de politesse et de maintien, le ton de voix modéré et bas, une diction parfaite, un langage recherché, tout cela elle le maîtrise bien. Durant ces cinq années au pensionnat, elle a accumulé les bonnes notes et elle a obtenu la couronne d'honneur à quelques reprises. Première en français et en anglais, notre fille peut soutenir une conversation dans n'importe quel salon.

— Cela aurait été bien moins compliqué si elle avait choisi un gars de la paroisse, réplique Jean-Baptiste en soupirant.

— Peut-être, mais ce n'est pas le cas. J'ai toujours su qu'Emma ferait les choses différemment des autres.

— Comme se marier en blanc ?

Marie-Caroline sourit.

— C'est la reine Victoria qui a lancé cette mode il y a trente-six ans. Comme tu peux le constater, cela fait déjà un petit moment. Tu connais le dicton : des noces en blanc, ton mariage durera longtemps.

— Connais-tu beaucoup de jeunes filles qui ont porté une robe blanche le jour de leur mariage ? Cette mode, c'est juste bon pour les riches.

— Tu te trompes, Jean-Baptiste. En ce moment, la suprême élégance consiste à porter une robe prune. J'aurais préféré que notre fille choisisse cette teinte, car elle aurait pu porter sa robe à d'autres occasions par la suite. Elle aurait donc joint l'utile à l'agréable.

— Une robe de coton aurait très bien pu faire l'affaire.

— Voyons, Jean-Baptiste ! Le coton ne convient pas pour une robe de mariée. C'est trop ordinaire. Quant au lin, il se froisse facilement. La soie est un tissu doux au toucher et agréable pour l'œil. Et puis, c'est un cadeau de sa marraine. Clémentine a mis tout son cœur dans la confection de cette robe. Elle s'est montrée très généreuse.

— Bon, bon, je ne dis plus rien.

— Tu devrais te réjouir, Jean-Baptiste. Notre fille fera un brillant mariage et vivra à l'abri de la misère le restant de ses jours.

— Montons nous coucher, il se fait tard, remarque le cultivateur.

Qu'essaie-t-elle de me dire ? se demande-t-il, troublé par les derniers mots de sa femme. *Aurait-elle souhaité plus de confort et de luxe ?*

Marie-Caroline range ses aiguilles à tricoter et le gilet de laine qu'elle destine à Stanislas au fond de son panier à couture. Elle étouffe un bâillement.

— Tu as raison, la nuit sera courte. Heureusement, les filles m'ont donné un bon coup de main à la cuisine ces derniers jours. Tout est prêt pour demain, je peux donc dormir sur mes deux oreilles.

Emma entend les pas de ses parents faire craquer le bois des marches. La jeune fille n'a rien entendu de leur conversation, mais se doute bien qu'ils parlaient d'elle. Son père se sent mal à l'aise en compagnie d'Edmond. Elle l'a constaté chaque fois que son compagnon lui a rendu visite. Quant à sa mère, elle cherche à détendre l'atmosphère par sa gentillesse et son sourire chaleureux. Visiblement, elle éprouve de la sympathie envers son futur gendre et une grande fierté pour sa fille. Emma remonte la courtepointe jusqu'à son menton. À la mi-octobre, les nuits sont de plus en plus fraîches. Elle prend conscience qu'elle dort pour la dernière fois dans ce lit qu'elle partage avec sa sœur depuis tant d'années. Une larme coule sur sa joue. À l'idée de quitter les siens, elle ressent un mélange de tristesse et d'inquiétude. Elle ferme les yeux et essaie de penser à des choses gaies. Comme sa rencontre avec Edmond. Un sourire se dessine sur ses lèvres. Elle se souvient très bien de cette journée. Un mal de dents carabiné l'avait tenue éveillée une partie de la nuit. Au petit matin, la douleur était si forte qu'elle avait dû étouffer ses cris dans son oreiller. Elle avait été incapable d'avaler une bouchée au petit déjeuner. Son manque d'entrain et sa pâleur avaient attiré l'attention de la surveillante du réfectoire. Après le repas, la religieuse lui avait fait signe de rester assise à la grande table, alors que les autres pensionnaires quittaient la salle en silence. Une fois informée de ce qui n'allait pas, elle lui avait déclaré : «Tu dois consulter un dentiste. L'infirmière ou la sœur pharmacienne ne peuvent qu'endormir le mal pour un temps avec un calmant.» Malgré sa crainte, Emma s'était sentie soulagée qu'on s'occupe d'elle. Tout ce qu'elle souhaitait, c'était que l'horrible douleur disparaisse. Accompagnée d'une religieuse, elle avait pris le tramway hippomobile. Trop mal en point pour profiter de sa balade, elle avait hâte d'être rendue à destination. «Nous descendons ici», lui avait murmuré son accompagnatrice en lui prenant le bras. Comme une automate, Emma marchait à ses côtés, tête baissée. «99, rue Saint-Joseph, nous y voilà.» La jeune fille de dix-sept ans avait levé les yeux vers l'enseigne qui se balançait au gré du vent. Elle y avait lu *CASGRAIN DR. EDMOND DDS*. «N'aie pas peur, c'est un bon dentiste.» Dès que la religieuse avait appuyé sur le bouton de la sonnette, un timbre clair avait résonné, faisant sursauter l'étudiante. Sans plus tarder, la sœur avait tourné la poignée de porte et pénétré dans la pièce, suivie d'Emma. La salle d'attente était vide. «Nous sommes chanceuses. Tu n'auras pas longtemps à patienter.» Emma s'était assise sur l'une des chaises de bois mises à la disposition des clients. Le dos droit, les mains jointes reposant sur ses genoux collés l'un contre l'autre, elle résistait à l'envie de croiser ses jambes. Une pose plus décontractée l'aurait détendue, mais la bienséance l'interdisait. Le dentiste sortit de son cabinet quelques minutes plus tard. Un homme d'âge mûr l'accompagnait. Les deux hommes s'échangèrent une poignée de main chaleureuse, puis le patient salua courtoisement la religieuse avant de quitter la salle d'attente. «Que puis-je faire pour vous ?» avait demandé le dentiste en s'adressant à la religieuse. Celle-ci lui avait rapidement expliqué le but de leur visite. Edmond Casgrain avait alors plongé son regard bienveillant dans celui d'Emma. La jeune fille s'était aussitôt sentie en confiance et l'avait suivi dans la pièce adjacente pendant que la religieuse choisissait un livre dans la pile déposée sur la table basse. C'était la première fois qu'Emma consultait un dentiste. Dans le passé, elle avait entendu tant d'histoires d'horreur à leur sujet qu'elle s'était juré de ne jamais mettre les pieds dans un cabinet dentaire. Mais ce jour-là, elle avait tellement mal qu'elle en oubliait sa crainte et sa promesse. Docilement, elle s'était assise dans l'imposant fauteuil qui trônait au centre de la pièce. À l'aide d'une manivelle, le dentiste avait fait basculer le dossier du fauteuil vers l'arrière. Emma s'était retrouvée en position allongée. L'examen dentaire n'avait duré que quelques secondes. «Vous avez une carie assez profonde, mais je vais remédier à ce problème.» Emma s'était raidie en le voyant appliquer un masque sur son nez. «Respirez ce gaz, la douleur disparaîtra.» Elle avait fait ce qu'il demandait. Tout son corps s'était alors détendu. Malgré le bruit de l'instrument qui vrillait la cavité de sa dent cariée, elle ne ressentait aucun mal. Elle avait même envie de rire et d'embrasser cet homme qui n'avait d'yeux que pour sa bouche. Elle le trouvait séduisant avec sa moustache et ses favoris bien taillés. Il avait de belles mains blanches et fines comme celles d'un musicien. Le timbre de sa voix était grave et chaud. Elle se demandait quel âge il pouvait avoir. Trente ans, tout au plus, selon elle. «Voilà, jeune fille! C'est terminé.» Emma était descendue de son nuage rose et s'était sentie honteuse d'avoir eu de telles pensées à l'égard d'un inconnu. Heureusement qu'il ne pouvait pas lire en elle. Rougissante, elle s'était levée d'un bond. La tête lui tournait légèrement et ses jambes vacillaient. «Pas si vite, ma belle», lui avait-il dit en la soutenant pour l'empêcher de tomber. Une fraction de seconde, leurs regards s'étaient croisés. Une onde de choc l'avait parcourue. Conscient de son embarras, il avait relâché son étreinte. «C'est l'effet du gaz hilarant. Son effet devrait bientôt s'estomper.» La voix du docteur Casgrain était douce à son oreille. Elle avait serré la main de l'homme avec reconnaissance, puis s'était dépêchée de rejoindre la religieuse qui l'attendait patiemment. Pendant que cette dernière acquittait les frais, Emma observait discrètement le dentiste, conquise par le charme qui émanait de sa personne. De tout son cœur, elle espérait le revoir. «Merci, ma sœur. J'aimerais revoir mademoiselle Gaudreau dans quelques jours pour m'assurer que tout va bien.» Les paroles du dentiste avaient ravi la jeune fille.

— Tu penses à ton beau dentiste?

Emma revient brusquement au présent et fixe d'un air hébété sa sœur Caroline qui lui décoche un sourire amusé.

— Excuse-moi, Caro. Je ne t'ai pas entendue arriver.

— J'ai bien vu ça. Tu semblais plongée dans un monde enchanteur et…

Évitant de justesse l'oreiller lancé par Emma, Caroline éclate d'un rire sonore.

— Chut! Pas si fort! Tu vas réveiller tout le monde.

Caroline se déshabille en vitesse et enfile une longue chemise en flanelle.

— Brrr! Qu'il fait froid! se plaint-elle en se glissant sous les couvertures.

— Eh! Tes pieds sont glacés, proteste Emma. Ne les colle pas sur les miens.

— S'il te plaît! C'est notre dernière nuit ensemble. Demain, tu deviendras madame Edmond Casgrain et tu dormiras auprès de ton noble époux dans un grand lit de plumes.

— Bon, réchauffe-les contre les miens quelques minutes.

— Tu ne me le diras pas deux fois, chuchote Caroline en posant ses pieds sur ceux de sa sœur. Oh! que ça fait du bien!

— Parle pour toi, grommelle Emma. Tu es aussi froide qu'un bloc de glace.

Chapitre 14

Emma ouvre un œil ensommeillé. Même s'il est encore tôt, elle entend sa mère s'activer à la cuisine. *C'est aujourd'hui que je me marie. Pour le meilleur et pour le pire*, songe-t-elle en se dressant dans son lit. Sa sœur grogne un peu, puis se retourne sur le côté. Emma se lève, enfile sa robe de chambre et rejoint sa mère.

— Déjà réveillée, ma grande ? Tu aurais pu dormir encore un peu. Il fait à peine jour.

Incapable de cacher sa nervosité, Emma fuit le regard de sa mère et se verse du café dans une tasse ébréchée. Sa main tremble légèrement.

— Je n'avais plus sommeil, bredouille-t-elle, le dos tourné.

Marie-Caroline s'approche et masse doucement les épaules de sa fille.

— Détends-toi un peu. Je te sens aussi tendue qu'un arc.

Emma se retourne brusquement. Son regard est rempli d'appréhension.

— Et si je me trompais ? Si je n'étais pas à la hauteur des attentes d'Edmond ?

Elle se cache le visage entre ses mains.

— Oh, maman ! C'est affreux ! Pourquoi suis-je si anxieuse alors que je devrais plutôt trépigner de joie ? J'ai l'estomac noué depuis hier soir.

Marie-Caroline lui caresse les cheveux. Sa voix se fait calme et rassurante.

— J'ai ressenti la même crainte la veille et le matin de mes noces. Ce qui t'arrive est normal. Moi aussi, je me suis posé des tas de questions et je me sentais angoissée. Entre Edmond et toi, il y a la même différence d'âge qu'entre ton père et moi. Une quinzaine d'années. Je craignais d'être trop jeune. Je n'avais que quatorze ans lorsque j'ai épousé ton père. Toi, tu en as dix-huit. Tu n'es plus une enfant et tu es très mature.

— Je sais, Edmond me le répète constamment.

— Bon, tu vois, alors cesse de t'inquiéter inutilement. Tu es belle, intelligente et charmante. Tu es l'épouse idéale pour un homme de la trempe d'Edmond Casgrain.

— Tu le penses vraiment?

— J'en suis certaine.

Le regard d'Emma s'éclaire.

— Merci, maman.

Marie-Caroline prend sa fille dans ses bras et lui murmure à l'oreille:

— Profite de chaque instant qui passe. La vie est si courte. Je te souhaite tout le bonheur du monde auprès d'Edmond.

— Maman, j'ai faim!

Les deux femmes se détachent l'une de l'autre et tournent la tête en direction du petit garçon de deux ans et demi qui les fixe d'un air angélique.

— Viens t'asseoir, Xavier. Je vais te faire des crêpes.

— Non, Emma. Va plutôt réveiller tes sœurs et tes frères. Chacun devra mettre la main à la pâte ce matin. Seuls les petits déjeuneront. Les autres doivent se présenter à l'église à jeun.

— Oui, pour pouvoir communier.

— C'est ça. Je veux aussi que tu aies le temps de prendre un bain.

— Ça ira plus vite si je me lave à la débarbouillette.

— Pas le matin de tes noces, Emma. C'est une journée spéciale qui mérite un traitement de faveur. Prendre un bain te détendra. Joseph et Jean-Baptiste se chargeront de remplir d'eau chaude la cuve de bois. Allez, file maintenant.

* * *

Juste avant de partir pour l'église, Emma demande à son père de la bénir. Celui-ci dissimule son émotion du mieux qu'il peut. Sous l'œil attendri de sa femme, il donne la bénédiction à la jeune fille. Des onze enfants du couple, Emma est la première à se marier. *J'espère que ce Casgrain la rendra heureuse,* songe-t-il en se composant un visage serein malgré l'incertitude qui le gagne.

— Tu es si belle dans ta robe de mariée, s'écrie Caroline. J'en suis presque jalouse.

— Ton tour viendra, Caro.

— Oui, mais quand?

— Pas trop vite, j'espère, réplique la mère. Un mariage dans l'année, c'est suffisant. Tu as raison, Caro, ajoute-t-elle en détaillant Emma de la tête aux pieds. Ta sœur est splendide. Clémentine a fait du bon travail.

Emma pivote sur elle-même pour montrer sa robe sous tous les angles.

— La finition est impeccable, rien ne cloche, affirme la mère. Le corsage est ajusté, le col est droit et montant. La robe tombe à la verticale, comme le veut la nouvelle tendance.

— Tu ressembles à une princesse, s'exclame Hélène.

Du haut de ses cinq ans, la fillette contemple sa grande sœur avec des yeux émerveillés.

— Quel beau compliment! Merci, ma chouette.

— Le blanc te va bien et tranche avec tes cheveux foncés, note Angelina, impressionnée par l'élégance de la future mariée.

Emma enfile de jolis gants de chevreau, puis drape autour de ses épaules et sur ses bras le magnifique châle de cachemire offert par Edmond le jour de leurs fiançailles. De délicates boucles d'oreilles et un pendentif en argent ayant appartenu à sa grand-mère Létourneau sont les seuls bijoux qui accompagnent sa tenue de noces. Elle noue les cordons de son chapeau sous son menton.

— Prête, Emma?

— Oui, répond-elle d'une toute petite voix en glissant son bras sous celui de son père.

— Ton bouquet, Emma! l'avise sa mère. Tu partais sans lui.

Vite comme l'éclair, Angelina court jusqu'à la chambre et récupère les fleurs abandonnées sur le lit. Elle revient en brandissant triomphalement le bouquet.

— Il est si beau. Comment ai-je pu l'oublier? se demande Emma.

— Tout simplement parce que tu as la tête ailleurs en ce moment. Tant que tu n'oublieras pas ton mari sur le pavé de l'église après la cérémonie, il n'y a pas lieu de s'inquiéter, réplique Joseph en lui adressant un clin d'œil.

La taquinerie de son frère contribue à alléger l'atmosphère. Emma rit de bon cœur.

— Il ne te manque plus rien ? Nous pouvons partir maintenant ?

— Allons-y, répond Emma d'une voix confiante.

En ce jeudi matin du 16 octobre 1879, l'église de Saint-Thomas de Montmagny n'a jamais paru aussi imposante aux yeux de la future mariée. Celle-ci contemple le lieu saint avec crainte et respect. Elle se sent dans un état second. Au bras de son père, elle avance dans l'allée centrale. De la main droite, elle tient son bouquet tout en s'efforçant d'être calme et souriante, alors que son cœur bat à grands coups. Elle connaît la plupart des gens qui sont assis dans les bancs. Dans la première rangée, du côté gauche de l'allée, elle aperçoit les membres de sa famille. Du côté droit, ceux de son futur époux. Hortense, la mère d'Edmond, la fixe d'un regard sévère. La main de la jeune fille se crispe sur l'avant-bras de son père. A-t-elle imaginé cet air méprisant ? Ses yeux se posent alors sur Joséphine, la sœur d'Edmond, qui lui sourit avec gentillesse. Cette marque de sympathie la réconforte. Jean-Baptiste s'immobilise et la quitte pour prendre place dans le banc des Gaudreau.

— Tu es splendide, lui souffle Edmond à l'oreille.

Elle rougit sous le compliment. Un instant, elle regarde celui qui deviendra bientôt son mari. Pour ce grand jour, Edmond a choisi un ensemble sobre : une chemise de soie blanche, un gilet de brocart gris perle, une cravate, une redingote noire et un pantalon de fine laine noire. Un haut-de-forme en soie noire posé sur ses cheveux blonds ajoute une touche de dignité et d'élégance à sa tenue impeccable de gentleman. Emma le trouve si beau qu'elle en est toute remuée de l'intérieur. D'un geste tendre, Edmond relève le voile qui dissimule le visage de sa bien-aimée. Des murmures se font entendre dans l'assistance. Le prêtre toussote discrètement pour signaler sa présence et signifier le début de la cérémonie. Celle-ci se déroule comme dans un rêve. Emma est si nerveuse qu'elle peine à se concentrer sur les paroles de l'officiant. Le moment venu de glisser le jonc au doigt d'Edmond, elle doit s'y prendre à deux fois tellement elle tremble. Edmond exerce une légère pression sur la main de la jeune fille. Celle-ci relève la tête et croise le regard amoureux de son mari. Elle reprend alors son calme, et tout devient clair dans son esprit. *Il m'aime et il me protégera*, se dit-elle en lui offrant un sourire reconnaissant. À la fin de la cérémonie, ils échangent un baiser pudique tandis que Marie-Caroline essuie discrètement une larme. À la sortie de l'église, Jean-Baptiste Gaudreau invite tout le monde chez lui pour célébrer les noces de sa fille.

— On a de la chance, clame-t-il haut et fort. Le temps est de notre bord. Il fait beau depuis des jours. Les chemins sont secs et en bon état. Les charrettes ne s'embourberont pas sur la route trop souvent détrempée à ce temps-ci de l'année.

Tout le monde approuve. Le cortège se met bientôt en marche dans la joie et la bonne humeur. Les nouveaux mariés montent dans la voiture de Cyrice Têtu et de sa femme Caroline Dionne. Hortense suit dans celle de son gendre Napoléon Lavoie. Assise à côté de sa fille Joséphine, la veuve Casgrain fixe la route tout en arborant une mine maussade. Habillée en noir de la tête aux pieds, elle ressemble davantage à une mère en deuil qu'à une femme dont le fils vient de se marier.

— Faites un effort, maman. Essayez d'être moins morose. Tout le monde se pose des questions et se demande pourquoi vous demeurez muette et distante.

— Je me moque de ce que les autres peuvent penser, Joséphine.

La femme du docteur Lavoie réplique à voix basse :

— On dirait que vous désapprouvez le choix d'Edmond.

— Ton frère aurait pu faire un meilleur mariage.

— Que reprochez-vous à Emma ? Elle est belle, jeune, bien éduquée et charmante.

— C'est la fille d'un cultivateur.

Joséphine lance un regard désapprobateur à sa mère.

— Ne prends pas cet air indigné, murmure Hortense. Tes frères ont tous marié des femmes bien nées. Quant à toi, tu as épousé un médecin. Je rêvais d'une alliance plus prometteuse pour Edmond que celle qu'il a contractée aujourd'hui. J'ai bien le droit d'être déçue et de ne pas déborder d'enthousiasme.

— Et moi qui croyais que vous n'aviez pas de préjugés, je me suis bien trompée. Vous êtes pétrie de convenances et attachez beaucoup trop d'importance aux rangs sociaux.

— Ça suffit! s'emporte la veuve du dernier seigneur de L'Islet. Comment oses-tu me parler sur ce ton? Je suis ta mère et tu me dois le respect.

— Je n'ai pas voulu vous manquer de respect, se défend Joséphine, mais votre réaction m'a tellement surprise.

— Maintenant que tu la connais, épargne-moi tes commentaires désobligeants.

Le ton est sec et tranchant. Joséphine sent qu'elle a blessé sa mère. Elle n'en éprouve aucune culpabilité. L'attitude de sa mère l'a choquée. *Le règne des seigneurs est aboli. Maman devrait le comprendre et l'accepter,* songe-t-elle en se plongeant à son tour dans le silence.

Chapitre 15

Emma ne cache pas sa joie. Dans le train qui file en direction de Montréal, elle observe de sa fenêtre le paysage, tandis que son mari feuillette tranquillement le journal. D'un moment à l'autre, ils arriveront à destination. Montréal! Elle n'aurait pu rêver d'un meilleur endroit pour sa lune de miel. Elle n'a jamais visité cette grande ville. Cachottier, Edmond lui a appris la nouvelle le lendemain des noces. Elle était si surprise et excitée qu'elle lui a sauté au cou pour le remercier. Devant la réaction de leur fille, Jean-Baptiste et Marie-Caroline avaient échangé des regards amusés. Leur gendre leur avait fait part du projet de voyage quelques jours avant le mariage en leur faisant promettre de garder le secret. Le cœur en fête, Emma a bombardé son époux de questions. Combien de temps? Où séjournerons-nous? Quels vêtements emporter? À l'idée de rencontrer bientôt l'oncle et la tante de son mari, la jeune femme se sent intimidée. Justine Casgrain et son mari, le docteur Pierre Beaubien, appartiennent au grand monde. Grand propriétaire foncier de l'île de Montréal, Pierre Beaubien a joué un rôle actif en politique provinciale et municipale. Maintenant âgés respectivement de soixante-quinze et de quatre-vingt-trois ans, ils vivent désormais au manoir d'Outremont chez leur fils Louis. Lorsque le train arrive à la gare de Montréal dans un sifflement de vapeur et qu'il s'immobilise enfin, Emma serre très fort la main de son mari.

— Viens, ma belle, dit-il en quittant son siège.

Edmond empoigne les valises et se dirige vers la sortie, suivie de sa jeune femme.

— Attention à la marche, la prévient-il au moment de descendre du train.

Emma est heureuse de se retrouver au grand air, même s'il fait un peu froid pour la mi-octobre. Edmond promène son regard sur les gens venus attendre les voyageurs en provenance de Québec. Il ne met pas longtemps avant de reconnaître son cousin, qui agite la main dans leur direction.

— Le voilà! s'écrie-t-il joyeusement à l'intention d'Emma.

Le couple Casgrain se fraie un chemin jusqu'à Louis Beaubien.

— Le voyage en train n'a pas été trop long? s'enquiert poliment ce dernier, une fois les présentations faites.

— En bonne compagnie, on ne voit pas l'heure passer, répond Edmond en adressant un sourire complice à sa femme.

Celle-ci baisse les yeux, mal à l'aise.

— Ma voiture n'est pas bien loin, suivez-moi.

Le ton est courtois, mais un peu sec. Durant tout le trajet, les deux cousins bavardent ensemble, alors que la jeune femme demeure silencieuse. La conversation tourne autour de la politique et des affaires. Pendant que le cheval va bon train dans les rues de la ville, Emma essaie de contenir son excitation. Adossée à la banquette arrière, elle regarde le paysage défiler. *Moi qui croyais que la ville de Québec était agitée et bruyante, je n'avais encore rien vu*, pense-t-elle, impressionnée. Peu à peu, le paysage change et devient plus champêtre. *Cela ne ressemble en rien à Montmagny. Les fermes sont plus cossues et appartiennent à des gens bien nantis*, constate-t-elle en se remémorant ce que son mari lui a appris au sujet de cet endroit. Elle sait que la famille Beaubien a joué un rôle prépondérant dans cette partie de l'île de Montréal que l'on a longtemps désignée sous le vocable Côte-Sainte-Catherine. Au milieu du siècle, Pierre Beaubien y a acquis de vastes terres sur lesquelles il a fait bâtir une immense ferme. Éloigné de la ville, l'endroit a bien vite attiré la bourgeoisie anglaise en quête de propriétés à la campagne. Les riches marchands se sont fait construire des maisons sur les flancs du mont Royal, grâce en partie au docteur Beaubien qui leur a vendu des parcelles de ses terres. Depuis quatre ans, Côte-Sainte-Catherine porte le nom de ville d'Outremont. «C'est mon cousin qui est responsable de ce changement de nom», lui avait précisé Edmond, une lueur de fierté dans les yeux. Pour obtenir le statut de ville, Louis Beaubien, alors député fédéral, avait eu l'idée de compter les granges et les bâtiments agricoles comme des habitations afin d'atteindre le nombre minimum requis de maisons. Outremont compte environ trois cents habitants, en majorité anglais. Çà et là, Emma aperçoit des terres en friche et de beaux vergers. Elle sait qu'en 1866, Louis Beaubien s'est installé dans la maison de ferme de son père, accompagné de sa femme Lauretta et de leur fils Joseph.

— Vous n'êtes pas trop secouée, Emma? Le chemin de Côte-Sainte-Catherine est bien cahoteux.

— Ne vous en faites pas pour moi, Louis. J'ai l'habitude. Edmond a dû vous dire que j'ai grandi en campagne.

— Bien sûr! À Montmagny, si mes souvenirs sont exacts.

— Vous avez bonne mémoire.

— Il le faut pour faire de la politique, réplique le député conservateur avec un sourire en coin. Il me tarde de te montrer mon bétail et mes chevaux, et de savoir ce que tu en penses, Edmond.

— Oh! Tu sais, je ne connais pas grand-chose en ce domaine.

— Monsieur le dentiste diplômé de Philadelphie a bien une opinion à émettre. Tu n'as quand même pas oublié tes années passées à L'Islet.

— Non seulement je n'oublie rien, mais j'éprouve parfois une certaine nostalgie de cette vie au grand air.

La voiture roule depuis un bon moment. Emma commence à ressentir des picotements dans les jambes. Elle a hâte de bouger et de pouvoir se délier les membres. Lorsque le cocher tire sur les rênes pour immobiliser le cheval devant une élégante maison, Emma est ébahie. *C'est un vrai château !* Elle descend de la voiture en posant sa main gantée de cuir sur celle de son époux. Un domestique accourt à leur rencontre et se charge aussitôt des valises. *Quel service ! Le couple royal ne serait pas mieux accueilli*, ne peut s'empêcher de penser la campagnarde.

— Mes parents ont très hâte de vous voir et de rencontrer ta femme, Edmond.

Cette fois-ci, Emma ne baisse pas les yeux. Elle sourit aimablement à Louis, bien qu'un mélange de peur et de curiosité s'empare d'elle. *Vais-je faire bonne impression ?* se demande-t-elle. D'un pas incertain, elle franchit le seuil de la porte principale. À l'intérieur, la maison est sombre. Dans le hall d'entrée, Emma suspend son chapeau à plumes, ses gants et sa cape. À son tour, Edmond pose haut-de-forme et pardessus sur le portemanteau.

— Passons au salon, suggère leur hôte. Lauretta et mes parents doivent nous y attendre.

La jeune mariée vérifie sa tenue devant le grand miroir, puis examine brièvement son reflet. *J'ai l'air fatigué*, constate-t-elle avec dépit. *Si je disposais de quelques minutes pour me rafraîchir, je donnerais une meilleure image de moi-même.* Edmond lui offre le bras, qu'elle accepte avec soulagement. Auprès de lui, elle se sent plus forte, moins démunie. Des notes de musique lui parviennent. Dès qu'ils pénètrent dans le salon, ils sont accueillis par des exclamations de joie.

— De la grande visite de Québec ! Entrez, entrez ! les invite Pierre Beaubien.

Malgré son âge avancé, l'homme respire la distinction et l'assurance. Edmond s'avance vers son oncle, la main tendue et le visage souriant. Après une chaleureuse poignée de main suivie d'une généreuse accolade, le nouveau marié baise galamment la main de sa tante.

— Excuse-moi de ne pas me lever pour t'accueillir, mon garçon. Mes genoux me font beaucoup souffrir ces derniers jours. Je bouge le moins possible.

— J'espère que vous retrouverez vite la forme, tante Justine.

— Merci, mon neveu.

— Bonjour, Edmond.

Le dentiste tourne la tête en direction de la voix. Une femme dans la trentaine, assise sur un banc de cuir, lui sourit.

— Vous jouez merveilleusement bien, la complimente-t-il.

Lauretta referme le couvercle du piano et quitte son banc pour venir à leur rencontre.

— Mes doigts sont rouillés. Je n'ai guère l'occasion de pratiquer.

— Ne l'écoute pas, Edmond. Ma femme est une excellente pianiste. Le soir, lorsque je suis à la maison, rien ne me fait plus plaisir que de l'entendre jouer des airs de Chopin.

Emma admire l'élégant piano disposé dans un angle de la pièce. Elle rêve d'en posséder un dans un avenir rapproché. Son mari aime la musique tout autant qu'elle.

— Et si vous nous présentiez votre femme, Edmond, propose Lauretta.

— Bien sûr.

Emma sourit aimablement à chacune des personnes que son mari lui présente. Une fois tout le monde assis confortablement, la vieille dame pose une main ridée et froide sur celle de la visiteuse.

— Ainsi, vous avez étudié à Québec chez les Ursulines, Emma.

— Oui, madame Beaubien. Pendant cinq ans, précise la jeune femme.

— La renommée de ce couvent n'est plus à faire. Les religieuses offrent un enseignement de qualité et une excellente éducation à leurs élèves. Je garde un bon souvenir de mes années au pensionnat. La discipline était rigoureuse, mais c'était un mal nécessaire. N'êtes-vous pas de mon avis ?

— Pour être honnête, j'ai eu beaucoup de difficulté à m'y faire, surtout à respecter le silence imposé.

— Tiens, tiens, une rebelle dans la famille ! laisse tomber Lauretta d'une voix moqueuse.

Edmond vole à la défense de sa femme.

— Chacun a eu ses petites difficultés au pensionnat. Quant à moi, la ponctualité n'était pas ma vertu première. Au collège, j'ai essuyé bien des remontrances à ce sujet.

Justine Casgrain-Beaubien tire sur une longue corde de soie. Il ne faut que quelques secondes pour voir surgir une domestique dans le salon.

— Vous désirez, madame ?

— Servez-nous le thé, je vous prie, Simone. Nous le prendrons au salon. Il fait trop frais pour aller sur la véranda.

La servante esquisse une petite révérence avant de se retirer. Assise sur le canapé, tout contre Edmond, Emma promène discrètement son regard dans la pièce. Les murs tapissés de papier peint rayé, les lourdes draperies de velours prune, les meubles foncés, le tapis à motif de fleurs, l'éclairage feutré, tout cela ne la laisse pas indifférente. Au centre de la pièce, un jeu de cartes est déployé sur la table. *Ils n'ont sans doute pas eu le temps de ranger les cartes dans le tiroir de la table,* en déduit-elle. Issue d'un milieu modeste où chaque moment de la journée est occupé à travailler, la jeune femme conçoit difficilement que l'on puisse employer son temps libre à faire des jeux de patience, à broder, à lire des gazettes de mode ou des romans-feuilletons. Mentalement, elle revoit sa mère en train de passer le balai, de repriser les bas usés de ses fils et de son mari, etc. *Maman n'a pas de répit. Elle ne dispose pas de servantes pour cuisiner, faire la lessive, nettoyer la maison, s'occuper du jardin et du potager.* Ses pensées sont interrompues par la bonne qui revient, chargée d'un plateau sur lequel est déposé un service à thé en porcelaine anglaise. Elle dépose le plateau sur la desserte.

— Merci, Simone.

La domestique quitte la pièce aussi discrètement qu'elle est arrivée. La maîtresse de maison saisit la théière fumante d'une main qui tremble légèrement.

— Laissez-moi m'occuper du service, madame Beaubien.

— Volontiers, Lauretta. Mes mains ne m'obéissent plus. Je crains de renverser du thé sur les vêtements de nos hôtes.

La femme du député sourit gentiment à sa belle-mère. Emma admire son aisance et son élégance.

— Un sucre, Emma?

— Oui, s'il vous plaît.

Lauretta saisit un morceau à l'aide d'une pince en argent et le laisse délicatement tomber dans le thé parfumé au citron. Emma porte la tasse à ses lèvres et avale une gorgée de thé. Le liquide chaud lui fait du bien et la détend. Peu à peu, elle prend part à la conversation entre les deux femmes, tandis que les hommes passent au boudoir pour prendre un verre et discuter de politique.

***

Dans le train qui les ramène à Québec, Emma repense à la semaine qu'elle vient de passer à Montréal. Lauretta et Louis Beaubien ont joué leur rôle de guides avec beaucoup d'enthousiasme. *Ils nous ont promenés un peu partout dans la ville, nous faisant découvrir des coins charmants que même Edmond ne connaissait pas,* songe-t-elle. Au souvenir de l'après-midi qu'elle a passé à courir les boutiques en compagnie de Lauretta, la jeune femme pousse un soupir heureux. Elle s'est permis de petites folies. Il lui a été impossible de résister au mignon petit chapeau orné de fleurs ni à la jolie robe bleu marine aperçus dans la vitrine d'une boutique de la rue Saint-Denis. «Cette robe vous sied à merveille», lui avait affirmé la vendeuse, qui en avait profité pour lui montrer une ombrelle couverte de dentelles et au manche d'ivoire sculpté ainsi qu'une paire de bottines en cuir fin. «Pour accompagner votre toilette.» Les yeux brillants de convoitise, Emma s'était tournée vers sa compagne. Lauretta l'avait vivement encouragée à les acheter. «Pense au regard pétillant de ton mari lorsqu'il te verra dans cette tenue. Il ne pourra qu'approuver ton choix. De plus, il te sera reconnaissant de lui avoir épargné la tournée des boutiques. Rares sont les hommes qui prennent plaisir à cette activité.» L'épouse de Louis Beaubien avait vu juste. Edmond avait été enchanté des achats d'Emma et l'avait complimentée sur son bon goût. Les deux femmes avaient échangé des regards complices.

— Contente de ton voyage de noces?

Tirée de ses pensées par la question de son mari, elle répond d'un ton sincère:

— Je ne pouvais espérer mieux. Je me souviendrai de cette semaine magnifique le reste de mes jours.

Edmond lui prend doucement la main.

— Je te promets que nous ferons d'autres voyages ensemble.

Elle frémit de plaisir anticipé.

— Tu as fait bonne impression auprès de tante Justine. Elle ne tarissait pas d'éloges à ton sujet.

— Et tu as attendu tout ce temps pour m'en informer! s'écrie Emma d'un ton faussement indigné. Moi qui me tourmentais constamment à ce propos, craignant de ne pas être à la hauteur, de dire un mot déplacé, de faire un faux pas, de ne pas faire le bon geste…

Il la fait taire en posant un doigt sur ses lèvres.

— Tu t'es comportée avec grâce, élégance et naturel.

— Je ne t'ai pas fait honte? demande-t-elle d'une toute petite voix.

— Bien au contraire. J'étais fier que tu sois à mes côtés. Tout le monde a vite été conquis par ton charme et par ta gentillesse.

Emma retire sa main de celle de son mari. Une ombre passe sur son visage.

— Pourquoi cet air triste? En doutes-tu?

Elle fixe la bague d'argent qu'elle porte à l'annulaire gauche depuis son mariage.

— Réponds-moi, Emma. Je ne peux pas savoir ce qui ne va pas si tu ne me dis rien.

— C'est ta mère, lance-t-elle dans un souffle.

— Quoi ma mère?

— Elle ne m'aime pas.

— Qu'est-ce qui te fait croire une telle chose ?

De la main, elle a un mouvement d'impatience.

— Voyons, Edmond, ça crève les yeux. Chaque fois que je l'ai rencontrée, ta mère s'est montrée distante et froide envers moi. Aucune chaleur ne se dégage de son regard en ma présence.

— Où vas-tu chercher pareille idée ? Ma mère n'est pas démonstrative de nature. N'en fais pas une affaire personnelle.

— Pour elle, je ne suis qu'une paysanne endimanchée.

Il prend son visage entre ses mains et la force à le regarder.

— Je ne veux pas que tu te mettes de fausses idées dans la tête et que tu te rabaisses ainsi. Tu es ma femme et je t'aime. Si nous n'étions pas dans un lieu public, je t'embrasserais pour te le démontrer.

Elle sourit malgré elle. Le compartiment de luxe dans lequel ils ont pris place ne compte que deux autres passagers : un homme d'affaires fatigué qui somnole et un jeune étudiant absorbé dans ses lectures.

— Nous n'arriverons pas avant un bon moment. Repose-toi un peu, lui recommande-t-il avant de se replonger dans la lecture de *La Patrie* acheté à la gare de Montréal. La jeune femme ferme les yeux et se cale confortablement dans son siège. D'une main, elle joue avec la petite croix en argent qu'elle porte autour du cou. Un cadeau d'Edmond. La veille de leur départ, il l'avait emmenée souper à l'hôtel Windsor de Montréal. « Le meilleur hôtel au pays », lui avait-il chuchoté à l'oreille avant d'y pénétrer. Impressionnée par l'imposant bâtiment en pierre et granit de neuf étages qui ressemblait à un palais, Emma était restée bouche bée. Après avoir franchi le hall d'entrée orné de dorures, la jeune femme avait compté sur son chemin pas moins de six restaurants. Edmond lui avait mentionné l'existence d'une salle de concert et de deux salles de bal. «Mais combien de chambres y a-t-il dans cet hôtel?» lui avait-elle demandé à voix basse. «Il y en a trois cent quatre-vingt-deux, toutes plus luxueuses les unes que les autres.» Au bras de son mari, elle était entrée timidement dans la grande salle à manger, inaugurée l'année précédente par Lady Dufferin, l'épouse du gouverneur général du Canada. Emma n'osait lever les yeux vers toutes ces femmes vêtues avec une élégance recherchée. Elle se sentait comme le vilain petit canard du conte d'Andersen. Malgré tout, elle s'était efforcée de faire bonne figure et de ne pas laisser paraître son malaise. Au moment du dessert, Edmond avait déposé dans son assiette un petit écrin de velours. Elle avait levé des yeux étonnés vers lui. «Ouvre, tu verras bien», lui avait-il dit avec ce sourire qui, chaque fois, la faisait fondre. Les doigts tremblants, elle avait soulevé le couvercle. «Oh!» s'était-elle écriée, toute joyeuse. Quelques têtes s'étaient tournées dans leur direction. «Elle te plaît?» lui avait-il demandé. Oubliant les bonnes manières, elle s'était penchée vers lui et l'avait embrassé sur la bouche. Des murmures s'étaient fait entendre dans la salle. Deux ou trois regards désapprobateurs avaient fusé vers eux. «Cette réponse a le mérite d'être claire», avait affirmé Edmond, un brin moqueur. Le dentiste de Québec s'était levé de sa chaise et avait attaché la petite croix d'argent autour du cou de sa femme. Le vilain petit canard s'était alors métamorphosé en un majestueux cygne. Du moins, c'était ainsi que la jeune femme se percevait.

Les yeux toujours fermés, Emma appuie sa tête contre la fenêtre. Elle a une pensée pour sa famille. Elle revoit la mine réjouie de sa sœur Angelina lorsque celle-ci avait attrapé le bouquet de la mariée. «Je vais me marier bientôt», avait-elle clamé d'une voix enthousiaste. «À quatorze ans, tu peux attendre encore quelques années», avait décrété Marie-Caroline, peu pressée de voir partir de la maison une autre de ses filles. Tout le monde avait ri, à l'exception de Caro. *C'est elle qui aurait dû attraper mon bouquet et non Angelina. Vingt-trois ans bien sonnés et toujours pas l'ombre d'un cavalier à l'horizon.*

Pauvre Caro! J'espère qu'elle ne finira pas vieille fille, se désole Emma. Le front plissé, l'air soucieux, la jeune femme n'a pas conscience que son mari l'observe depuis un moment.

— À quoi penses-tu ?

Elle ouvre les paupières.

— À ma sœur aînée. Je lui ai trouvé une petite mine triste pendant les noces.

— Normal, elle perd sa confidente des dernières années.

— Il y a autre chose. J'ai cru voir une pointe d'envie dans son regard.

— Elle serait jalouse de ton bonheur ?

Emma hésite à répondre.

— J'ai peine à croire que ta sœur soit ainsi, mais tu la connais mieux que moi.

— Je me suis mal exprimée, Edmond. Caro est une fille généreuse, trop même. J'ai peur qu'elle se sacrifie au profit de mes parents… qu'elle renonce au mariage pour devenir leur bâton de vieillesse.

— Au moins, elle ne prendra pas le chemin du couvent pour devenir religieuse comme l'ont fait deux de mes sœurs.

— L'avenir de Caro n'est pas plus réjouissant. Partager le reste de ses jours avec deux vieux, à s'en occuper et à les soigner.

— Pourquoi devrait-elle le faire ? La terre familiale reviendra sûrement à ton frère aîné. Il prendra en charge tes parents, comme cela se fait dans la plupart des familles.

— Je sais, mais…

— Cesse de t'inquiéter inutilement et d'anticiper le pire. Tu es trop émotive, Emma.

— Vas-tu me prescrire du laudanum pour me calmer ? réplique-t-elle d'un ton agressif. C'est le remède miracle pour les femmes neurasthéniques.

Edmond rit un bon coup, suscitant la curiosité de l'étudiant qui délaisse un instant ses notes de cours pour observer le couple. Furieuse, la jeune femme a l'impression que son mari s'amuse à ses dépens.

— Qu'y a-t-il de si drôle ? chuchote-t-elle, les yeux chargés de reproche.

Reprenant son sérieux, Edmond lui répond à voix basse :

— Je te signale que je suis dentiste et non médecin. Même si je le voulais, je ne pourrais pas te prescrire du laudanum. De toute façon, tu n'en as pas besoin puisque tu ne souffres pas de langueur. Tu n'as ni le teint pâle, ni les yeux cernés ou les joues creuses. Au contraire, tu débordes de vitalité, ma belle brune aux formes épanouies, ajoute-t-il l'œil pétillant.

Gênée par les mots employés par son mari, Emma baisse les yeux. *Il oublie que j'ai été éduquée dans un couvent où la retenue et la pudeur primaient sur tout. Je n'aime pas lorsqu'il fait allusion à mon corps, encore moins en public.*

— Je vais me dégourdir les jambes. Tu m'accompagnes ?

— Non merci.

— Bien, je ne serai pas long, assure-t-il en l'embrassant sur le front.

Dès qu'il tourne les talons, Emma jette un regard furtif aux deux autres passagers du compartiment. L'homme d'affaires ronfle, la bouche ouverte, tandis que l'étudiant griffonne dans son cahier.

La jeune femme ferme les paupières et laisse ses pensées dériver vers sa nuit de noces. Pour l'occasion, ses parents avaient insisté pour céder leur chambre au couple. Emma s'était sentie inconfortable à l'idée de savoir sa famille tout près. Lorsqu'elle s'était retrouvée dans cette chambre en compagnie d'Edmond, elle l'avait laissé prendre les devants. Ni sa mère ni les religieuses ne l'avaient préparée à ce qui l'attendait. « Fais ce que ton mari te demande et tout ira bien », lui avait simplement recommandé sa mère, quelques jours avant les noces. Quant aux religieuses, elles avaient insisté sur l'obéissance et la soumission. « Votre rôle d'épouse est d'engendrer, non d'éprouver du plaisir sexuel », soulignaient-elles aux élèves les plus vieilles. Rien de surprenant à ce qu'Emma se soit montrée à la fois effrayée et passive cette nuit-là. Pendant les cinq années passées au pensionnat, la fille de Jean-Baptiste Gaudreau avait appris à dissimuler son corps au regard des autres. Elle était passée maître dans l'art de se dévêtir et de se laver à la débarbouillette sous sa chemise de nuit. Au couvent, on lui avait aussi inculqué le principe qu'une femme ne devait pas dévoiler son corps devant son mari ni remplir son devoir conjugal dans une chambre trop éclairée. « Une lumière tamisée, tout au plus. » Quand Edmond s'était approché d'elle pour l'aider à retirer sa belle robe blanche, elle avait reculé d'un pas. Sans un mot, il l'avait rejointe. Dès qu'elle avait senti les doigts de l'homme commencer à dégrafer son corsage, elle n'avait pu retenir un frémissement. L'idée d'être nue devant son mari allait à l'encontre de ce que les religieuses lui avaient préconisé. De son mieux, elle avait tenté de cacher ses parties intimes, ne pouvant supporter le regard excité de son mari. Dans la pièce trop éclairée à son goût, Emma ne savait où poser les yeux tellement elle se sentait intimidée et mal à l'aise. Puis, tout s'était enchaîné très vite. Elle s'était retrouvée étendue sur le lit de ses parents, nue et frissonnante. Allongé de tout son poids sur elle, Edmond la couvrait de baisers pendant qu'elle ressentait une douleur cuisante dans son bas-ventre. *C'est donc ça l'acte sexuel!* avait-elle songé en se mordant la lèvre supérieure pour éviter de crier. La pénétration avait été longue, pénible. Stoïque, Emma avait enduré son mal sans émettre la moindre plainte. Seules ses mains avaient agrippé le drap de lin au plus fort de sa souffrance. Pas une fois, elle avait croisé le regard d'Edmond, se sentant trop honteuse pour le faire. Une fois l'acte sexuel terminé, elle lui avait tourné le dos afin de ne plus exposer sa nudité à son regard. Pendant qu'il baissait la mèche de la lampe, elle avait remonté le drap jusque sous son menton et avait tenté de calmer les battements de son cœur affolé. Revivre en pensée ce moment la fait grimacer. *Pourvu qu'Edmond ne m'inflige pas ce supplice chaque nuit,* espère-t-elle en soupirant.

Chapitre 16

Emma referme le cahier, recule sa chaise et se masse la nuque.

— J'ai cru que cette journée ne finirait jamais. Les patients se sont succédé presque sans interruption depuis la matinée.

— Ne t'en plains pas. Si la salle d'attente était peu achalandée, tu serais la première à t'en inquiéter. Une clientèle florissante est signe d'un bon dentiste, lui fait remarquer Edmond.

— Tu n'as pas à m'en convaincre. J'ai toujours su que tu étais le meilleur dentiste en ville.

— N'exagère pas, Emma.

— Tut, tut, tut! C'est la pure vérité. Assise à mon petit bureau toute la journée, j'en vois défiler des gens. Et je peux t'affirmer que les commentaires à ton sujet sont pas mal élogieux. On vient de loin pour te consulter, Edmond Casgrain.

Flatté du compliment, celui-ci n'en laisse pourtant rien paraître.

— Si nous montions maintenant? se contente-t-il de répondre en lui souriant. Je commence à avoir une faim de loup.

— Toi, tu as toujours faim, réplique Emma d'un ton moqueur. Je me demande où tu mets tout ça.

D'une main, elle lui tapote le ventre.

— Pas une once de graisse! J'aimerais bien avoir cette chance.

— Tu es belle comme un cœur avec tes petites rondeurs, lui susurre-t-il à l'oreille. Les femmes qui n'ont que la peau sur les os ne m'ont jamais attiré.

— Mes petites rondeurs, comme tu dis, j'essaie tant bien que mal de les camoufler sous un corset qui me coupe la respiration un peu plus chaque jour. On dit qu'il faut souffrir pour être belle. Cela s'applique bien dans mon cas.

— Tu n'as pas besoin de le serrer autant, surtout lorsqu'il fait une chaleur étouffante comme aujourd'hui. S'il t'empêche de bien respirer, cela devient de la torture, Emma. Tu connais mon opinion sur ces corsets qui emprisonnent la taille et la cage thoracique.

— Oui, oui. Tu me l'as répété des milliers de fois. Ce n'est pas bon pour la santé et cela affaiblit les muscles du dos.

— C'est tout à fait vrai. À la campagne, les femmes ne portent le corset que le dimanche. En général, elles ont de belles couleurs et une excellente santé.

— Rien d'étonnant à cela. L'été, elles passent leurs journées au grand air à travailler dans les champs. Le reste de l'année, elles sont confinées dans une pièce surchauffée à cuisiner. Le travail physique et la chaleur donnent en effet de belles joues rouges.

— Hum! J'ai l'impression d'avoir fait vibrer une corde sensible.

Emma, qui s'apprêtait à gravir les marches de l'escalier la menant au deuxième étage, se retourne d'un bloc.

— Pourquoi dis-tu ça? demande-t-elle les sourcils froncés.

— Ne te fâche pas, Emma. Dès que j'aborde ce sujet, tu montes sur tes grands chevaux.

— Tu veux savoir pourquoi je réagis ainsi?

Ne lui laissant pas le temps de répondre, elle enchaîne aussitôt:

— Parce que cela m'exaspère de voir à quel point tu idéalises la vie de ces femmes. Elles sont loin d'avoir l'existence facile. Je suis bien placée pour le savoir. À la campagne, chaque seconde compte. On n'a pas le temps de contempler les couchers de soleil ni de prendre le thé au salon. Il faut sans cesse s'activer. Très jeunes, les femmes ont le corps perclus de rhumatismes. Ma mère vient d'avoir quarante ans et elle a le dos voûté comme celui d'une vieille femme.

Les derniers mots sont prononcés avec aigreur. La jeune femme de dix-neuf ans fixe son époux dans les yeux, en attente de sa réponse.

— Je sais bien que cette sorte de vie est dure et exigeante, Emma. Moi aussi, j'ai grandi à la campagne…

— Dans un beau manoir rempli de serviteurs, l'interrompt-elle.

— Je ne peux le nier ni changer le passé. Mon enfance a été plus douce que la tienne, mais ce n'était pas le paradis. J'ai été soumis à une discipline stricte et rigide laissant très peu de place à la liberté.

Un instant, elle l'imagine, petit garçon en culottes courtes. Silencieux et immobile, assis sur une chaise droite dans une pièce froide et austère, les yeux rivés sur les aiguilles de l'horloge qui avancent trop lentement. L'image de cet enfant fait fondre sa résistance.

— Tu as raison, Edmond. On ne peut se soustraire à son passé. Il fait partie de nous. Mais ce n'est pas une raison pour le ressasser sans cesse, déclare-t-elle en l'embrassant sur la joue. Que dirais-tu d'œufs brouillés au jambon pour souper ? Ce sera vite fait. Avec cette chaleur, je n'ai guère envie de passer des heures devant le fourneau.

— Ce menu me convient très bien, fait-il, magnanime. Mais je te le répète, il faudrait engager une bonne.

— Edmond! Nous en avons discuté plus d'une fois et ma réponse est toujours non. Je n'ai pas besoin d'une domestique. Nous ne sommes que deux adultes dans cette maison. Je me débrouille plutôt bien en cuisine et en tâches ménagères.

— Ah! pour ça, oui! Tout est propre et impeccable. Comme dirait ta mère, la maison brille comme un sou neuf. Et les repas sont copieux. Tu es un vrai cordon-bleu. Néanmoins, je trouve tes journées bien longues depuis que tu m'assistes au cabinet.

— Travailler à tes côtés ne me fatigue pas le moins du monde. Cela me permet de voir des gens et de jaser avec eux. J'essaie de les détendre avant que ce soit à leur tour de s'asseoir sur la chaise Morrison.

Le dentiste approuve d'un signe de tête.

— Tu y parviens, crois-moi. J'entends régulièrement leurs éclats de rire en provenance de la salle d'attente. Votre dynamisme et votre joie de vivre sont contagieux, madame Casgrain.

Le clin d'œil qu'il lui adresse la met de bonne humeur. *La partie est gagnée,* se réjouit-elle. C'est le cœur léger qu'elle monte les marches de l'escalier, suivie de son mari. Une fois la porte de son logis franchie, le couple se dirige vers la chambre à coucher. Avant de se changer de vêtements, Edmond aide sa femme à se départir de son corset.

— Que ça fait du bien! dit-elle en soupirant d'aise.

En vitesse, elle revêt une robe de cotonnade.

— Va lire ton journal au salon, lui propose-t-elle gentiment. Je t'appellerai lorsque le souper sera prêt.

En chantonnant, elle gagne la cuisine. Après avoir noué un tablier autour de sa taille, Emma sort casserole et ustensiles. Pendant qu'elle entreprend la préparation du repas, son esprit vagabonde. Elle repense au chemin parcouru depuis son mariage. *Je réussis maintenant à lui tenir tête sans toujours me soumettre à sa volonté. Il y a quelques mois, je n'aurais pas osé lui faire part de mes aspirations,* songe-t-elle en affichant un sourire béat. Cette constatation la réjouit. Elle a l'impression d'avancer à pas de géant. Non pas qu'elle souhaite gagner le rang des suffragettes. À ses yeux, ces femmes vont trop loin dans leurs revendications. Pour Emma, la politique, la guerre, les histoires d'argent et le droit de vote doivent continuer à être réservés aux hommes. Joséphine, la sœur d'Edmond, partage son opinion. Emma a tout de suite sympathisé avec l'épouse du docteur Lavoie. Cette femme énergique, de dix-neuf ans son aînée, l'a accueillie avec chaleur et enthousiasme au sein de la famille Casgrain. *Tout le contraire de sa mère,* songe-t-elle, un rictus amer au coin des lèvres. La veuve du seigneur de L'Islet a du mal à accepter le mariage de son fils, et ce, même après un an. Hortense Casgrain se montre froide et distante envers sa bru. Emma se sent blessée par cette attitude qu'elle qualifie de méprisante à son égard. Pourtant, elle se tait, ne voulant pas jeter de l'huile sur le feu.

— C'est servi, Edmond! lance-t-elle de la cuisine.

Le dentiste dépose *L'Événement* sur la table basse devant lui.

— Tu ne me le diras pas deux fois, je meurs de faim.

Un éclat de rire lui parvient de la cuisine. Il adore lorsque sa femme est d'aussi bonne humeur. *La nuit promet d'être chaude et agréable,* pense-t-il en entrant dans la pièce. Comme si elle lisait dans ses pensées, Emma lui adresse un sourire coquin. Quelques mèches folles s'échappent de son chignon souple. Il parvient difficilement à détacher les yeux du corsage rebondi. Pour lutter contre le désir qui monte en lui, il se dirige tout droit vers l'évier et se sert un grand verre d'eau qu'il boit d'un trait, sous le regard amusé d'Emma.

— C'est la chaleur qui te donne aussi soif ?

— Ça et autre chose, répond-il en fixant les lèvres charnues de sa femme.

— Et moi qui ai fait du thé ! Je me demande où j'avais la tête. Une boisson chaude est la dernière chose dont tu as besoin en ce…

Elle n'a pas le temps de terminer sa phrase qu'Edmond pose ses lèvres sur les siennes. D'une main, il dénoue le chignon d'Emma, libérant les longs cheveux bruns qui retombent sur les épaules de la jeune femme. Lentement, il commence à déboutonner son corsage.

— Les œufs vont refroidir, proteste-t-elle faiblement.

Il la fait taire en l'embrassant de plus belle.

— Pas ici… pas dans la cuisine, parvient-elle à dire entre deux baisers.

— Pourquoi pas ? Les rideaux sont tirés, la porte fermée, il n'y a que nous.

— Non, prononce-t-elle d'une voix ferme en reprenant ses esprits. La cuisine, ce n'est pas un endroit convenable. Il y a un temps pour chaque chose et là, c'est le temps de manger. Il me semblait que tu avais une faim de loup.

Il la regarde reboutonner son corsage et comprend qu'il ne sert à rien d'insister. Sans un mot, il s'assoit à la table. D'un œil morne, il contemple son assiette.

— Tu ne vas pas bouder pour si peu, Edmond ?

— Je ne boude pas, réplique l'homme en piquant sa fourchette dans la nourriture.

— À voir ton visage renfrogné, on le dirait pourtant.

— Je ne peux pas avoir un sourire constamment accroché à mes lèvres.

Emma apporte la théière fumante sur la table, puis se laisse tomber sur une chaise.

— Mon Dieu qu'il fait chaud! se plaint-elle en s'éventant de la main. La chaleur est pire en ville. Je comprends pourquoi les citadins se réfugient à la campagne, l'été. Du moins ceux qui le peuvent.

— Veux-tu aller passer quelques jours à Montmagny?

Touchée par la proposition, elle lui sourit.

— Merci de me l'offrir, mais la place d'une femme est auprès de son mari. Certes, le grand air me ferait du bien, mais je trouverais injuste de te laisser seul ici. En mon absence, qui accueillerait les gens et les aiderait à trouver le temps moins long dans la salle d'attente?

— Je me débrouillerai. Avant notre mariage, je le faisais bien.

Elle le fixe d'un air incertain.

— Tu m'en crois incapable? demande-t-il en se servant une rasade de vin rouge.

— Là n'est pas la question, Edmond. Je sais bien que tu peux t'arranger seul.

— Alors pourquoi me regardes-tu avec cet air ahuri?

La jeune femme tripote nerveusement sa serviette de table, les yeux rivés sur son assiette.

— Tu me donnes l'impression de vouloir te débarrasser de moi en m'envoyant au large.

Edmond éclate d'un rire franc. Emma lève la tête vers lui, étonnée par sa réaction.

— Me débarrasser de toi? Mais c'est plutôt toi qui me donnais cette impression en refusant mes avances il y a quelques minutes.

Il rit de plus belle. Emma prend le parti d'en rire à son tour. Le malaise entre eux s'est dissipé et la bonne entente est revenue.

— Que dirais-tu d'une promenade au clair de lune après le souper? suggère-t-il en ne la quittant pas des yeux.

— C'est une proposition que je ne peux refuser, surtout demandée si gentiment.

Chapitre 17

— Ce projet est insensé, répète Edmond pour la troisième fois. Il faut lui faire entendre raison.

— Crois-tu que nous n'avons pas essayé ? lui réplique sa sœur Joséphine. Eugène et Jules ont tout tenté pour la faire changer d'idée. Peine perdue ! Maman n'en démord pas. Elle entrera au noviciat de l'Hôpital général de Québec dans quelques jours. « Que cela vous plaise ou non ! » nous a-t-elle affirmé la semaine dernière.

Edmond marche de long en large dans la pièce, incapable de réfréner sa frustration. De temps en temps, il passe une main impatiente dans ses cheveux. Emma, qui l'observe depuis un moment, sent le besoin d'intervenir.

— Et si tu lui rendais visite ?

Il s'immobilise aussitôt et la fixe d'un air étonné.

— Qu'est-ce que ça changerait ? Sa décision est prise.

— Va au moins en discuter avec elle. Joséphine et tes frères l'ont fait. À ton tour maintenant.

— Emma n'a pas tort. Tu t'en voudras si tu n'essaies pas.

À demi convaincu, il semble réfléchir.

— Bon, j'irai ! finit-il par dire. Tu m'accompagnes, Emma ?

La jeune femme secoue doucement la tête.

— Il vaut mieux que tu t'y rendes seul. Vous serez plus à l'aise pour parler en mon absence.

— Peut-être bien…

Soulagée que son mari n'insiste pas davantage, elle lui adresse un sourire chaleureux.

— C'est le moment idéal pour aller la voir, mentionne Joséphine. À cette heure-ci, maman est sûrement au manoir.

— À tantôt !

Préoccupé par ce qui l'attend, Edmond referme la porte derrière lui d'un geste brusque qui fait sursauter les deux belles-sœurs.

— La confrontation le rend nerveux, note la femme du docteur Lavoie. J'admets que ce n'est pas facile de discuter avec notre mère… Il fait doux. Pourquoi ne pas nous installer un moment dans les berceuses de la véranda ? propose-t-elle.

Trop contente de changer le fil de la conversation, Emma accepte avec empressement. Une fois dehors, elles restent silencieuses un instant, perdues dans leurs pensées respectives. La soirée incite au calme et à la détente. Emma se berce doucement.

— C'est si beau, ici.

Joséphine sourit tout en continuant de tricoter.

— Je suis contente d'être venue. La campagne me manquait.

— Vivre en ville n'est pas trop difficile ?

— Ça dépend des jours, répond Emma. Mais dans l'ensemble, je n'ai pas à me plaindre.

— Edmond ne te fait pas de misère, j'espère ?

Surprise de la remarque, Emma jette un regard oblique à la sœur de son mari. Rassurée par la lueur moqueuse qu'elle décèle dans les yeux de Joséphine, elle répond à la blague :

— S'il m'en faisait, il goûterait à sa propre médecine.

— Bien dit, Emma. Une chose est certaine, mon frère a trouvé une femme capable de lui tenir tête.

— Je sais aussi faire preuve de gentillesse et d'attention à son égard.

— Mais je n'en doute pas une seconde.

Enveloppée dans son châle de laine, Emma frissonne malgré elle. L'attitude de sa belle-sœur la déconcerte. *Que pense vraiment Joséphine ?* se demande-t-elle.

— J'ai les mains pleines de pouces ce soir, soupire Joséphine. Mieux vaut ranger mes aiguilles, je ne fais rien de bon.

— Que tricotes-tu ? s'informe Emma, curieuse.

Le visage de la femme aux cheveux noirs semés de fils blancs s'illumine.

— Des chaussons pour mon petit-fils. Il aura bientôt un an.

— Ah oui ! Le fils de ton aîné. Edmond est impressionné par le sérieux et le sens des affaires de ton garçon.

— Depuis qu'il est entré au service de la Banque Nationale, il y a bientôt sept ans, précise Joséphine, Napoléon est devenu un jeune homme responsable. Il nous fait honneur. Son père et moi sommes bien fiers de lui.

— Tu as une belle famille, Joséphine.

— Oui, c'est vrai. Pourtant, je regrette de ne pas avoir eu de fille. J'ai mis au monde six garçons, dont deux sont décédés avant d'atteindre un an. Aujourd'hui, le plus jeune a quinze ans. Le temps passe vite.

— Pourquoi tenais-tu autant à avoir une fille ?

La femme du docteur Lavoie hausse les épaules.

— Je ne sais pas, Emma. J'ai grandi entourée de frères. Les garçons, c'est bien connu, parlent peu et se confient encore moins.

— Je ne te contredirai pas sur ce point, reconnaît Emma en pensant à ses frères.

— Avec une fille, j'aurais pu libérer mon trop-plein de tendresse sans que personne ne trouve à redire. Même petits, mes fils se dérobaient aux démonstrations affectives. Je sentais que les effusions les embarrassaient.

La voix de Joséphine est empreinte de tristesse. Emma pose une main compatissante sur celle de sa belle-sœur.

— Me voilà qui radote comme une vieille femme. Ce n'est pourtant pas mon habitude de me laisser aller à la mélancolie. Oublie ce que je viens de dire, Emma. Et ne crois surtout pas que je suis malheureuse.

Pourquoi essaie-t-elle de se justifier ainsi? se questionne la jeune femme. Jusqu'à ce soir, la sœur de son mari lui semblait forte, déterminée, pleine d'assurance et de joie de vivre. Maintenant, elle réalise que Joséphine a aussi un côté sombre qu'elle tente de dissimuler. Cette vulnérabilité la rend encore plus sympathique à ses yeux. Joséphine retire doucement sa main.

— Nous nous ressemblons toi et moi, lance Joséphine de but en blanc.

— Tu crois?

— Bien sûr! Toutes les deux, nous assistons notre mari dans son travail. Et nous y prenons plaisir.

— Je ne fais qu'accueillir les gens et les faire patienter dans la salle d'attente, proteste Emma.

— Ta présence chaleureuse et ton beau sourire les aident à combattre leur anxiété. C'est déjà beaucoup, tu ne crois pas ?

— Je voudrais tellement faire plus que ça ! Gérer le carnet des rendez-vous et veiller à ce que la salle d'attente soit propre et en ordre, n'importe qui peut accomplir ces tâches.

— Que souhaites-tu, alors ?

— Être vraiment l'assistante d'Edmond. Pas dans la salle d'attente, mais à ses côtés lorsqu'il traite un patient.

— Lui en as-tu parlé ?

Emma lance à sa belle-sœur un regard qui en dit long.

— Tu n'as rien dit, si je comprends bien.

— Je ne sais pas comment il réagirait.

— Dans la vie, il faut oser, Emma. Je te parle par expérience. Si je n'avais pas fait part à Napoléon de mon désir de rendre visite à ses malades pour les réconforter, je serais encore dans ma cuisine. Suis mon conseil et parle à ton mari. Edmond est un homme ouvert d'esprit et pas du tout réfractaire au changement. Je ne serais pas surprise qu'il accueille ta proposition avec joie, lui dit Joséphine en lui souriant.

Ragaillardie par les paroles de sa belle-sœur, Emma affirme d'un ton déterminé :

— Je lui parlerai dès notre retour à Québec.

— N'attends pas trop. Il faut battre le fer pendant qu'il est chaud. Assister son mari est une activité beaucoup plus intéressante que de participer aux bonnes œuvres. Non pas que je discrédite le travail des dames patronnesses. La plupart de mes tantes en ont fait partie. Tante Caroline, la sœur de ma mère, en est un bel exemple.

— Quelle femme magnifique ! s'exclame Emma. Je me sentais si intimidée lorsque nous étions invités à souper dans sa belle maison de la rue Sainte-Geneviève. Tout était si beau, si luxueux. J'étais fascinée par les grands tableaux accrochés aux murs du salon. L'un d'eux la représentait assise en compagnie de son fils Amable, une main tendrement posée sur l'épaule de celui-ci. Elle portait une belle robe noire. Tant de douceur se dégageait de son visage. Sur l'autre tableau, on apercevait son mari et leur fille Caroline.

— Ces portraits ont été réalisés il y a trente ans. Ils sont l'œuvre de Théophile Hamel, un ami de mon oncle Cyrice, précise Joséphine. Il a peint également mes grands-parents Dionne ainsi que ma tante Adèle. Hamel est un peintre canadien de grande renommée.

En écoutant sa belle-sœur, Emma prend conscience du monde différent dans lequel elles ont grandi. *Ce ne sont ni mes parents ni aucun autre membre de ma famille qui auraient pu s'offrir un portrait réalisé par cet artiste.* Pourtant, elle ne ressent ni regret ni jalousie.

— As-tu reçu des nouvelles d'eux ? s'informe Joséphine.

— Pas souvent depuis leur déménagement à Montréal.

— Pourtant, oncle Cyrice et Edmond avaient développé une belle complicité.

— Si tu veux mon avis, l'insuccès du système d'éclairage Moonlight a contribué à leur éloignement. L'un comme l'autre, ils se sont beaucoup investis dans ce projet. Edmond a passé tout son temps libre à perfectionner l'appareil à gaz qu'il a inventé. Quant à ton oncle, il a parcouru le pays pour tenter d'introduire Moonlight dans les collèges et les couvents. Mais il avait beau se montrer persuasif, peu de communautés religieuses se sont laissé convaincre d'opter pour ce système d'éclairage.

— Dommage ! Mais je ne m'en fais pas trop pour lui. Cyrice Têtu a toujours mille et un projets en tête. Il trouvera autre chose pour se renflouer.

— C'est déjà fait, Joséphine. Il brasse de bonnes affaires à Montréal. Edmond m'a expliqué que votre oncle sert d'intermédiaire entre les banques, les marchands et les entrepreneurs. Je n'ai pas vu sa maison située sur la rue Sherbrooke, mais j'imagine qu'elle doit être somptueuse.

— Sans doute.

Le silence retombe entre les deux femmes. Chacune se berce doucement. Seul le bruissement du vent dans les feuilles vient rompre le silence.

— Il faudra bientôt sortir les lainages du coffre de cèdre, dit soudain Joséphine. L'été n'est plus qu'un souvenir. L'idée de m'encabaner bientôt me déprime. Pas toi ?

— …

— Emma, tu m'écoutes ?

— Oh ! Excuse-moi, Joséphine. Que disais-tu ?

— Rien d'important.

— J'aimerais être un petit oiseau et voler jusqu'au manoir, murmure la jeune femme.

— La discussion entre Edmond et maman risque d'être orageuse, lui fait remarquer sa belle-sœur. Maman ne voudra pas céder et maintiendra sa décision.

— Pourquoi ta mère veut-elle vivre dans une communauté religieuse alors qu'elle a un si beau manoir ?

Joséphine laisse échapper un long soupir.

— J'aimerais bien le savoir. J'ai retourné la question dans tous les sens sans obtenir une réponse satisfaisante.

— Tu dois bien avoir une petite idée, insiste Emma.

— Qui peut se vanter de vraiment connaître une personne ? Les gens nous dévoilent seulement une partie de leur personnalité. Ma mère ne fait pas exception.

Un gros chat roux surgit à l'improviste. D'un bond, il saute sur les genoux de Joséphine. Cette dernière le caresse d'une main distraite.

— Maman a toujours été très pieuse, explique-t-elle. Ma grand-mère Dionne a vécu les dernières années de sa vie au manoir de L'Islet. Maman et elle se sont beaucoup rapprochées au cours de cette période. Très dévotes, elles se rendaient quotidiennement à l'église. Le décès de ma grand-mère a causé un grand vide. Maman s'est alors repliée sur elle-même. Elle ne sortait plus et ne voulait voir personne. J'étais la seule à qui elle ouvrait sa porte. Un jour, elle m'a confié que vivre au sein d'une communauté religieuse l'apaiserait.

— Comment ça ? ne peut s'empêcher de demander Emma.

— Deux de mes sœurs sont devenues religieuses et l'un de mes frères est prêtre. Maman en a toujours retiré une grande fierté. Vivre auprès de sa fille Eugénie, pardon de sœur Saint-Bernard, ce serait un grand bonheur pour elle. L'accomplissement d'un rêve qu'elle chérit depuis l'adolescence.

— À quoi fais-tu allusion ?

— Ma mère aurait souhaité prendre le voile plutôt que de se marier.

— Elle t'a vraiment dit ça ?

— Non, bien sûr que non. Mais je suis certaine qu'elle y a songé sans oser le formuler. À son époque, surtout dans son milieu, les jeunes filles devaient se plier à la décision paternelle. Mon grand-père était un homme imposant qui dirigeait tout chez lui. Ma mère l'admirait, mais le craignait aussi. Lorsqu'il lui a présenté mon père, elle a accepté de l'épouser sans protester. À quoi cela aurait-il servi de lui tenir tête ? Amable Dionne savait ce qui était le mieux pour sa fille. Épouser Olivier-Eugène Casgrain, avocat et seigneur de L'Islet, assurait un bel avenir à Hortense.

— Crois-tu que ta mère a été heureuse auprès de ton père ?

— C'est à elle qu'il faudrait poser cette question, Emma. Heureuse, je ne sais pas, mais malheureuse, sûrement pas. Avec le temps, mes parents ont tissé des liens d'affection.

Emma va de surprise en surprise. Si quelqu'un lui avait dit qu'elle éprouverait un jour de la compassion pour la mère d'Edmond, elle ne l'aurait pas cru. Et pourtant c'est ce qu'elle ressent en ce moment. *Comment aurais-je réagi à sa place ? Me serais-je rebellée si mon père avait choisi mon futur époux ? Ou, au contraire, aurais-je été capable d'accepter cette décision en faisant preuve d'un calme à toute épreuve ?* La jeune femme remercie le ciel d'avoir eu un père comme le sien. Pour Jean-Baptiste Gaudreau, le bonheur de ses enfants a toujours passé avant la réussite sociale. *Papa aurait sans doute préféré que j'épouse un cultivateur plutôt qu'un dentiste issu d'un milieu aisé, mais il a respecté mon choix. Je lui en serai éternellement reconnaissante.* Le bruit d'une voiture qui approche fait fuir le chat roux qui somnolait sur les genoux de sa maîtresse.

— Tiens, voilà Napoléon. Je ne l'espérais pas si tôt.

La voix joyeuse de Joséphine trahit son impatience de le revoir. *Même après vingt-trois ans de vie commune, elle est toujours amoureuse de son homme,* constate Emma. Le médecin mène cheval et calèche à l'écurie avant de rejoindre les deux femmes. La fatigue se lit sur son visage.

— Tu as les traits tirés. L'accouchement a été difficile ? s'informe sa femme.

— L'enfant n'a pas survécu et la mère est bien faible, répond-il d'un ton morne.

— Mon Dieu ! Pauvre Marguerite, elle avait si hâte d'être mère. J'irai la voir demain.

— Bonne idée, approuve Napoléon. Tu trouves mieux que moi les mots à dire en pareille circonstance.

Le médecin confie à sa belle-sœur :

— Ma femme est un ange. Elle s'occupe des malades comme s'ils étaient de sa famille. Ne proteste pas, Joséphine. Je ne compte plus les fois où tu as rendu visite à l'un de mes patients pour le réconforter, lui apporter de la nourriture ou des médicaments.

Il l'enveloppe d'un regard aimant. Joséphine lui sourit, puis se lève de son fauteuil.

— Tu as besoin d'un petit remontant, dit-elle en lui tapotant affectueusement l'épaule. Brandy ou cognac ?

— Cognac, s'il en reste.

— Tu veux quelque chose à boire, Emma ?

La jeune femme secoue la tête.

— Non merci.

Dès que Joséphine tourne les talons, Napoléon Lavoie enlève ses lunettes et se frotte les yeux. Il semble las.

— Edmond n'est pas là ?

— Il est allé rendre visite à sa mère.

— Si son intention était de la faire changer d'idée à propos du noviciat, j'ai bien peur qu'il revienne bredouille du manoir. La décision de madame Casgrain semble irrévocable.

— Nous devrions être fixés sous peu. Edmond ne devrait plus tarder maintenant.

Le médecin consulte sa montre.

— Vingt et une heures. Oui, tu as raison, Emma. La seigneuresse se couche tôt. Edmond est sans doute déjà sur le chemin du retour.

Joséphine revient avec un verre de cognac qu'elle tend à son mari.

— Cela te fera du bien, lui dit-elle en le couvant des yeux.

Elle repart aussitôt vers la cuisine.

— J'en ai pour une minute, lance-t-elle avant de refermer la porte.

Emma sourit dans la pénombre. *Joséphine est incapable de rester en place bien longtemps,* songe-t-elle, amusée. Sa belle-sœur les rejoint bientôt, une tasse dans chaque main.

— J'ai pensé que tu ne refuserais pas une tisane de tilleul. C'est bon pour la digestion et ça aide à dormir. J'y ai ajouté un soupçon de cannelle et de citron.

Emma la remercie d'un regard. La chaleur de la tasse réchauffe ses doigts. S'il n'en tenait qu'à elle, la jeune femme terminerait la soirée à l'intérieur de la maison. Le temps frisquet lui semble plus difficile à supporter à la campagne. *J'aurais dû apporter des vêtements plus chauds,* regrette-t-elle. Edmond a décidé de partir pour L'Islet si rapidement. Une décision prise à l'improviste dès qu'il a reçu le télégramme de Joséphine. Emma avait été heureuse de quitter la ville pour deux jours, mais elle aurait souhaité avoir le temps de mieux préparer sa petite valise. Elle cesse soudain de se bercer et tend l'oreille. *Enfin, c'est lui !* se dit-elle, soulagée. La jeune femme a hâte de savoir comment s'est déroulée la rencontre. Fidèle à son habitude, Edmond marche d'un pas rapide. Elle lui fait un petit signe de la main. Le geste pourtant discret n'échappe pas à l'œil vigilant de Joséphine. Déposant sa tasse sur la table, Emma remet vite ses cheveux en place. Elle se retient pour ne pas bondir vers Edmond.

— Qu'attends-tu pour le rejoindre ? Tu en meurs d'envie.

Les joues écarlates, Emma reste assise sur sa chaise. Elle ne veut pas donner à sa belle-sœur l'impression d'être une femme trop curieuse et enfantine.

— Pas la peine, il arrive, réplique-t-elle d'un ton qui se veut détaché.

Napoléon et Joséphine échangent des regards complices. Ils ont deviné le combat intérieur que se livre la jeune femme. *Sa candeur est charmante et me rappelle mes premières années de mariage. Moi aussi, je guettais fébrilement l'arrivée de mon homme,* se dit Joséphine. Inconscient du remous que son arrivée a suscité, Edmond gravit d'un mouvement leste les quelques marches menant à la véranda. Sans un mot, il se laisse tomber dans un fauteuil de rotin garni de coussins beiges.

— Et alors ? s'informe sa sœur.

— Alors quoi ? réplique-t-il d'un ton grognon.

— Edmond Casgrain, cesse de nous faire languir et dis-nous comment s'est passé ton entretien avec maman.

Il hausse les épaules.

— J'aurais pu m'épargner cette visite. Maman est une vraie tête de mule. La discussion n'a mené à rien. Après avoir réfuté tous mes arguments, elle m'a déclaré d'une voix sèche : « Cette conversation m'épuise. Tu ferais mieux de partir. » Elle me fixait avec des yeux si hostiles que je suis parti sur-le-champ.

— Notre mère a bien changé depuis le départ d'Adolphe.

— Tu plaides sa défense maintenant ?

— Je constate les faits, c'est tout, répond Joséphine. Adolphe s'est marié avec la fille du docteur Pelletier l'an dernier. Il a été reçu médecin cette année. Quelques semaines après l'obtention de son diplôme, il est parti avec Philomène exercer sa profession à Hébertville.

— Et il a quitté le Saguenay sur un coup de tête, en plein hiver, pour aller exploiter des mines dans le Haut-Canada, poursuit Edmond. Sa femme et lui y ont contracté des fièvres. À peine rétablis, ils ont pris la direction de Saint-Agapit où Adolphe a ouvert un cabinet de médecin. Et maintenant, il projette de se rendre à Fall River, au Massachusetts. Je sais bien que notre petit frère a la bougeotte, mais quel est le lien avec maman ?

— Elle se fait beaucoup de soucis pour lui. Dois-je te rappeler qu'Adolphe est le plus jeune de la famille ? Depuis que Philomène a mis au monde une petite fille, mère s'inquiète encore plus. Voyager avec un enfant aussi jeune, c'est dangereux.

— Certes, mais cela n'explique pas la raison qui pousse notre mère à entrer au noviciat de l'Hôpital général.

— En se retirant du monde pour prier, c'est peut-être sa façon de veiller sur Adolphe et sur nous.

Edmond garde le silence un moment, réfléchissant aux paroles de sa sœur. *Et si Joséphine avait raison ?* se demande-t-il.

— Peut-être, finit-il par dire. Je renonce à la convaincre de rester au manoir. Qu'elle passe ses dernières années auprès des religieuses si le cœur lui en dit. Je ne m'en mêlerai plus.

— À mon avis, c'est la meilleure attitude à prendre.

Edmond questionne son beau-frère du regard. Napoléon précise sa pensée :

— Madame Casgrain n'est pas femme à se faire dicter sa conduite, encore moins par ses enfants. Si elle sent que vous la laissez agir à sa guise, elle vous en sera reconnaissante et la tension entre vous diminuera.

— Napoléon a raison, Edmond. On ne gagnera rien à s'opposer à sa volonté. Mieux vaut adopter un comportement neutre à l'endroit de maman.

— Et qui vous dit qu'elle s'adaptera à son nouveau mode de vie ? lance Emma.

Tous les regards convergent vers la jeune femme.

— Je ne suis pas sûr de comprendre ton raisonnement.

— C'est pourtant simple, Edmond. La vie au monastère n'est pas de tout repos. Il y a plusieurs règles à respecter comme le silence, l'humilité, l'obéissance et le dénuement. Jusqu'à ce jour, ta mère a vécu dans un monde privilégié et confortable. Même si elle veut désormais mener une vie consacrée à la prière et au recueillement, en aura-t-elle la force ? Seul l'avenir nous le dira.

— Tes paroles sont pleines de bon sens, reconnaît Edmond.

— Bon, la journée a été longue, leur souligne Napoléon. Si cela ne vous ennuie pas, j'irais dormir.

— Pas du tout ! Nous allons t'imiter. Tu viens, Emma ?

La jeune femme quitte aussitôt son fauteuil, heureuse d'aller se réchauffer à l'intérieur. Seule Joséphine demeure assise.

— Bonne nuit à tous! dit-elle. Je vais profiter encore un peu de cette belle soirée d'automne. De toute façon, je n'ai pas sommeil.

— Ne t'endors pas dans ta berceuse, Joséphine. Cela t'est arrivé plus d'une fois, lui rappelle son mari. Les nuits sont sournoises à ce temps de l'année. Tu risques de te réveiller transie par la froide humidité et d'avoir le corps courbaturé demain matin.

— Voilà le médecin qui parle. C'est noté, docteur Lavoie. Je rentrerai dès que le sommeil me gagnera. Cela vous va ainsi?

Pour toute réponse, Napoléon l'embrasse sur le bout du nez. Joséphine retient sa main un instant. *L'amour n'a pas besoin de mots*, songe Emma en les observant. Secrètement, elle espère développer une aussi belle complicité avec Edmond. Comme s'il avait lu dans ses pensées, celui-ci passe un bras autour de ses épaules. *Mon homme est bon, prévenant. Toutes les femmes mariées n'ont pas cette chance.*

— Bonne nuit, Joséphine, chuchote-t-elle.

— Prenez la chambre du fond! La bonne a changé les draps du lit ce matin. Vous y serez bien.

— Merci, ma petite sœur, murmure Edmond.

Aussitôt qu'elle pénètre dans la chambre, Emma en apprécie la simplicité. Joséphine et Napoléon ont une maison accueillante et chaleureuse. Chaque fois qu'elle vient, Emma s'y sent à l'aise. Sur la table de chevet, une lampe à huile éclaire discrètement la pièce aux boiseries sombres. Emma remarque le mobilier douillet, les rideaux de velours marron, les tapisseries fleuries ainsi que les plantes en pots disposées aux quatre coins de la pièce. Intriguée, la jeune femme s'approche de l'une d'elles. Du bout des doigts, elle effleure une feuille.

— Je n'en ai jamais vu de semblable.

— C'est un aspidistra, lui apprend son mari. Une plante aux feuilles coriaces. Tu peux y toucher sans crainte. De plus, elle résiste très bien aux fumées de gaz et de tabac.

— Oh! J'en veux une chez nous! s'écrie-t-elle en portant aussitôt la main à sa bouche, honteuse d'avoir haussé la voix.

Elle ressemble à une fillette prise en faute, pense Edmond, amusé.

— Nous en aurons dix si tu veux, répond-il gaiement.

— J'en mettrai quelques-unes dans la salle d'attente. Ce sera joli.

Elle s'assoit sur le bord du lit et enlève sa paire d'escarpins. De la main, elle masse ses pieds endoloris.

— C'est la dernière fois que je porte ces souliers. Ils ont beau être élégants, c'est une véritable torture pour les pieds. Mes bottines de cuir souple auraient été beaucoup plus appropriées.

Edmond se garde de tout commentaire bien qu'il partage l'opinion de sa femme. Les escarpins convenaient davantage à une tenue de bal qu'à un petit séjour à la campagne. Il s'installe confortablement dans le fauteuil près du lit pendant qu'elle retire robe et jupons. Emma s'enveloppe ensuite dans un peignoir de soie bleue, enfile de jolies mules, puis se dirige vers la coiffeuse.

— Je ne suis pas fâché de me retrouver enfin seul avec ma petite femme, susurre Edmond.

Emma sourit tout en dénouant sa chevelure. Elle s'applique ensuite à la brosser avec soin.

— Dieu que tu es belle!

La jeune femme pose sa brosse en argent sur la coiffeuse et se lève du petit tabouret. Elle avance vers Edmond d'un pas langoureux. Dans ses yeux brille une lueur coquine qui la rend encore plus désirable. Ses longs cheveux épars et foncés lui donnent un air sauvage qui fascine le dentiste.

— J'aimerais te faire l'amour en forêt… toi et moi étendus sur un tapis de branches d'épinette, lui souffle-t-il entre deux baisers.

Pour toute réponse, elle lui mordille le lobe de l'oreille. N'y tenant plus, il l'allonge sur le lit et la pénètre en ne la quittant pas des yeux. Elle ne détourne pas le regard. Le plaisir se lit sur son visage. Elle se donne à lui sans retenue, avec une fougue qui le surprend et le réjouit. Son souffle chaud, sa poitrine généreuse, sa peau douce et parfumée, tout lui plaît chez cette femme. Étendus dans les bras l'un de l'autre, le cœur et le corps comblés, ils se chuchotent des mots doux. Peu à peu, Emma sent la fatigue du voyage la rattraper. Ses paupières deviennent lourdes. Elle doit faire un effort pour les garder ouvertes. Edmond dépose un baiser dans son cou, puis se dégage doucement des bras de sa bien-aimée.

— Dors, ma belle.

Il se lève et remet ses vêtements.

— Que fais-tu? lui demande-t-elle d'une voix ensommeillée tout en se soulevant sur un coude.

— Je vais marcher dehors quelques minutes. Repose-toi.

Elle laisse retomber sa tête sur l'oreiller blanc garni de broderie, puis ferme les yeux. Il quitte la chambre sur la pointe des pieds. La maison est silencieuse. *Tout le monde doit dormir,* se dit-il en refermant derrière lui la porte de l'entrée. Au fil de ses pas, il laisse son esprit vagabonder. L'image de sa nuit de noces refait surface. Il se revoit gauche et maladroit devant la jeune fille sage et réservée qui se tient devant lui, les yeux agrandis d'appréhension et de crainte. Il ne veut pas la brusquer, encore moins lui faire mal. Passive, elle attend qu'il prenne l'initiative. Sans qu'ils échangent un mot, il l'aide à enlever sa robe de mariée en défaisant une à une les mille et une agrafes. Il la sent frissonner. Sa robe et ses jupons glissent à ses pieds. Les yeux baissés, elle dissimule son sexe d'une main et sa poitrine de l'autre. Il l'entraîne vers le lit. Le matelas de crin n'est pas confortable. Les draps sont raides. Lorsqu'il la pénètre, elle détourne la tête, se mordant la lèvre supérieure pour surmonter la douleur. Dès qu'il se retire, elle se tourne contre le mur et se met en position fœtale. Il n'insiste pas, se disant que ce sera mieux la prochaine fois. Elle n'a pas cherché à s'écarter ni à le repousser. *C'est un premier pas dans la bonne direction,* pense-t-il alors en baissant la mèche de la lampe.

Edmond émet un petit rire tout en marchant. Le lendemain de ses noces, il était loin de se douter que la jeune fille timide et silencieuse se transformerait en une femme chaleureuse au tempérament passionné. Comment et quand le changement s'est-il produit ? Il l'ignore et ne cherche pas à le savoir, trop heureux de sa chance. Les femmes de son monde sont soumises et passives. Résignées à l'acte sexuel, elles n'y prennent aucun plaisir et le considèrent comme un devoir conjugal et un moyen d'avoir des enfants. Tout cela, il l'a appris au fil des conversations échangées entre hommes, à l'abri des oreilles féminines. La langue se délie plus facilement après quelques verres d'alcool. Edmond l'a constaté plus d'une fois.

Lorsqu'il regagne la chambre, Emma dort à poings fermés. Tout en se déshabillant, il la contemple. Étendue sur le dos, la bouche entrouverte, les cheveux emmêlés, un sein blanc et laiteux émergeant de son peignoir, elle incarne à ses yeux la femme par excellence. Les flammes dansent dans l'âtre. Une douce chaleur règne dans la pièce. Il se dépêche de la rejoindre. Elle pousse un léger grognement lorsqu'il lui enlève son peignoir.

— Viens sous les couvertures, Emma.

À demi réveillée, elle aperçoit Edmond qui lui sourit tendrement.

— Réchauffe-moi, j'ai froid, marmonne-t-elle en se glissant sous la couette de plumes d'oie.

Edmond l'imite et colle son corps nu contre celui de la jeune femme, qui soupire d'aise. Lentement, il commence à la caresser, faisant peu à peu monter le désir en elle. Tout à fait réveillée, elle tourne la tête vers lui et lui offre ses lèvres qu'il embrasse avec fougue. Le sang bat à ses tempes. Elle répond à ses caresses sans éprouver la moindre gêne ou culpabilité. Elle s'abandonne au plaisir qu'il lui procure.

— Ma belle coquine, lui souffle-t-il à l'oreille.

Ces mots la font se cambrer davantage. Lorsqu'il la pénètre, elle étouffe ses cris de jouissance dans l'oreiller pour ne pas troubler le silence de la maison. Ils restent blottis l'un contre l'autre un bon moment.

— Je t'aime, Emma.

— Moi aussi, Edmond, répond-elle d'une voix heureuse avant de sombrer dans un sommeil profond.

Chapitre 18

Emma jette un œil en direction de son mari. Affalé dans l'un des fauteuils du salon, celui-ci sirote un whisky, les yeux fermés. Elle ne sait trop que faire. Depuis que le dentiste a reçu le télégramme de son frère Jules, il s'est emmuré dans le silence. *Tant de deuils en si peu de temps!* songe-t-elle tristement. En l'espace de trois mois, Edmond a perdu deux frères et une sœur. Le malheur semble vouloir s'acharner sur la famille Casgrain.

— Nous partirons demain matin! déclare-t-il sans ouvrir les yeux. Je fermerai le bureau pour trois jours.

— Bien! Les valises seront prêtes. Veux-tu manger quelque chose? Tu n'as rien avalé depuis ce matin.

— Je n'ai pas faim.

— Mais…

— S'il te plaît, Emma, n'insiste pas!

La jeune femme pince les lèvres. Sans un mot, elle ramasse les mégots de cigarettes dans le cendrier sur pied. Un bruit provenant de l'extérieur attire son attention. Curieuse, elle s'approche de la fenêtre donnant sur la rue Saint-Jean. Elle aperçoit l'allumeur de réverbères qui accomplit sa tâche en sifflotant. Comme tous les soirs d'ailleurs. Les becs à gaz sont presque tous allumés. Il viendra les éteindre à l'aurore. *Pauvre homme! Comment peut-il être de si bonne humeur alors qu'il risque de perdre son travail?* se demande-t-elle. La rumeur se fait de plus en plus persistante à ce sujet. Les journaux prédisent que les grandes villes seront bientôt éclairées à l'électricité. Il en sera alors fini du métier d'allumeur de réverbères. Emma s'est attachée à la présence de ce petit homme sympathique qui parcourt la rue chaque soir, muni de sa longue perche. Les réverbères atteignent dix pieds de hauteur à certains endroits. L'homme repasse à plusieurs reprises dans la rue au cours de la nuit pour s'assurer que les réverbères fonctionnent bien. Le vent ou de mauvais plaisantins les éteignent parfois. «Rien n'est plus sinistre qu'une rue plongée dans le noir», lui a affirmé la voisine en faisant allusion à une grève survenue quatre ans auparavant. Pour plusieurs citadins, la venue prochaine de l'électricité est une bonne chose. Edmond partage ce point de vue. Mais son mari a beau lui vanter les mérites de cette invention, Emma reste à demi convaincue. Même si le gaz dégage une odeur désagréable et que la lumière vacille, elle lui trouve un petit air charmant, surtout lorsque l'allumeur de réverbères sifflote en passant sous sa fenêtre et qu'il clame joyeusement: «Tout va bien! Dormez bien, braves gens.»

Depuis qu'ils ont emménagé au numéro 17 de la rue Saint-Jean, il y a trois ans, Emma a l'impression d'être au cœur de l'action. Non pas que la rue Saint-Joseph était dénuée d'intérêt. Avec ses nombreux commerces, celle-ci demeure l'artère commerciale la plus importante du quartier Saint-Roch. La jeune femme aimait bien s'y promener au bras de son mari, s'arrêtant au magasin de Zéphirin Paquet ou à celui de J. B. Laliberté pour y faire quelques emplettes. Mais la clientèle d'Edmond a poussé celui-ci à ouvrir un cabinet dentaire dans la Haute-Ville. «Je n'ai pas le choix, Emma. Peu de mes patients habitent la Basse-Ville», a-t-il plaidé pour la gagner à sa cause. Elle a surtout compris que la plupart des résidents du quartier Saint-Roch sont des ouvriers et ne peuvent pas se payer les soins et les services onéreux d'un dentiste. «Je te fais confiance. Tu sais ce qui convient le mieux», lui a-t-elle simplement répondu. Emma a mis du temps avant de se sentir à l'aise dans son nouvel environnement. Dès qu'elle mettait les pieds à l'extérieur de la maison, elle se tenait droite et raide, marchant sans s'arrêter devant les devantures des magasins de vêtements et de lingerie de la rue Saint-Jean. Les mains froides et moites, le cœur qui battait la chamade, elle avait la désagréable impression d'être observée par une centaine de paires d'yeux. Elle se sentait gauche et empruntée devant toutes ces femmes élégantes et mondaines qu'elle croisait au fil de ses pas. Lorsqu'elle avait fait part de ses appréhensions à Edmond, il avait balayé ses craintes du revers de la main. « Voyons Emma ! Tu es l'épouse d'un dentiste. Pas celle d'un ouvrier ou d'un petit commerçant. Et puis, tu n'es pas une pauvre femme sans instruction. Tu as étudié chez les Ursulines de Québec. Tu m'assistes au cabinet depuis un bon moment. Aie un peu confiance en toi. » Il avait raison. Elle pouvait être fière de ce qu'elle avait accompli. Elle n'avait jamais regretté leur discussion au retour de L'Islet, deux ans plus tôt. Ce soir-là, elle avait soutenu le regard de son mari et lui avait fait part de son désir de l'assister dans son cabinet dentaire. Edmond l'avait écoutée jusqu'au bout sans l'interrompre ni se moquer d'elle. Plus elle parlait et plus il semblait montrer de l'intérêt. Lorsqu'elle s'était enfin tue, il lui avait demandé pourquoi elle avait tant attendu pour lui en parler. Ils avaient scellé leur entente d'un baiser.

La fille de Jean-Baptiste Gaudreau avait relevé la tête, se disant qu'elle valait autant que ces bourgeoises et qu'elle n'avait pas à baisser les yeux ou à courber l'échine en les croisant dans la rue. Peu à peu, son sentiment d'infériorité s'était dissipé. Elle déambulait maintenant dans les rues de la Haute-Ville d'un pas calme et assuré. *Assez de rêveries ! Il est temps de faire les valises,* se dit-elle en délaissant la fenêtre. Edmond n'a pas bougé de son fauteuil. Les yeux toujours fermés, il rumine sa peine. *Si seulement il partageait sa souffrance plutôt que de la vivre seul,* déplore-t-elle en lui effleurant la main au passage.

* * *

Dès que le train s'arrête à L'Islet, Emma aperçoit Jules Casgrain, assis sur un banc de bois en face de la gare.

— Ton frère est là, souffle-t-elle à l'oreille de son mari.

— Bien ! se contente de répondre le dentiste.

Il empoigne les deux petites valises et marche vers la sortie sans ajouter un mot de plus. Emma le suit docilement.

— Vous voilà enfin! dit Jules en embrassant Emma sur la joue.

Après avoir échangé une poignée de main avec son frère cadet, le notaire invite le couple à prendre place dans la voiture.

— Il a plu beaucoup ces derniers jours. Les chemins sont en piteux état. Je m'excuse à l'avance pour les soubresauts et les cahots.

— J'aurais mieux fait de marcher, ronchonne Edmond.

— Tout le monde est au manoir. Je préfère vous prévenir. L'atmosphère est lugubre là-bas.

— Le contraire serait surprenant, réplique Edmond d'un ton sec.

Le fait-il exprès de se montrer aussi désagréable? s'interroge Emma qui regarde droit devant elle, sans adresser un regard à son mari. *Jules aussi a perdu un frère. Edmond n'est pas le seul à souffrir.* Le trajet se fait dans le plus grand silence. Le conducteur se concentre sur la route, essayant d'éviter du mieux qu'il peut les crevasses. Il a beau faire son possible, les passagers sont durement secoués sur la banquette arrière. L'épaule d'Emma heurte constamment celle de son mari.

— Le printemps, c'est la pire saison pour voyager. Les pluies et le dégel rendent les routes presque impraticables.

La remarque de Jules n'obtient aucun commentaire. *Heureusement, le temps est doux et le ciel est clair,* s'encourage la jeune femme. Elle appréhende l'arrivée au manoir. Sa belle-mère la rend toujours mal à l'aise. Leur dernière rencontre remonte au mois dernier lors du décès d'Eugénie. Les funérailles avaient eu lieu à l'Hôpital général de Québec. Hortense Casgrain était si affligée par le décès de sa fille religieuse qu'elle en avait presque oublié la présence de ses autres enfants réunis autour d'elle pour l'occasion.

— Woh! crie Jules en tirant sur les guides.

Aussitôt, la jument s'immobilise devant la façade du manoir. Pour la troisième fois en autant de mois, une couronne de fleurs violettes attachée par un ruban blanc est suspendue à la porte extérieure. Des draperies noires couvrent toutes les fenêtres. Emma réprime un frisson. D'instinct, elle sait que ce qui l'attend ne sera pas facile. Elle s'appuie sur la main de Jules pour descendre de la voiture et remercie d'un sourire son beau-frère.

— Ne nous attends pas, Emma. Rentre au manoir, nous te rejoindrons.

Elle se retourne vers Edmond. Le regard calme et bienveillant de son mari l'apaise. *Dieu soit loué! Il est revenu à de meilleurs sentiments.* Elle lui fait un léger signe de tête avant de marcher rapidement vers la demeure. D'une main, elle relève le bas de sa jupe pour l'empêcher de toucher le sol mouillé. Arrivée devant l'entrée, elle prend un grand respire, puis secoue le heurtoir de la porte à deux reprises. Elle n'a pas le temps de compter jusqu'à dix que la porte s'ouvre.

— Madame Edmond! murmure la vieille domestique. Entrez!

Emma pénètre dans le hall éclairé par un candélabre.

— Donnez-moi votre manteau et votre chapeau, madame.

La jeune femme retire son mantelet brun foncé et enlève l'épingle qui retient son chapeau avant de le remettre à la domestique.

— La famille est réunie au salon, l'informe celle-ci.

Emma prend le temps d'inspecter son reflet dans le petit miroir accroché au mur. Ses cheveux tirés en un chignon serré, sa mine pâlotte et fatiguée conviennent bien à l'atmosphère qui règne dans la maison. *Il aurait été inconvenant de me boucler les cheveux au fer et d'enfiler ma plus belle robe. Je me rends à des obsèques, pas à des noces*, se dit-elle en lissant d'une main nerveuse sa jupe brune. *Allez! Un petit effort!* Dès qu'elle entre dans le salon, Emma aperçoit la dépouille d'Adolphe au centre de la pièce. La mort l'effraie depuis toujours. Figée sur place, elle fixe le plancher de bois bien astiqué. Joséphine s'approche à pas lents et lui prend gentiment le bras.

— Viens saluer ma mère et Philomène, dit-elle à voix basse. Elles ont veillé le corps toute la nuit. Même si elles sont épuisées, aucune des deux ne veut aller dormir quelques heures. Pourtant, un peu de repos leur ferait du bien.

Agenouillée sur le prie-Dieu, Hortense Casgrain semble si recueillie qu'Emma n'ose la déranger. Joséphine met doucement une main sur l'épaule de sa mère et lui chuchote à l'oreille :

— Edmond et sa femme sont arrivés.

Hortense tourne la tête en direction d'Emma qui tortille nerveusement la dentelle de son poignet. Elle lui adresse un demi-sourire avant de retourner à ses prières. Joséphine entraîne aussitôt sa belle-sœur dans un coin retiré du salon où la veuve du défunt semble somnoler dans un fauteuil.

— Philomène…, murmure Joséphine.

La femme ouvre lentement les yeux. Ses paupières sont gonflées de larmes.

— Je suis désolée, bafouille Emma, déçue de ne pas trouver de meilleurs mots pour exprimer sa compassion.

— Pourquoi? réplique la jeune veuve d'un ton cassant. Adolphe n'en faisait qu'à sa tête. Si seulement il m'avait écoutée, il ne serait pas sur les planches en ce moment.

Emma questionne du regard Joséphine. Celle-ci hausse les épaules en signe d'ignorance.

— C'est la fatigue des derniers jours qui te fait parler ainsi, Philomène.

— Non, Joséphine ! Tu sais bien que j'ai raison. Si ton frère avait été moins aventureux, il serait encore de ce monde. En trois ans de mariage, nous sommes déménagés à quatre reprises, la plupart du temps en plein hiver et dans des conditions très difficiles.

— Adolphe avait les poumons faibles, proteste Joséphine.

— Raison de plus pour ne pas entreprendre un si long voyage en plein hiver. J'ai tout tenté pour l'empêcher de quitter Fall River, mais Adolphe s'est obstiné. Il voulait absolument revenir à L'Islet. Il toussait à fendre l'âme et se plaignait de vives douleurs à la poitrine. C'était une folie de partir dans de telles conditions.

Elle s'interrompt pour se moucher. Emma en profite pour s'asseoir au côté de la veuve éplorée, tandis que Joséphine s'éclipse en douceur.

— C'était son devoir de veiller sur moi, et non le contraire, reprend Philomène d'une voix amère. Cette responsabilité incombe à tout homme marié. Le rôle d'un bon époux n'est-il pas de protéger sa femme et ses enfants ?

— Bien sûr, mais je ne crois pas qu'il…

— Il a agi en inconscient, Emma. Maintenant, je me retrouve toute seule. Sans mari et sans enfant. Marie-Hortense, notre belle petite fille, est morte à Fall River. Elle n'avait même pas six mois. J'en veux tellement à Adolphe. Si tu savais à quel point, dit-elle d'une voix étranglée par les larmes.

Philomène triture son mouchoir de dentelle. À bout de forces, elle se laisse aller contre le dossier du fauteuil et ferme les yeux.

Emma a beau se dire que son beau-frère est mort de consomption et que cette maladie est souvent fatale, elle partage le point de vue de Philomène. Adolphe aurait dû se faire soigner à Fall River plutôt que de revenir au manoir familial. *Au fond de lui, il se savait sans doute condamné et souhaitait mourir auprès des siens,* se dit-elle en essayant de comprendre les motivations du plus jeune frère de son mari. Des bruits de voix étouffées lui parviennent. Du regard, elle en cherche la provenance. Elle aperçoit Edmond et Jules qui font leur entrée au salon. Les deux hommes vont rejoindre leur mère, toujours agenouillée devant la dépouille d'Adolphe. Edmond se penche vers la femme et l'aide à se relever. Malgré son visage grave, ses cheveux blancs en torsade et sa robe de crêpe noir, Hortense Casgrain ne paraît pas ses soixante-sept ans. Les yeux secs, elle se tient droite et digne.

— Le manoir ne s'est pas désempli depuis le décès d'Adolphe, note Philomène qui observe la scène. Je ne sais pas comment madame Casgrain réussit à tenir le coup. Tant de gens ont défilé ici! Moi, je ne suis plus capable de serrer les mains et de recevoir les condoléances. J'ai préféré me retirer dans un coin pour vivre ma peine à l'abri des regards compatissants.

— Qu'as-tu l'intention de faire après les funérailles?

D'un geste las, Philomène relève son châle qui a glissé de ses épaules.

— Plus rien ne me retient ici, Emma. Je vais retourner à Québec chez mes parents et tenter de me faire une nouvelle vie. Mon père est médecin. Il me présentera sans doute à l'un de ses confrères. J'aurai peut-être plus de chance cette fois-ci. Ma première union avec un docteur n'a pas été des plus heureuses.

Son regard est dur, presque hostile. Emma comprend la morosité et l'amertume de sa belle-sœur.

— Nous aurons l'occasion de nous voir plus souvent si tu emménages à Québec. Tu seras toujours la bienvenue chez nous, Philomène.

— C'est gentil.

— Je dois te laisser. Edmond me fait signe.

— Va le rejoindre. Il ne faut jamais faire attendre son homme, dit la veuve, un brin sarcastique.

Emma préfère ne pas relever le commentaire.

— À tantôt! dit-elle simplement en se levant de son fauteuil.

Elle marche d'un pas calme jusqu'à son mari. Celui-ci discute à voix basse avec sa mère.

— Madame Casgrain, je vous offre mes plus sincères condoléances.

— Merci, Emma.

Le ton est impersonnel, presque froid. Pour une fois, la jeune femme ne s'en offusque pas. Elle se met à la place de sa belle-mère et se dit qu'elle réagirait sans doute ainsi en pareilles circonstances. Vivre le deuil de trois enfants en l'espace de trois mois doit être horrible. Georges, le jumeau d'Arthur, celui dont Hortense était si fière, a été emporté par une maladie de cœur le 18 février 1884. C'était un prêtre gai, bon et généreux, selon Edmond. Sa mort rapide en a surpris plus d'un. Un mois plus tard, Eugénie s'est éteinte à l'Hôpital général de Québec. Contrairement à son frère, la religieuse de quarante ans avait eu le temps de se préparer à la mort, car sa maladie avait été longue et souffrante. Trois jours après son décès, sœur Saint-Bernard avait été inhumée au cimetière de l'hôpital, selon ses dernières volontés. Puis, le 7 avril, c'est au tour d'Adolphe de rendre l'âme. Emma calcule mentalement. Des treize enfants qu'Hortense Casgrain a mis au monde, il n'en reste plus que quatre. Eugène, l'aîné de la famille, est arpenteur-géomètre à L'Islet. Jules a son cabinet de notaire au manoir familial. Joséphine demeure elle aussi à L'Islet, auprès de son mari médecin. *Edmond est le seul des quatre à vivre en ville*, songe-t-elle. *On voit si peu sa famille.*

— Vos visites se font rares. La prochaine fois, j'espère que ce sera en de meilleures circonstances.

Emma sursaute. La réflexion de sa belle-mère vient si à point qu'elle a l'impression que cette dernière a lu en elle. La jeune femme baisse les yeux et passe sa main sur le camée qui orne son cou.

— Lorsque les beaux jours reviendront, venez passer quelques jours chez nous, maman. Emma et moi serons heureux de vous recevoir.

L'intervention d'Edmond est bien accueillie par la mère endeuillée.

— Je te prends au mot et te rendrai bientôt visite.

Et moi? J'habite là moi aussi, se retient de répliquer Emma.

— Allez dormir un peu, maman. Vous ne serez pas plus avancée si vous tombez malade.

— Mais oui, mais oui, Edmond, lance la femme d'un ton agacé, le regard fixé sur la dépouille de son fils.

Emma jette un œil craintif à celui-ci. Comme le veut la coutume, le défunt porte ses plus beaux habits. Entre ses mains jointes est glissé un chapelet à grains noirs. Autour de son cou, elle remarque un scapulaire. *Mourir à vingt-sept ans, c'est bien jeune*, pense-t-elle. *Adolphe n'avait que quatre ans de plus que moi.* À côté du mort, elle contemple le bouquet de fleurs, posé sur une petite table. Des roses rouges! Sans doute les préférées d'Adolphe. *Est-ce une attention de Philomène ou d'Hortense?* se demande-t-elle. Quoi qu'il en soit, le bouquet est magnifique et ajoute une touche de couleur vive au décor noir et blanc du salon. La main d'Edmond se pose sur son épaule. Elle lui jette un regard interrogateur. D'un signe de la tête, il l'incite à le suivre. Hortense semble n'attendre que leur départ pour s'agenouiller de nouveau sur le prie-Dieu. Edmond entraîne sa femme pour aller saluer les gens venus en grand nombre rendre un dernier hommage à son frère cadet. Emma se tient légèrement en retrait, intimidée par tous ces visiteurs. Très peu de visages lui sont familiers. Elle aurait souhaité la présence de Cyrice Têtu et de sa femme Caroline, mais elle comprend que la route est longue et fatigante depuis Montréal pour un couple dans la soixantaine. Georgina, la plus jeune sœur d'Hortense, a choisi de rester à Saint-Denis-De La Bouteillerie auprès de son mari, le sénateur Jean-Charles Chapais. En 1867, ce dernier avait fait partie des politiciens ayant assisté à la conférence tenue à Québec pour créer la Confédération canadienne. Le mari de Georgina est fier d'être l'un des Pères de la Confédération. Malheureusement, le septuagénaire souffre de diabète depuis plusieurs années et sa santé se détériore de plus en plus. Seule Clémentine s'est déplacée de Rivière-Ouelle. Veuve depuis cinq ans, la sœur d'Hortense est venue accompagnée de l'un de ses fils. Emma sympathise aussitôt avec cette femme qu'elle trouve charmante, chaleureuse et toute simple. «Mon oncle Ludger aurait pu ouvrir son cabinet de médecin à Québec, mais il a préféré pratiquer la médecine à la campagne», lui a un jour confié Edmond. «Tout comme Napoléon Lavoie», avait alors ajouté Emma. À regret, elle doit bientôt fausser compagnie à Clémentine pour suivre Edmond qui la conduit vers l'entrée du salon. Élisée Dionne, le seul frère encore vivant d'Hortense, vient d'arriver. Clara, sa femme, se tient à ses côtés. Contrairement à Clémentine, ils affichent tous les deux une mine sévère et peu invitante. *Le portrait tout craché de ma belle-mère,* pense Emma en voyant l'oncle d'Edmond. Le couple a quitté le manoir seigneurial de Sainte-Anne-de-la-Pocatière pour se rendre à L'Islet.

— Merci d'être venus, chuchote Edmond en serrant la main de son oncle.

Sans desserrer les lèvres, le seigneur de La Pocatière incline légèrement la tête. Sa femme Clara souffle à l'oreille du dentiste :

— Comment va ta mère ?

— Elle tient le coup du mieux qu'elle peut.

— Pauvre Hortense ! Ta mère est bien courageuse. À sa place, je me serais effondrée depuis longtemps. Perdre trois de ses enfants en si peu de temps, quel malheur ! Moi j'ai la chance d'avoir les miens en bonne santé. Six garçons et deux filles, dit-elle fièrement. Aucun n'est mort en bas âge. Ton cousin Alfred sera ordonné prêtre cette année.

Qu'elle se taise ! pense Emma. *Ce n'est ni l'endroit ni le moment de faire étalage de sa progéniture.*

— Viens, Clara, ordonne Élisée en prenant sa femme par le coude.

Le visage de nouveau fermé, celle-ci obéit.

— Quelle pie ! marmonne Edmond dès que sa tante a tourné les talons. Je vais fumer dehors, j'en ai besoin.

Le dentiste quitte la pièce d'un pas pressé. Emma le suit des yeux un instant, puis va retrouver Clémentine Têtu, assise seule près d'une fenêtre. La veuve l'accueille d'un sourire chaleureux.

— Tu as perdu ton compagnon ?

— Edmond est allé prendre quelques bouffées d'air à l'extérieur.

— C'est vrai qu'il fait bien chaud ici, note la femme aux cheveux blancs. Mais comment pourrait-il en être autrement avec tous ces gens entassés dans la même pièce ?

D'un ton plus bas, Clémentine ajoute :

— J'ai vu que tu as échangé quelques mots avec Élisée et Clara. Un couple bien assorti. Es-tu de mon avis ?

— Je ne les connais pas assez pour me faire une bonne opinion, répond prudemment Emma.

Un brin sarcastique, Clémentine réplique :

— Mon petit frère économise ses mots alors que sa femme les distribue généreusement. En ce sens, ils se complètent bien. Toutefois, Clara aurait intérêt à réfléchir avant de parler. Ces propos peuvent devenir blessants parfois. Mais elle n'est pas une mauvaise personne. Autrement, je ne lui aurais pas présenté mon frère.

Emma ouvre des yeux étonnés.

— Élisée était en visite chez moi à Rivière-Ouelle lorsqu'il l'a rencontrée la première fois. Clara est la nièce de mon mari. Son père, Jean-François Têtu, était notaire à Saint-Hyacinthe. Il était aussi un ardent patriote qui a pris part aux insurrections de 1837 et de 1838. Il a dû s'exiler aux États-Unis. À son retour au pays, il a été fait prisonnier. Une fois libre, le notaire avait perdu tous ses biens. Clara était une fillette à l'époque, mais elle a gardé quelques souvenirs de cette période mouvementée.

Au moment où Emma ouvre la bouche pour commenter les propos de Clémentine, elle voit Joséphine venir dans leur direction.

— Puis-je m'asseoir ? s'enquiert la femme du docteur Lavoie.

— Tu sais bien que oui, répond sa tante en lui tapotant gentiment la main.

La fille d'Hortense prend place entre les deux femmes, puis elle s'adresse à sa belle-sœur :

— Edmond et toi, vous dormirez à la maison cette nuit. Le manoir a beau être grand, avec tous ces parents, amis et connaissances qu'il faudra héberger, vous vous sentirez à l'étroit. Napoléon est de mon avis. Vous serez plus à l'aise chez nous.

— Si Edmond est d'accord, j'accepte ton offre avec plaisir.

— Il le sera, affirme Joséphine. Mais je voulais t'en parler en premier.

Touchée de cette marque d'affection, Emma lui adresse un sourire reconnaissant.

***

Il pleut à boire debout le matin des funérailles d'Adolphe Casgrain. *Même le ciel pleure aujourd'hui*, se dit Emma, les yeux baissés vers ses bottines détrempées. Depuis son lever, la jeune femme lutte contre un mal de tête lancinant. Lentement, elle marche en silence au côté de Joséphine et d'Amélia, la femme de Jules Casgrain. Les frères du défunt les précèdent. Malgré le mauvais temps qui sévit, le cortège funèbre compte plusieurs dizaines de personnes. *La famille Casgrain jouit de l'estime et de la considération de bien des gens*, constate la fille de Jean-Baptiste Gaudreau. Lorsque le corbillard tiré par quatre magnifiques chevaux noirs s'immobilise devant le parvis de l'église, Emma remarque la présence de quelques personnes. Sans doute des curieux. En portant plus attentivement son regard vers eux, elle reconnaît ses parents. *Qui a bien pu les prévenir?* se demande-t-elle, surprise et heureuse qu'ils se soient déplacés pour l'occasion. Lorsqu'elle passe devant eux, la jeune femme leur adresse un petit signe de tête chaleureux. Il y a si longtemps qu'elle les a vus. Pendant que le curé de L'Islet célèbre la messe, Emma ne pense qu'à ses parents. Elle a hâte de les serrer dans ses bras. Après l'office religieux, elle réussit à leur chuchoter quelques mots, les invitant à se rendre au manoir après la visite au cimetière. Son père acquiesce d'un signe de tête. La pluie est si forte que les gens ne s'attardent pas au cimetière une fois les prières du prêtre terminées. Chacun est pressé de se mettre à l'abri et au sec. Heureusement, le manoir des Casgrain n'est pas loin. Une fois à l'intérieur, Hortense Casgrain, sa fille Joséphine ainsi que ses brus accueillent proches et connaissances. Jean-Baptiste Gaudreau et sa femme sont parmi les derniers à présenter leurs condoléances à la famille endeuillée. Hortense les remercie du bout des lèvres. *Comme s'il lui en coûtait de leur adresser la parole. Mes parents détonnent-ils à ce point dans le salon de madame la seigneuresse?* se demande avec aigreur Emma. Heureusement, Joséphine prend le temps de leur dire quelques mots. *Chère Joséphine! Tu te moques bien des rangs sociaux.* Un peu plus tard, Emma rejoint ses parents, assis dans un coin du salon.

— Je suis tellement contente de vous voir! s'écrie-t-elle d'un ton sincère en les embrassant chaleureusement.

— Ton mari nous a envoyé un télégramme pour nous prévenir du décès de son frère, explique Marie-Caroline à voix basse. Ton père et moi avons décidé d'assister aux funérailles. La pauvre madame Casgrain a perdu tant d'êtres chers en si peu de temps. Si notre présence peut lui apporter un peu de réconfort en cette terrible épreuve…

Alors ça, j'en doute! pense Emma. *À mon avis, elle se serait bien passée de votre présence qu'elle doit juger trop paysanne.*

— Je reconnais là votre grand cœur. Ce n'est pas tout le monde qui se serait déplacé par un temps aussi mauvais.

Marie-Caroline tente maladroitement de lisser les plis de sa modeste robe fripée par le voyage. Emma remarque avec tristesse combien sa mère a vieilli. *Elle a quarante-cinq ans, mais en paraît dix de plus.*

— Tu connais ta mère, Emma. Quand elle a une idée derrière la tête, rien ne peut l'arrêter.

— Ce petit voyage nous a permis de voir notre fille, Jean-Baptiste.

— Et comme tu peux le constater, ta mère a réponse à tout. Mais elle a raison. L'occasion de te voir était trop belle pour la laisser passer.

Emma lui sourit affectueusement.

— À la maison, tout va bien?

Marie-Caroline répond à la question de sa fille:

— Depuis que tes frères aînés se sont mariés l'an dernier, la maison me semble grande.

— Jean-Baptiste et Joseph ont tous les deux épousé des filles de Montmagny, maman. Ils vivent à proximité. Vous pouvez les voir régulièrement.

— Je sais, je sais, répète la mère d'un ton peu convaincu. Mais les temps sont devenus bien difficiles. Je m'inquiète pour eux.

— Que voulez-vous dire par là?

La femme hésite à poursuivre devant la mine anxieuse de sa fille. Jean-Baptiste prend la parole:

— Tes frères sont des journaliers. Ils vont là où il y a du travail. Et s'ils n'en trouvent pas, eh bien ils doivent se serrer la ceinture. Il devient alors difficile pour eux de planifier leur avenir et de fonder une famille.

Emma tombe des nues.

— Je ne savais rien de tout ça. Pourquoi avoir attendu aussi longtemps avant de m'en parler?

— À quoi bon t'inquiéter inutilement? réplique Marie-Caroline d'une voix triste.

— Et moi qui ai toujours cru qu'à la campagne, l'ouvrage ne manque pas…

— Tous n'ont pas la chance d'avoir une terre, Emma. Il y a de moins en moins d'espace cultivable sur la Côte-du-Sud et les familles sont grandes et nombreuses. Tes frères ne sont pas les seuls journaliers de la région. Ils sont plusieurs jeunes à offrir leurs bras aux cultivateurs et aux hommes de métier. Joseph et Jean-Baptiste ne lèvent le nez sur aucun travail rémunéré. La pêche dans le golfe, la coupe de bois, les travaux de voirie, la construction ferroviaire, ils ont tout essayé. Malheureusement, ce ne sont que des emplois saisonniers…

— Je n'aurais jamais dû vendre ma terre, grommelle Jean-Baptiste. Si je l'avais gardée, mes fils ne seraient pas des travailleurs à gages aujourd'hui.

— Cela ne sert à rien de ressasser ses regrets. Tu as agi pour le mieux. Il aurait fallu beaucoup d'argent pour rentabiliser la ferme. Le prix des nouvelles machines agricoles était beaucoup trop élevé pour nous. Maintenant, nous avons une belle petite maison près de tout. Cela nous change de l'isolement de la campagne.

Emma décèle dans le ton de sa mère une pointe d'amertume. *Ils n'ont pas vendu la ferme de gaieté de cœur.*

— Vous allez enfin pouvoir profiter de la vie et cesser de travailler de l'aube au coucher, leur fait-elle remarquer dans l'espoir de les encourager.

— Il est bien difficile de changer de vieilles habitudes, ma fille. Je me suis toujours levé avant le soleil pour voir aux animaux et aux champs. Maintenant, je tourne en rond et les journées sont bien longues. J'espère me faire à cette nouvelle vie.

— Tu y arriveras, Jean-Baptiste.

Marie-Caroline lui serre tendrement la main avant de s'adresser à sa fille :

— Et toi, Emma ? Toujours heureuse à Québec ?

— Oui maman, tout va pour le mieux.

— Il ne manque qu'un enfant à ce bonheur.

— Caroline! s'écrie Jean-Baptiste en faisant les gros yeux à sa femme.

— Pourquoi t'offusquer ainsi? À l'âge d'Emma, j'avais déjà mis au monde trois enfants.

— C'est la nature qui décide. Pour certaines femmes, cela prend plus de temps.

— Tu n'empêches pas la famille au moins, Emma? demande à voix basse Marie-Caroline.

Troublée par la question franche et directe de sa mère, la jeune femme détourne les yeux.

— Laisse-la tranquille! Tu vois bien que tu la mets mal à l'aise. Nous ne sommes pas venus jusqu'ici pour lui faire subir un interrogatoire.

— Je trouve étrange qu'après cinq ans de mariage, tu n'aies pas encore conçu d'enfant, mais ton père a raison, Emma. Je n'aurais pas dû t'embarrasser avec mes questions et je devrais me mêler de mes affaires.

— De bien grandes funérailles que celles de ton beau-frère! lance Jean-Baptiste pour faire diversion. Tout le gratin y était.

— C'est le fils du dernier seigneur de L'Islet que l'on inhumait, lui rappelle sa femme. On ne pouvait quand même pas transporter le corps dans une traîne servant aux travaux de la ferme. Madame Casgrain pouvait acheter à son fils un beau cercueil en chêne et louer un luxueux corbillard à quatre chevaux pour le mener à sa dernière demeure. Pourquoi s'en serait-elle privée? Elle avait les moyens financiers de le faire.

Jean-Baptiste s'abstient de tout commentaire. L'homme est conscient que sa femme n'est pas insensible au déploiement de faste. Il ressent un petit pincement au cœur à l'idée qu'il ne pourra jamais offrir quelque chose de semblable aux siens. Emma observe son père devenu bien silencieux. Devinant son état d'esprit, elle réplique à sa mère :

— Riche ou pauvre, on finit tous six pieds sous terre. Peu importe la façon de s'y rendre.

Un sourire se dessine sur les lèvres de l'ancien cultivateur. Il trouve la remarque de sa fille juste et pertinente. C'est au tour de Marie-Caroline de demeurer bouche bée.

— J'ai été étonné de voir des femmes assister à l'enterrement. C'est la première fois que je suis témoin d'une telle chose. Je croyais que les femmes n'avaient pas le droit d'y prendre part.

— C'est vrai, papa. Mais la mère d'Edmond a toujours insisté pour que tous ses enfants soient présents aux funérailles d'un membre de leur famille. Garçon ou fille, cela ne fait aucune différence à ses yeux. Madame Casgrain agit ainsi depuis la mort de son mari.

— Je l'admire, murmure Marie-Caroline. Une femme qui a le courage de ses opinions, c'est plutôt rare et ça mérite le respect.

— Ton mari vient vers nous, Emma.

La jeune femme se retourne et aperçoit Edmond. De la main, elle lui fait un petit signe, contente qu'il se joigne à eux quelques minutes. Après les salutations d'usage, le dentiste s'assoit à côté de sa femme. Il a les traits fatigués et des cernes sous les yeux. Rien d'étonnant puisqu'il n'a pas fermé l'œil de la nuit. Il a tellement remué dans le lit qu'Emma a très peu dormi.

— Restez-vous encore quelque temps ? s'informe poliment Marie-Caroline.

— Nous partons en fin d'après-midi, répond le dentiste. Je ne peux pas laisser mon cabinet fermé trop longtemps.

— Vivre en ville ou à la campagne, ça finit par se ressembler, constate Jean-Baptiste. On ne peut pas s'absenter trop souvent. Il faut voir à ses affaires. Un cabinet de dentiste, c'est comme une ferme. Ça ne tourne pas tout seul.

— Vous avez tout à fait raison, monsieur Gaudreau.

— Et ce n'est pas demain la veille que ça va changer. Quand les poules auront des dents, peut-être. Je dis ça sans jeu de mots, dentiste Casgrain, ajoute Jean-Baptiste en réprimant un petit sourire.

Gênée par l'attitude de son mari qu'elle juge un peu trop familière, Marie-Caroline jette un regard embarrassé à sa fille. Celle-ci semble plus amusée qu'offusquée. *Pour une fois que papa se sent à l'aise en compagnie d'Edmond,* semblent lui dire les yeux d'Emma. La jeune femme est heureuse de voir son père se comporter de manière plus naturelle en présence de son mari. *Papa n'a pas à avoir honte de ses origines paysannes,* songe-t-elle en les observant.

L'un après l'autre, les invités quittent le manoir. Jean-Baptiste et Marie-Caroline embrassent leur fille avec tendresse avant de partir pour Montmagny. Edmond passe son bras sous celui de sa femme.

— Je vais demander à Jules de nous conduire à la gare dans une heure. Seras-tu prête ?

De la tête, elle fait signe que oui. Le départ de ses parents l'attriste. *Quand les reverrai-je ?* Edmond l'embrasse sur le front avant de s'éloigner. La pendule sonne la demie. Emma quitte doucement le salon pour aller se changer de vêtements dans l'une des chambres du manoir. Elle prend soin de verrouiller la porte avant d'enlever sa robe de deuil qu'elle dépose avec délicatesse sur le lit.

Elle revêt ensuite une redingote de voyage bleu nuit qu'elle accompagne d'un petit chapeau de même couleur. Un coup discret à la porte lui fait tourner la tête.

— Oui? demande-t-elle.

— Puis-je entrer une minute?

Emma reconnaît la voix de Joséphine et se dépêche de lui ouvrir. Les yeux rougis de sa belle-sœur témoignent de la peine qui l'afflige. Spontanément, Emma lui ouvre les bras.

— C'est si difficile, Emma. Tous ces deuils…

Emma la serre contre elle, se maudissant de ne pas trouver les mots qui réconfortent. Elle n'a jamais su quoi dire pour atténuer la souffrance de ceux qu'elle aime. Joséphine se ressaisit, bien qu'elle retienne difficilement ses larmes.

— Edmond doit t'attendre. Je ne veux pas vous faire manquer le train.

— Prends bien soin de toi et veille sur ta mère. Les prochains jours ne seront pas faciles.

Joséphine soupire.

— Rien n'est facile pour elle. Depuis son entrée au noviciat de l'Hôpital général de Québec en septembre 1882, maman a accumulé tristesse et déception. Elle qui désirait tant prendre le voile a dû y renoncer après six mois de vie commune auprès des religieuses. Sa santé est trop fragile pour s'astreindre à ce mode de vie. Son rêve le plus cher s'est envolé en fumée. Le retour au manoir lui a déchiré le cœur. Pour ajouter à son malheur, elle a perdu trois enfants la même année. Survivra-t-elle à tant de chagrin?

— Ta mère est dotée d'un fort tempérament. Edmond prétend qu'elle va tous nous enterrer.

Le commentaire d'Emma arrache un petit sourire à la femme du docteur Lavoie.

— Je reconnais bien là mon frère. Ne le fais pas attendre. Il doit faire les cent pas au salon.

— Tu es la deuxième à me dire qu'il ne faut pas faire attendre son homme. Philomène m'a tenu le même discours il y a deux jours.

— Les hommes n'ont pas notre patience, Emma. Tu le découvriras bien assez vite. N'oublie pas ta robe sur le lit.

— Moi et ma cervelle d'oiseau! Heureusement que tu es là.

— La famille, c'est là pour s'entraider, lui rappelle Joséphine.

Chapitre 19

Emma retient ses larmes devant son mari. Elle ne veut pas l'affliger davantage. Dès que la jeune femme se retrouve seule, elle laisse libre cours à son chagrin. La mort de Joséphine l'a bouleversée. Elle croyait sa belle-sœur solide comme un roc. « Quarante-quatre ans, mère de six garçons, femme du médecin Napoléon Lavoie, paroissienne dévouée et profondément catholique, appréciée de tous les gens de L'Islet », telles ont été les paroles du prêtre qui officiait la cérémonie funèbre de Joséphine, le 26 septembre 1886. Emma avait sincèrement aimé cette femme généreuse. Elle s'en était fait une amie même si une vingtaine d'années les séparaient. Joséphine avait été la première à l'accueillir chaleureusement au sein de la famille Casgrain. Lors de son mariage, Emma avait trouvé une alliée en la sœur d'Edmond. Celle-ci lui avait aussitôt plu par sa gentillesse et la simplicité de ses manières. Elle se souvient du sourire sympathique que Joséphine lui avait adressé alors qu'elle avançait dans l'allée centrale de l'église au bras de son père. Quel contraste avec le regard sévère, presque méprisant, que lui avait lancé Hortense Casgrain ! Emma a une pensée pour sa belle-mère, qui vient de perdre sa dernière fille. *Pauvre madame Casgrain ! Comment surmontera-t-elle ce nouveau malheur ? Comment peut-on se remettre d'une telle douleur ? Perdre ses enfants l'un après l'autre doit être une terrible souffrance.* Emma essuie les larmes qui lui brouillent la vue. *Joséphine était si fière de ses fils, particulièrement des trois plus vieux. Lorsqu'elle parlait d'eux, ses yeux brillaient de joie. Combien de fois a-t-elle répété être comblée par la vie ?*

— Malheureusement, elle ne verra jamais Arthur recevoir son diplôme de médecine, dit Emma à voix haute.

— C'est vrai, mais elle était présente lorsque Joseph a été ordonné prêtre en juin dernier.

— Edmond! Tu es là depuis longtemps?

— Assez pour t'entendre parler toute seule. Que fais-tu dans le noir?

Il avance dans le salon.

— Non, n'allume pas! s'écrie-t-elle, apeurée à l'idée qu'il voit son visage baigné de larmes. J'ai mal à la tête et la lumière m'agresse les yeux.

De la main, il lui touche le front.

— Tu n'as pas de fièvre, constate-t-il.

— Je ne suis pas malade, Edmond. Simplement fatiguée. Ça va passer après une bonne nuit de sommeil.

Le dentiste masse doucement les épaules de sa femme.

— Me crois-tu stupide et aveugle? Pourquoi te cacher pour pleurer? Tu as le droit d'exprimer ouvertement ta peine. Je sais à quel point tu aimais ma sœur et combien elle doit te manquer.

Incapable de se retenir plus longtemps, Emma fond en larmes.

— Pleure, ma belle, murmure-t-il en l'attirant contre lui. À moi aussi, elle me manque.

— Pourquoi? Pourquoi elle? réussit-elle à dire entre deux sanglots.

— Dieu seul peut répondre à cette question.

Si Joséphine n'avait pas rendu visite à ce vieil homme malade, elle serait peut-être encore de ce monde, songe-t-il avec amertume. La picote a fait bien des ravages au cours de l'année. *Jo au grand cœur, ta générosité t'a menée à la tombe.* Edmond se lève et se dirige vers le pianoforte. Il sent le besoin de jouer pour oublier sa peine. Dès que les premières notes résonnent dans la pièce, Emma pose sa tête sur le dossier du fauteuil et ferme les yeux. Elle se laisse emporter par la musique. Edmond, tout comme les autres membres de sa famille, joue divinement. Emma ne se lasse jamais de l'entendre. Pendant que les doigts de son mari courent sur le clavier, la jeune femme sent une paix intérieure envahir son être. Comme si sa belle-sœur était présente dans la pièce et lui souriait. *Pourvu que Napoléon ne se remarie pas trop vite,* souhaite-t-elle intérieurement. Une multitude de souvenirs heureux refont surface. Chaque fois qu'Edmond l'emmenait à L'Islet, Emma insistait pour rendre visite à Joséphine. Dans la demeure du docteur Lavoie, elle retrouvait la chaleur et la simplicité qui régnaient autrefois dans la maison de ses parents. Elle s'y sentait bien. Joséphine et Napoléon détestaient les grandes cérémonies et les mondanités. Le couple préférait une vie simple et sans prétention à celle trépidante de la ville. Dans l'obscurité, Emma sourit en repensant à toutes les petites attentions que sa belle-sœur avait à son égard. Comme le lait chaud parfumé à la cannelle et au rhum qu'elle lui préparait l'hiver, alors que le vent glacial soufflait avec rage dehors. C'était délicieux. « Profite de chaque instant, Emma. La vie passe si vite », lui avait dit Joséphine un soir d'été alors qu'elles se balançaient sur la vaste véranda. Oui, Joséphine avait été l'une de ces femmes qui mordaient dans la vie à belles dents. Elle ne s'embarrassait pas de ce que les gens pouvaient dire ou penser. Jamais elle n'avait cherché à faire bonne impression ni à se donner bonne conscience. S'il y avait une injustice, elle était toujours là pour la dénoncer, même au risque de se mettre quelqu'un à dos. Emma se tamponne les yeux avec son mouchoir en repensant au courage de sa belle-sœur. *Elle se fichait pas mal des convenances et des rangs sociaux. Combien de fois a-t-elle tenu tête à sa mère à ce sujet!* La jeune femme prend conscience qu'elle vient de perdre une alliée, une amie et une sœur. La musique d'Edmond se fait plus forte, plus intense. Comme si le dentiste voulait ainsi se libérer de la douleur et de la colère qui l'affligent. Ses doigts martèlent de plus en plus fort les touches. Emma quitte son fauteuil et vient s'installer à côté de son mari, sur le vieux banc de piano inconfortable.

Elle commence à jouer. Il tourne la tête vers elle. Ses yeux expriment à la fois de la colère et de la tristesse. *Tout va bien, je suis là,* lui répondent ceux d'Emma.

Chapitre 20

Emma et son mari rendent visite à leurs familles aussi souvent que possible. La jeune femme ne l'avouerait pas ouvertement, mais la Côte-du-Sud lui manque de moins en moins. L'odeur de la terre n'a plus le même attrait pour elle. *J'aime bien y retourner, mais en visiteuse,* songe-t-elle avant de se plonger de nouveau dans la lecture du roman de Laure Conan. Dès les premières pages, elle a sympathisé avec l'héroïne. Cette pauvre campagnarde défigurée à la suite d'un accident lui a fait verser quelques larmes. Elle aurait souhaité que la jeune fille ne rompe pas ses fiançailles avec son amoureux. *Maurice aimait Angéline, il aurait accepté de l'épouser même défigurée, j'en suis convaincue.* Emma est si absorbée par sa lecture qu'elle n'entend pas Edmond s'approcher d'elle. Celui-ci l'embrasse tendrement dans le cou. Elle dépose un signet dans le livre avant de le refermer.

— Tu es bien matinale, ma belle, dit-il en bâillant.

— Je n'avais plus sommeil.

— Tu aurais pu faire la grasse matinée. C'est la seule journée de la semaine où l'on peut paresser au lit.

— Je sais, mais j'avais trop hâte de connaître le dénouement de l'histoire. Depuis que ton cousin m'a prêté ce roman, je profite de chaque petit moment libre pour avancer dans ma lecture.

Edmond jette un œil à la couverture du livre.

— Tu as presque terminé, constate-t-il. *Angéline de Montbrun* est-il aussi bon qu'Henri-Raymond le prétend?

— Bien meilleur que tous les feuilletons publiés dans les journaux! s'écrie-t-elle avec fougue. Quand je pense que l'auteur de ce roman merveilleux est Félicité Angers…

— Je ne comprends toujours pas pourquoi cette femme refuse de joindre son nom à son pseudonyme.

— Elle a sans doute ses raisons. Laure Conan, moi, je trouve ça joli comme nom de plume.

— Peut-être, mais elle aurait dû écouter mon cousin plutôt que de lui tenir tête. Après tout ce qu'il a fait pour elle, s'indigne le dentiste. C'est grâce à lui si son roman connaît un tel succès. Il n'a pas hésité à en faire la réclame dans *Le Courrier du Canada*.

— Félicité n'est pas ingrate. Ne l'a-t-elle pas désigné comme le père de la littérature canadienne dans une lettre qu'elle lui a adressée il y a quatre ans ? C'est Henri-Raymond lui-même qui te l'a dit. Il est même devenu son mentor.

— Plus maintenant ! Depuis cette histoire de pseudonyme, ils sont en froid et ont cessé toute correspondance. Pourtant, elle lui doit une fière chandelle. C'est mon cousin qui l'a orientée vers le roman historique alors qu'elle cherchait encore sa voie littéraire. Sans lui, elle ne connaîtrait pas une aussi grande notoriété.

La jeune femme acquiesce d'un signe de tête. Mais en son for intérieur, elle est persuadée que Félicité Angers aurait réussi avec ou sans l'aide d'Henri-Raymond Casgrain. Elle a toujours su que cette ancienne élève des Ursulines de Québec deviendrait écrivain. Emma se souvient de la discussion qu'elle avait eue à ce sujet avec son père en 1873 lors de son passage à Montmagny pour les fêtes de Noël. Jean-Baptiste Gaudreau avait affirmé que le rôle d'une femme était de se marier et d'avoir des enfants. Emma lui avait alors répliqué que Félicité pouvait écrire tout en remplissant son rôle d'épouse et de mère. *À quarante-trois ans, Félicité est toujours célibataire. A-t-elle fait une croix sur le mariage pour se consacrer à sa carrière d'écrivain ?* s'interroge la femme du dentiste Casgrain. Elle observe Edmond. En robe de chambre, les cheveux en bataille, il semble bien songeur.

— Tu devrais lui écrire, déclare-t-il soudain.

— Écrire à qui ?

— À Félicité Angers.

— Voyons, Edmond ! Elle ne me connaît pas. Nous avons étudié toutes les deux chez les Ursulines, mais pas à la même époque. Nos routes ne se sont jamais croisées.

— Tu as aimé son roman. Alors, écris-lui un mot pour lui en faire part. On verra bien si elle te répondra.

— As-tu son adresse ?

— Non, mais je trouverai bien. Selon ma mère, la romancière s'est liée d'amitié avec mon cousin Thomas Chapais. Thomas et le frère de Félicité ont étudié ensemble le droit à l'Université Laval. Ce dernier sait sûrement où elle habite.

— Trouve-moi son adresse et je lui écrirai, promet la jeune femme qui se lève de son fauteuil. Des crêpes et des œufs, ça te va ce matin ?

— Et comment ! Le tout arrosé de sirop d'érable et accompagné de pain doré ?

Emma ne peut s'empêcher de sourire devant la mine gourmande de son mari.

— Va faire un brin de toilette pendant que je cuisine.

Debout devant la grande fenêtre du salon, le dentiste soulève un pan du rideau.

— Il tombe une petite neige, constate-t-il. Le temps s'est sûrement adouci.

Elle le rejoint et jette un œil aux passants qui marchent d'un pas tranquille sur la rue Saint-Jean.

— Tant mieux! Le froid a été bien mordant ces derniers jours.

— Nous sommes en janvier, ma belle. Le mois le plus froid de l'année.

— Comme si je l'ignorais! Je ne suis pas née de la dernière pluie, Edmond.

— Ah bon! Pourtant, je croyais que si.

Sans lui donner le temps de répliquer, il plaque une main sur la hanche généreuse de sa femme et la fait tournoyer dans la pièce en sifflotant un air joyeux.

— Vous êtes de bien belle humeur ce matin, monsieur Casgrain, lui fait-elle remarquer après avoir repris son souffle. Y a-t-il une raison à cette soudaine allégresse?

— Nous allons bientôt déménager! lance-t-il joyeusement.

Elle lâche aussitôt sa main et s'immobilise.

— Pour aller où?

— À quelques pas d'ici. Ne fais pas cette tête, Emma. On dirait que je viens de t'annoncer la fin du monde.

Les bras croisés sur la poitrine, elle le fixe d'un air furieux.

— Tu ne m'as même pas demandé mon avis. On aurait pu en discuter ensemble avant que tu prennes cette décision.

— Je n'avais pas le temps de tergiverser, Emma. Il me fallait saisir la chance avant que quelqu'un d'autre s'en empare.

— La chance? De quoi parles-tu?

— Viens dans la cuisine. Je vais tout t'expliquer.

De mauvaise grâce, elle le suit. Quelques minutes plus tard, la jeune femme verse du café dans deux tasses qu'elle dépose ensuite sur la table.

— Tu n'es pas sans savoir que la ville de Québec veut élargir la rue Saint-Jean, lui dit-il après avoir avalé une gorgée du liquide chaud.

— Il serait difficile de l'ignorer. Tout le monde en parle depuis des semaines.

— L'incendie du faubourg Saint-Jean il y a sept ans a détruit plus de mille maisons ainsi que l'église Saint-Jean-Baptiste, tient à lui rappeler Edmond. Cette tragédie est encore un souvenir douloureux pour bien des gens.

— C'est vrai, reconnaît Emma. Mais que vient faire cet événement dans ta décision de déménager?

— J'y arrive justement. La ville s'est portée acquéreur de plusieurs propriétés incendiées avec l'intention d'élargir la rue Saint-Jean et…

Il s'interrompt pour prendre quelques gorgées de café.

— Et quoi? s'impatiente Emma.

Le dentiste dépose tranquillement sa tasse dans la soucoupe.

— La ville a mis en vente des terrains. J'en ai acheté un.

Il saisit la main de sa femme et l'oblige à le regarder dans les yeux.

— C'est une occasion en or, Emma. J'y ferai construire notre maison. Nous serons enfin chez nous. Tout ce que la ville exige, c'est que je me conforme au nouvel alignement de la rue et que la future propriété soit bâtie en briques et non en bois. La brique résiste mieux au feu que le bois. Je sais déjà qui j'engagerai pour dessiner les plans de notre maison. On m'a vanté les mérites d'Elzéar Charest. Cet architecte est bien connu à Québec.

Les yeux d'Edmond brillent de plaisir alors que ceux d'Emma expriment de l'incertitude. *Dois-je me réjouir de cette nouvelle ou, au contraire, m'en inquiéter? Est-ce une folie ou un bon investissement?* se demande-t-elle.

— La maison comportera trois étages, continue le dentiste. Le toit sera mansardé et doté d'une tourelle au centre. Mon bureau de consultation sera au rez-de-chaussée. Nous disposerons de deux étages pour nos besoins personnels. Tu auras un grand salon ainsi qu'une cuisine tout équipée pour te faciliter la vie puisque tu ne veux toujours pas que l'on engage une bonne.

Pendant que son mari lui énumère tous les avantages de cette nouvelle demeure, Emma se laisse peu à peu gagner par son enthousiasme.

— Et nous aménagerons de belles chambres pour les enfants, termine-t-il, un sourire de contentement sur les lèvres.

Une ombre passe sur le visage de la jeune femme. En neuf ans de mariage, le couple n'a toujours pas d'enfants. Emma s'en désole et se sent fautive de cette situation. On lui a toujours répété que le rôle de la femme mariée est d'être la gardienne du foyer et surtout d'être mère. Remarquant sa mine basse, Edmond lui caresse doucement la main et se fait rassurant.

— Ça viendra bien un jour.

Elle retire sa main de la sienne et recule brusquement sa chaise.

— Je suis incapable de mettre un enfant au monde. Tu le sais aussi bien que moi, rétorque-t-elle d'une voix cinglante.

Le visage fermé, elle se lève et s'approche de l'évier. Lui tournant le dos, elle déplace rageusement les casseroles et s'apprête à préparer le repas.

— Et si c'était le cas, qu'est-ce que cela changerait ? dit-il d'un ton calme.

Une louche à la main, elle se retourne vivement pour lui faire face. L'étonnement se lit dans ses yeux.

— Crois-tu que je cesserais de t'aimer parce que tu ne peux pas enfanter ? Tu as fait deux fausses couches et, chaque fois, j'ai eu peur de te perdre.

Émue de ces paroles qu'elle n'attendait pas, la jeune femme baisse la tête.

— Regarde-moi, Emma.

La voix de son mari est si douce qu'elle en est toute remuée. Les yeux pleins de larmes, elle relève la tête.

— Si Dieu nous donne un jour des enfants, j'en serai très heureux. Mais advenant le contraire, ce ne sera pas la fin du monde et la terre n'arrêtera pas de tourner pour autant. J'ai épousé une femme que j'aime et qui fait mon bonheur. Ce ne sont pas tous les hommes qui ont cette chance.

— Tu ne m'en veux donc pas ? demande-t-elle d'une toute petite voix.

— Pourquoi ? Ce qui arrive n'est ni de ta faute ni de la mienne. Personne n'est à blâmer. Je ne veux plus que tu te mettes martel en tête à ce sujet.

Elle lâche la louche et court se jeter dans les bras d'Edmond qui la serre contre lui.

— Nous aurions dû avoir cette conversation depuis longtemps, lui murmure-t-il à l'oreille. Cela t'aurait évité de te faire du mauvais sang et de fausses idées.

Emma a l'impression de mieux respirer. Comme si tout le poids de la culpabilité qu'elle portait sur ses épaules depuis tant d'années venait de s'envoler d'un coup. Ils restent enlacés un bon moment avant qu'il s'écrie d'une voix faussement bougonne :

— Alors, ce repas, c'est pour la semaine des quatre jeudis ?

Elle éclate d'un rire heureux et l'embrasse sur la joue.

— Et pour la maison, qu'en penses-tu ? s'informe-t-il d'un ton plus sérieux.

Comment lui refuser quoi que ce soit après une aussi belle déclaration d'amour ? se dit-elle en lui donnant son accord d'un signe de tête accompagné d'un sourire éblouissant.

— Tu fais de moi le plus heureux des hommes, Emma Casgrain.

Chapitre 21

Depuis quelques semaines, Emma et Edmond résident dans leur nouvelle maison située au 51 de la rue Saint-Jean à Québec. L'architecte Elzéar Charest a fait du bon travail et a pleinement satisfait les attentes de son client. Le dentiste Casgrain ressent beaucoup de fierté chaque fois qu'il contemple sa belle demeure en briques de trois étages. Quant à sa femme, elle trouve que la maison ressemble davantage à un château miniature avec son toit mansardé muni d'une tourelle au centre. Même si Edmond lui a expliqué que ce style d'architecture appelé forteresse a sa raison d'être dans une ville fortifiée comme Québec, la jeune femme aurait préféré plus de simplicité. Mais son mari est si heureux de leur nouvelle résidence qu'elle garde pour elle ses impressions. D'autant plus qu'Edmond lui a donné carte blanche pour aménager les pièces de la maison. « C'est toi la reine du foyer ! Tu t'y connais mieux que moi en décoration. Je te laisse le soin de mettre ta touche féminine partout où il te plaira. » Fière de cette marque de confiance, Emma a parcouru les grands magasins de la ville afin de choisir le mobilier qu'elle souhaite élégant et confortable. Sans hésiter, elle a pris le tramway pour se rendre à Saint-Roch. *Là, je vais trouver,* s'est-elle dit avec conviction. Emma adore ce quartier de la Basse-Ville. Surtout depuis que les magasins ont été rénovés et qu'ils sont éclairés à l'électricité. Paquet, Laliberté, Turcotte, etc. Elle a l'embarras du choix et ne se prive pas pour admirer les vitrines des beaux magasins. Bien sûr, elle a un budget à respecter et ne compte pas le dépasser. Prévoyante, la jeune femme s'est munie d'un petit calepin dans lequel elle note toutes ses dépenses. Elle agit toujours ainsi. Emma n'est pas le genre de femme à dépenser des sommes folles en toilettes. Est-ce le fait d'avoir été élevée à la dure qui la rend aussi économe ? Elle ne saurait le dire, mais elle n'éprouve aucun plaisir à parader dans de belles robes.

Chaque fois qu'elle doit en enfiler une pour se rendre à une soirée mondaine, c'est un véritable supplice. L'an dernier, en février, elle se faisait une joie d'assister au premier concert d'Emma Albani à Québec. Malheureusement, son plaisir avait été gâché par son corset qui était lacé très serré sous sa robe afin de lui donner une taille fine. Celui-ci l'avait empêchée de profiter pleinement de la magnifique prestation de la cantatrice canadienne. Dans la salle de musique de la rue Saint-Louis où tous les spectateurs avaient les yeux rivés sur la soprano de quarante-trois ans, Emma se sentait défaillir tant elle peinait à respirer. Sur le chemin du retour, Edmond n'avait pas cessé de louanger le talent de la chanteuse. «Elle est originaire de Chambly. Une Canadienne française! La première à connaître une carrière internationale. Elle donne des concerts partout. Nous avons vraiment eu de la chance d'assister à ce concert.» Emma s'était contentée de hocher la tête. Au cours de cette soirée, elle avait constaté à quel point l'Albani, comme les gens la surnommaient, était une diva. Sa robe, son maquillage, sa coiffure parlaient d'eux-mêmes. À la fin du spectacle, la chanteuse avait reçu les applaudissements et les fleurs du public avec un plaisir évident. *Elle a une voix superbe, mais je ne voudrais pour rien au monde changer de vie avec cette femme.*

— Puis-je vous aider, madame?

Emma revient brusquement au présent. Relevant la tête, elle aperçoit un vendeur qui se tient devant elle, un sourire poli accroché au visage. *Depuis combien de temps suis-je plantée là comme une statue?* se demande-t-elle, mal à l'aise d'avoir ainsi attiré l'attention. Elle tente de reprendre son aplomb en répondant d'une voix ferme et posée:

— Je cherche un banc de piano simple, mais élégant. À la maison, nous avons un piano-forte auquel nous tenons beaucoup mon mari et moi, précise-t-elle au vendeur.

Celui-ci réfléchit une fraction de seconde.

— Je pense avoir ce qu'il vous faut. Par ici, madame.

Trente minutes plus tard, Emma sort du magasin, satisfaite de son achat. *Enfin, je serai confortablement assise lorsque je jouerai du piano.* Depuis qu'Edmond l'a initiée à cet instrument de musique, elle ne cesse de s'émerveiller. Sa soif d'apprendre semble insatiable. Elle achète toutes les partitions de musique offertes à Québec. Loin d'elle l'idée de devenir une grande virtuose. « La musique m'a tellement manqué lorsque j'étais pensionnaire chez les Ursulines », a-t-elle confié un jour à Edmond. Jean-Baptiste Gaudreau n'avait pas les moyens financiers de payer des cours de piano ou de violon à sa fille. Emma avait envié les élèves qui assistaient aux leçons de musique. Edmond s'est avéré un merveilleux professeur. Patient, à l'écoute et toujours disponible, il lui a promis qu'elle apprivoiserait la musique et qu'elle s'en ferait une amie. Le soir, il leur arrive souvent de jouer ensemble un morceau de piano. Emma a un faible pour l'œuvre de Chopin qu'elle trouve douce et apaisante. « La musique guérit bien des maux », affirmait la vieille religieuse qui enseignait cette matière au couvent. Emma ne peut que lui donner raison. Maintenant, elle ne pourrait plus s'en passer. L'un de leurs voisins, Cyrille Duquet, partage cette passion. L'horloger a vendu son imposante maison située sur la Grande Allée il y a quelques mois. Tout comme Edmond, Cyrille Duquet a acheté un terrain sur la rue Saint-Jean sur lequel il a fait construire une demeure qu'il habite depuis peu avec sa femme Adélaïde et leurs nombreux enfants. La bijouterie Duquet attire les clients. Ses montres et ses bijoux très sophistiqués sont mis en évidence dans la vitrine. Chaque fois qu'Emma passe devant le commerce, elle ne peut s'empêcher de jeter un œil à la vitrine. Un jour, n'y tenant plus, elle a cédé à sa curiosité et a franchi le seuil de la porte. Debout derrière son comptoir, la vendeuse lui a adressé un petit sourire amical. *Sans doute l'une des filles de Cyrille Duquet*, a déduit Emma tout en promenant discrètement son regard dans la boutique. Elle y a aperçu tant de jolies choses qu'elle s'est promis de revenir accompagnée de son mari. La jeune femme laisse échapper un petit rire tout en marchant. Un homme étonné se retourne sur son passage. Emma ne le remarque même pas tant elle est plongée dans ses souvenirs. Dès qu'elle parvient à son domicile, elle monte rapidement au deuxième étage, pressée de retrouver Edmond.

— Me voilà rentrée, lance-t-elle joyeusement tout en délaçant ses bottines.

Edmond délaisse la revue de médecine dentaire qu'il lisait depuis une bonne heure et rejoint sa femme. Celle-ci examine son reflet devant la petite glace du vestibule.

— As-tu passé un bel après-midi? s'informe-t-il.

Elle se retourne vers lui. Un sourire illumine son visage.

— Magnifique! Il faisait si beau que je suis revenue à pied plutôt que de prendre le tramway.

— Je n'aime pas que tu marches seule une aussi grande distance.

— Voyons Edmond! Que crains-tu qu'il m'arrive?

— Tu pourrais te faire renverser par une voiture. Les fiacres passent à toute vitesse dans les rues étroites de la ville, sans se soucier le moindrement des piétons.

— C'est vrai que certains conduisent dangereusement, reconnaît-elle. Mais ne t'inquiète pas, je suis sur mes gardes. Lorsque je traverse une rue, je regarde deux fois plutôt qu'une pour m'assurer que la voie est libre. Par contre, les tas de crottin sont plus difficiles à éviter que les fiacres et les tramways, lui mentionne-t-elle d'un ton moqueur.

Après avoir suspendu son chapeau à la patère, elle embrasse Edmond sur la joue.

— Je te promets d'être prudente. Tu n'as pas à t'inquiéter. Je n'ai pas l'intention de faire de toi un veuf joyeux, plaisante-t-elle en lui décochant un sourire désarmant. Je me fais un café. Tu en veux un ?

— Pourquoi pas ? répond-il en lissant sa moustache du bout des doigts.

Emma se dirige vers la cuisine, suivie de son mari.

— J'ai trouvé un très joli banc de piano, lui annonce-t-elle d'un ton enthousiaste. Il sera livré dans deux jours, m'a assuré le vendeur. Je suis certaine qu'il va te plaire.

— Mais je n'en doute pas.

Tout en sortant de l'armoire tasses et soucoupes, Emma commence à lui raconter son après-midi. Le dentiste prend plaisir à l'écouter pendant qu'elle verse le café dans les tasses. Une fois de plus, il remarque combien sa femme a le bonheur facile. Soudain, elle est prise d'un fou rire et manque de s'étouffer en avalant de travers une gorgée de café. Il lui frotte aussitôt le dos.

— Ça va, ma belle ?

De la tête, elle fait signe que oui, les yeux pleins d'eau.

— Qu'y avait-il de si drôle ?

Elle hausse les épaules en signe d'ignorance.

— Qu'as-tu fait en mon absence ? s'informe-t-elle pour faire diversion.

— J'ai rendu visite à Cyrille Duquet. Depuis le temps que tu me rebats les oreilles des merveilles que contient sa bijouterie.

Suspendue aux lèvres de son mari, Emma a hâte de connaître son opinion. La réponse se fait attendre.

— Et ?

— Je dois admettre que tu avais raison. Cet homme n'est pas seulement bijoutier et horloger. Savais-tu qu'il entretient et répare depuis vingt ans les instruments de musique du Séminaire de Québec ?

— Non, tu me l'apprends. Il a donc l'oreille musicale ?

— Ça et bien d'autres choses. Il a été le premier à se procurer un phonographe à Québec, et ce, seulement deux ans après son invention par Thomas Edison. Duquet a exposé l'instrument dans sa vitrine, à la grande joie des passants.

Emma tente de se rappeler où elle a entendu ce mot et ce qu'il signifie.

— C'était en quelle année ? demande-t-elle.

— En 1878, un an avant notre mariage.

Ah bon ! Voilà pourquoi cela ne me dit rien. À l'époque, j'étais encore au couvent.

— Ce phonographe se rapproche de quel instrument de musique ?

Le dentiste éclate de rire.

— D'aucun. C'est un appareil qui enregistre les sons sur des rouleaux de cire.

Vexée d'avoir dévoilé au grand jour son ignorance, la jeune femme réplique d'un ton sec :

— Cette invention ne remplacera jamais un bon instrument de musique. Au fond, ça ressemble à une boîte à musique, mais en plus moderne.

Edmond comprend qu'il l'a froissée. Il tente de relancer la conversation.

— Si l'on veut, mais revenons à Cyrille Duquet. L'homme m'a impressionné. Nous avons échangé sur plusieurs sujets. Il s'intéresse à tout, Emma. Les arts autant que les sciences. Nous aurions pu discuter pendant des heures si cela n'avait été de l'affluence de clients qui allaient et venaient dans sa bijouterie.

— La boutique est toujours pleine de gens, semble-t-il. Sa fille m'a confié qu'il était aussi un inventeur.

— Oui, je sais. Il me l'a dit. Duquet fait preuve de beaucoup d'imagination et de créativité.

— Vous avez donc plusieurs points en commun. Tout comme toi, il aime la musique, les sciences et les inventions.

— Tant qu'il n'empiétera pas sur mon territoire, tout ira bien.

— Je le vois mal inventer des trucs touchant la dentisterie. Il ne connaît rien à ce domaine.

— On ne sait jamais, Emma. Cyrille Duquet est un autodidacte. Tout l'intéresse, même la politique. Il est conseiller municipal depuis dix ans.

— Serais-tu tenté par cette aventure?

— Où vas-tu chercher pareille idée? La politique ne fait pas partie de mes objectifs à court ou à long terme.

— Pourtant, je te verrais bien siéger au conseil de ville. Avec ton éloquence et ta prestance, tu ferais un bon échevin.

— Tu rêves tout éveillée, ma belle.

— On verra bien, se contente-t-elle de répondre, un sourire en coin.

Chapitre 22

Un calepin à la main, Emma fait l'inventaire des produits du cabinet dentaire. C'est une tâche qui lui incombe et dont elle tire une certaine satisfaction. En veillant à ce que son mari ne manque de rien, elle a l'impression de se rendre utile. Ses yeux parcourent les tablettes où sont rangés soigneusement les dentifrices, les brosses et les petites boîtes rondes à dent ou à couronne marquées au nom du dentiste Edmond Casgrain.

— Il faudra renouveler les poudres dentifrices, Edmond. Surtout celles parfumées aux essences de citron et de girofle. Plusieurs de tes patients apprécient le goût agréable qu'elles laissent en bouche et en achètent régulièrement. Ils m'ont avoué ne plus pouvoir s'en passer.

— Insiste bien sur le fait qu'ils ne doivent pas en abuser. La poudre ou les pâtes dentifrices, on les utilise une fois par semaine, pas plus. Elles contiennent des éléments astringents, calmants et alcalins qui peuvent s'avérer nocifs pour la santé si l'on en fait un usage immodéré.

— Comme du quinquina, du camphre, de la poudre d'alun et même de l'opium, précise Emma.

Edmond sourit.

— On ne peut rien te cacher. J'aimerais que mes patients retiennent mes paroles aussi bien que tu le fais. J'ai beau les mettre en garde contre l'abus des poudres dentifrices, ils n'en font souvent qu'à leur tête. Pourtant, ils s'éviteraient bien des problèmes s'ils suivaient mes recommandations. Quelques gouttes d'élixir sur la brosse, à raison d'une fois par jour, favorisent une bonne santé dentaire. Ils peuvent aussi utiliser l'eau de Botot comme bain de bouche s'ils veulent conserver une haleine fraîche. De plus, elle blanchit les dents et fortifie les gencives.

— Je sais, je l'utilise chaque matin.

— Et je ne m'en plains pas. Tu sens bon la menthe et la cannelle. Ça donne envie de t'embrasser, déclare-t-il, une lueur malicieuse dans les yeux.

— Cette eau aurait-elle des vertus aphrodisiaques, docteur Casgrain? Ce qui expliquerait sa grande popularité…

La jeune femme n'a pas le temps de terminer sa phrase qu'il l'attire contre lui et l'embrasse. Quelques secondes plus tard, elle se dégage de son étreinte et ramasse le petit carnet noir qui a glissé au sol lorsque son mari l'a prise dans ses bras.

— Heureusement que les rideaux étaient fermés, lui fait-elle remarquer d'un air faussement fâché.

— Pourquoi? Il n'y a rien de scandaleux à voir un couple marié échanger un tendre baiser.

— Tu appelles ça un tendre baiser? Dis plutôt que tu m'as embrassée avec fougue.

— Baiser auquel tu as très bien répondu, réplique-t-il, un sourire en coin.

— Je ne dis pas le contraire. Voilà pourquoi il faut se montrer plus discrets. Les passants n'ont pas besoin d'assister à nos rapprochements intimes.

Le dentiste se contente de sourire. En son for intérieur, il se trouve chanceux d'avoir une femme comme la sienne. Bien des couples mariés de leur entourage font chambre à part, et ce, depuis les premières années de leur mariage. *Heureusement, cela n'est pas notre cas*, songe-t-il avec soulagement. *En plus d'être une épouse attentionnée,*

Emma ne prétexte jamais une migraine pour se soustraire à son devoir conjugal. Elle aime faire l'amour. Que peut-il demander de plus? Un enfant? Après quatorze ans de vie commune, il s'est fait à l'idée de ne pas avoir d'héritier. Il évite d'évoquer ce sujet douloureux avec sa femme. Il sent bien qu'elle espère encore mettre un enfant au monde. Chaque mois, il lit la déception et la tristesse dans ses yeux.

— Bon, c'est bien beau tout ça, mais le souper ne se fera pas d'un coup de baguette magique, dit-elle en rangeant son carnet dans le petit secrétaire adjacent à la salle d'attente. Donne-moi une heure et le repas sera prêt.

— Prends ton temps, ma belle. Je ne suis pas pressé.

— Quand même! Je ne veux pas souper trop tard. Demain, tu te lèves tôt.

— Emma! Ce n'est pas parce que j'assiste chaque dimanche matin à l'office religieux des membres de la congrégation de la Haute-Ville qu'il faut se coucher à l'heure des poules.

— Depuis quand parles-tu comme un gars de la campagne? lui demande-t-elle, un brin moqueuse.

— Mais je viens de la campagne, réplique-t-il sur le même ton.

— Tu en es sorti depuis longtemps. La preuve, ce ne sont pas de simples cultivateurs qui peuvent faire partie de la congrégation des hommes de la Haute-Ville de Québec.

— Lorsqu'elle fut fondée au dix-septième siècle, elle regroupait l'élite de Québec, c'est-à-dire les bourgeois et les gentilshommes de la ville. Mais la congrégation a évolué au cours des années. Aujourd'hui, elle compte aussi parmi ses membres des marchands et des artisans. On accorde plus d'importance aux mœurs qu'au rang social du nouveau membre. Chacun doit être d'une conduite irréprochable.

Emma hoche la tête, peu convaincue.

— Je me suis pourtant laissé dire que cette congrégation est surtout formée de notables de Québec, dont tu fais partie.

— Ne te fie pas aux commérages, Emma. Les gens parlent souvent à tort et à travers.

— Peut-être. N'empêche que ce n'est pas tout le monde qui fait preuve d'autant de ferveur et de zèle envers la Vierge Marie. Depuis que je te connais, tu as toujours assisté à l'office religieux du dimanche matin à la petite chapelle de la congrégation.

— Cela fait partie des règles que l'on est tenu de respecter. Il faut avoir une bonne raison pour manquer un office.

— Bon, je monte. À tantôt!

Une main sur la poignée de porte, elle semble hésiter.

— Tu n'as pas oublié que nous allons aux noces d'Hélène lundi prochain?

— Bien sûr que non. Je l'ai noté dans mon agenda. Sois sans crainte, Emma. Nous serons présents au mariage de ta petite sœur.

Le visage de la jeune femme s'assombrit.

— J'espère que papa sera là. Manistee, ce n'est pas la porte à côté.

— Il a promis d'y être. Fais-lui confiance. Il ne manquerait pas le mariage de sa petite dernière à moins d'un empêchement majeur.

— Merci de me rassurer. J'en ai besoin.

Elle lui sourit avant de tourner la poignée de porte. En montant l'escalier, Emma espère qu'il ait raison. Depuis que son père vit aux États-Unis, elle a l'impression que sa famille se disperse. *Si maman était encore de ce monde, tout serait différent. Elle n'aurait jamais accepté de s'exiler aussi loin. C'est sûrement la tristesse et la solitude qui ont motivé le départ de papa pour le Michigan.* La jeune femme craint que ses frères aînés décident à leur tour de tenter leur chance au pays de l'Oncle Sam. *On leur fait tellement miroiter la possibilité d'obtenir un travail bien rémunéré là-bas. Déjà six ans que maman nous a quittés! Le temps passe si vite.* Emma se souvient de cette journée de septembre où elle avait appris la mort de sa mère. Il faisait un temps superbe à l'extérieur. Assise devant son petit bureau, elle mettait de l'ordre dans les dossiers des patients lorsque la sonnette de l'entrée avait carillonné. Elle avait levé les yeux de ses papiers, croyant qu'il s'agissait d'un patient. À sa grande surprise, elle avait aperçu un préposé des postes s'avancer vers elle pour lui remettre un télégramme. Le sourire de la jeune femme s'était alors figé. Prise d'un mauvais pressentiment, elle avait attendu le départ de l'homme avant de décacheter la dépêche. Son cœur avait eu un raté en lisant le message. *Maman décédée ce matin. Viens vite. Angelina.* Comment avait-elle trouvé la force de rester assise et d'afficher un air serein? Elle se le demande encore. Les mots de sa sœur avaient résonné dans sa tête toute la journée alors qu'elle s'efforçait de faire bonne figure et de ne pas montrer son désarroi aux gens qui patientaient dans la salle d'attente. Lorsque le dernier client était enfin parti, Emma avait posé ses bras sur la table et enfoui sa tête au creux de ceux-ci, le corps secoué de gros sanglots. C'est ainsi qu'Edmond l'avait trouvée après avoir fini de nettoyer ses instruments. Il lui avait suffi d'un regard au télégramme pour comprendre. Ce soir-là, Edmond l'avait emmenée sur la terrasse Dufferin nouvellement éclairée à l'électricité. Il espérait que la promenade lui changerait les idées ou du moins adoucirait son chagrin. Tout au long de la balade, Emma s'était appuyée sur son bras, silencieuse et triste. Dès le lendemain, le couple s'était rendu à Montmagny. Les frères et les sœurs d'Emma étaient tous présents dans la maison paternelle. Clémentine, sa marraine, l'avait aussitôt serrée contre son cœur. *Les Gaudreau sont tissés serré,* avait pensé Emma en les voyant réunis dans le salon où reposait le corps de la défunte. Marie-Caroline Gaudreau n'avait que quarante-huit ans. Mais la vie dure de la campagne l'avait vieillie prématurément. Emma secoue la tête pour chasser les souvenirs. *Ça ne sert à rien de repenser à tout ça. Lundi prochain, c'est jour de fête, pas de tristesse,* se dit-elle en poussant résolument la porte du logis.

* * *

— Ta sœur est ravissante. Est-ce le mariage qui la rend aussi radieuse? chuchote Edmond.

Emma lui adresse un petit sourire de connivence. Elle aussi a remarqué combien le visage d'Hélène resplendit. La jeune fille de dix-neuf ans ne lui a jamais paru si jolie. Plus d'une fois ce matin, elle a surpris l'échange de regards amoureux entre les nouveaux mariés. *Léonidas Ratté semble un bon gars, honnête et travailleur, comme dirait maman,* songe Emma en l'observant à la dérobée. À vingt-quatre ans, le mari d'Hélène a l'assurance tranquille des gens de la terre qui vivent au rythme de la nature. Cet homme lui plaît bien. Les yeux bruns du cultivateur pétillent d'intelligence et d'enthousiasme. Son rire est communicatif. Emma promène son regard parmi les invités à la noce. Tout le monde semble s'amuser et prendre du bon temps. Même son père, qui bavarde gaiement avec la mère du marié. Emma est si contente qu'il soit venu. Jusqu'à la dernière minute, elle avait craint qu'il ne soit pas présent. Sa joie serait complète si ses jeunes sœurs et frères avaient pu assister aux noces. *Les voyages en train coûtent cher,* soupire-t-elle. Elle a une pensée pour Caroline, l'aînée de la famille, qui prend soin des plus jeunes à Manistee en l'absence de leur père. Seule Angelina a accompagné Jean-Baptiste Gaudreau jusqu'à Saint-Augustin-de-Desmaures. À vingt-huit ans, elle est encore célibataire. *Pourtant, elle est aussi jolie qu'une autre,* pense Emma qui l'observe discrètement. Le hasard a voulu que sa sœur soit assise au côté de l'un des frères du marié. Chaque fois que Joseph lui adresse la parole, Angelina rougit et baisse les yeux vers son assiette. *Il lui fait de l'effet, c'est certain.*

— Pourquoi souris-tu ainsi? demande Edmond à voix basse.

— Je suis heureuse, c'est tout.

Au même moment, la mariée éclate de rire, le visage tourné vers son père.

— Comme tu vois, je ne suis pas la seule à l'être.

Emma n'ose pas lui faire part de ses impressions au sujet d'Angelina. *Edmond va encore me dire que je me forge des chimères. Pourtant, cela ne me déplairait pas qu'une autre Gaudreau épouse un Ratté. Angelina quitterait alors les États-Unis pour venir vivre au Québec avec son mari.*

Le tintement joyeux des ustensiles que l'on cogne contre les verres la tire de ses rêveries. Elle lève aussitôt le sien vers Hélène et lui adresse un clin d'œil. Les convives attendent que les mariés s'embrassent. Hélène et Léonidas n'ont d'autre choix que de se lever et d'échanger un baiser devant les invités.

— Un discours! Un discours! scandent quelques personnes.

Jean-Baptiste Gaudreau dépose sa coupe de vin rouge sur la table, puis se lève à son tour. Les invités se taisent aussitôt. Le père de la mariée se racle la gorge. L'ancien cultivateur affiche un air grave. Emma sent combien son père est ému. Les yeux rivés sur la mariée, il prend la parole:

— Chère Hélène, tu as toujours fait preuve de gentillesse et de compréhension, même durant les périodes plus sombres. Ce n'était pas facile de tout quitter pour aller vivre dans un pays où l'on ne connaissait personne. Et pourtant, pas une seule fois tu ne t'es plainte. Tu as bravement accepté ton sort, t'efforçant d'adopter une attitude joyeuse, même si ton cœur était triste.

Hélène met sa main sur celle de son père. Celui-ci tourne son regard vers le marié:

— Prends bien soin de ma fille, Léonidas. Je te la confie.

L'esprit un peu embrumé par l'alcool, celui-ci fait oui de la tête.

— Soyez heureux!

Des applaudissements et des exclamations joyeuses se font entendre.

— Ta mère serait fière de toi, glisse Jean-Baptiste à l'oreille de sa fille.

Hélène l'embrasse sur la joue.

— C'est le plus beau jour de ma vie, papa.

Emma se revoit le matin de son mariage. *Déjà quatorze ans!* songe-t-elle avec un brin de nostalgie. Ce matin-là, Hélène l'avait contemplée avec des yeux émerveillés. *Tu ressembles à une princesse,* avait dit la petite fille de cinq ans en voyant sa grande sœur parader dans la cuisine, vêtue de sa robe de soie blanche. *Aujourd'hui, c'est toi la princesse,* pense Emma en souriant à sa jeune sœur. Les mariés quittent bientôt la table pour ouvrir la danse. Ils sont vite imités par les invités qui n'attendaient que ce moment pour se dégourdir les jambes au son du violon.

— Viens danser, Edmond! s'exclame Emma d'un ton enthousiaste.

Le dentiste s'essuie les coins de la bouche avec sa serviette de table avant de se lever. La musique est endiablée. Emma n'a aucun mal à suivre le rythme. Ses yeux brillent de plaisir. Edmond admire sa résistance. Après trois danses, il demande une pause.

— Déjà fatigué, docteur Casgrain? le taquine-t-elle.

— Je ne suis plus de la prime jeunesse, madame Emma. À mon âge, on se fatigue plus vite.

— Tut, tut, tut! Tu es en meilleure forme physique que bien des jeunes. Je pense que tu as simplement abusé de la bonne chère.

Edmond desserre son col. Des gouttes de sueur perlent sur son front.

— OK, consent-elle. J'ai pitié de mon vieux mari. Allons nous asseoir un peu.

L'homme pousse un soupir de soulagement.

— Ne te réjouis pas trop vite, le prévient-elle. Nous retournerons danser plus tard. La noce est loin d'être terminée.

— Où trouves-tu toute cette énergie?

Elle lui adresse un petit sourire espiègle.

— J'en ai toujours pour les choses qui m'intéressent. Tu ne t'es jamais plaint de mon ardeur au lit, ajoute-t-elle à voix basse.

— Ah, pour ça non! Il faudrait être idiot pour s'en plaindre.

Accrochée au bras d'Edmond, Emma remarque Angelina en grande conversation avec Joseph Ratté. *Tiens, tiens! Ma petite sœur semble avoir perdu sa timidité. Nous retournerons peut-être aux noces bientôt,* se dit-elle en riant sous cape.

Chapitre 23

Les années se suivent et ne se ressemblent pas, se dit Emma en se glissant sous les couvertures. *L'an dernier, nous célébrions le mariage d'Hélène et il y a une semaine, nous assistions aux funérailles de madame Casgrain.* Edmond est au lit depuis un moment. Comme il a le sommeil agité depuis quelques nuits, Emma bouge le moins possible pour ne pas le réveiller. Allongée au côté de son mari, elle fixe le plafond. Toutes sortes d'idées lui trottent dans la tête. Elle se reproche son manque d'empathie à la suite du décès de sa belle-mère. De son vivant, Hortense Casgrain n'était pas une mauvaise femme, mais ses grands airs de seigneuresse agaçaient Emma. La jeune femme avait toujours eu l'impression d'être dénigrée par cette veuve hautaine qui partageait son temps entre son manoir et l'église de L'Islet.

— Une grenouille de bénitier, grogne-t-elle à voix haute.

Edmond remue légèrement et ouvre les yeux.

— Rendors-toi, il fait encore nuit, lui murmure-t-elle d'une voix apaisante.

Le dentiste se tourne sur le côté. Quelques secondes plus tard, des ronflements se font entendre dans la chambre. Sentant que le sommeil la fuit, Emma décide de se faire une tisane de camomille. Elle quitte doucement le lit, glisse ses pieds dans des pantoufles, enfile sa robe de chambre et se dirige vers la cuisine. Il fait froid dans la maison. Février n'a jamais été son mois préféré. Le froid, la neige et le manque de clarté en cette période de l'année ne contribuent pas à lui remonter le moral. Une fois la tisane versée dans la tasse, Emma s'assoit sur l'une des chaises de la cuisine et boit quelques gorgées du liquide chaud. La camomille lui rappelle Joséphine. Sa belle-sœur lui manque. *Pauvre Jo ! Ton Napoléon ne t'a pas pleurée bien longtemps. Un an après ton décès, il convolait en secondes noces avec Zélie Giasson. Ils sont venus à l'enterrement de ta mère, mais je leur ai à peine parlé. Voir cette grosse femme qui se pendait au bras de Napoléon m'était insupportable. Heureusement, ils ne sont pas restés longtemps. Napoléon avait des patients à visiter.* Emma s'agite sur sa chaise. Tous ces souvenirs l'attristent. Pourtant, elle continue de s'adresser à la défunte, comme si Joséphine était présente dans la pièce. *Tes quatre fils ont assisté aux funérailles de leur grand-mère. Ils te ressemblent, surtout Arthur. J'ai pris plaisir à discuter avec mes neveux. Chacun d'eux a réussi dans son domaine. Un directeur de banque, deux prêtres et un médecin, voilà une bien belle brochette ! Aucun de tes garçons n'a la tête enflée. Ils ont bien retenu les principes que tu leur as inculqués.* Emma soupire. *Ta mère est décédée au manoir de L'Islet, le 15 février. À son chevet, il n'y avait que tes frères Eugène et Jules. Edmond n'est pas arrivé à temps. Hortense avait rendu l'âme depuis quelques heures lorsqu'il a franchi le seuil de la maison. Ton frère est très affligé par ce décès même s'il masque sa peine. Ces temps-ci, il travaille beaucoup. Comme dentiste, mais aussi comme inventeur. Il a mis au point un appareil qui permet la fusion de l'aluminium et d'autres métaux. Je n'entrerai pas dans les détails de sa composition ni de son fonctionnement, car tout cela est bien complexe. Edmond utilise cet appareil depuis deux ans pour la dentisterie. Il en est si satisfait qu'il compte en faire profiter la science. Une importante revue scientifique de New York, la* Scientific American *veut publier un article sur son invention.* Emma étouffe un bâillement. *La tisane commence à faire effet. Il est temps de retourner me coucher,* se dit-elle en se rendant à l'évier pour y déposer sa tasse vide. Une fois au lit, elle colle ses pieds froids contre ceux de son mari, pour les réchauffer. Edmond émet un grognement de protestation, mais se rendort aussitôt. Peu à peu, le sommeil la gagne à son tour. Bientôt, on n'entend plus dans la chambre que deux respirations au diapason.

Chapitre 24

— Comment s'est passé ton voyage ? s'enquiert Emma dès qu'elle se retrouve seule avec son mari. J'ai eu de la difficulté à me concentrer aujourd'hui tellement j'avais hâte que tu reviennes.

— Je t'ai manqué à ce point ? Ou est-ce le résultat de ma démarche aux États-Unis qui te rendait impatiente de me revoir ?

Le dentiste affiche un air narquois tout en ne la quittant pas des yeux.

— Grand fou ! Tu connais déjà ma réponse. Une semaine sans toi, c'est long. Surtout la nuit, ajoute-t-elle en levant vers lui un regard insistant.

Il dépose sa valise au sol et attire sa femme contre lui.

— Toi aussi, tu m'as manqué, lui souffle-t-il à l'oreille.

Leurs cœurs battent à l'unisson. Emma sent le désir monter en elle pendant qu'Edmond lui caresse doucement la nuque. D'une voix rauque, elle murmure :

— Pas ici…

Il relâche son étreinte et lui prend la main.

— Viens, ma belle.

Elle le suit dans la chambre en gloussant de plaisir. Parvenus dans la pièce, la porte refermée derrière eux, mari et femme s'échangent des regards coquins.

— La longue attente a mis mes nerfs à rude épreuve, déclare Emma qui se débarrasse de sa jupe d'un coup de pied tout en dénouant ses longs cheveux d'une main fébrile. Les doigts impatients, elle détache un à un les boutons de sa chemise.

— Aide-moi à dégrafer mon corsage ! l'implore-t-elle.

Edmond s'approche. En moins de temps qu'il n'en faut pour le dire, les deux amants se retrouvent nus l'un devant l'autre. Le dentiste contemple les courbes généreuses de sa femme.

— Dieu que tu es belle !

Il la serre contre lui et l'embrasse avec chaleur et passion. Emma frissonne d'excitation. Les jambes molles, elle se laisse guider jusqu'au lit où elle s'étend sur la courtepointe. Il la couvre de baisers avant de lui faire l'amour. Les mains chaudes d'Edmond caressent le corps rond et tendre d'Emma, qui étouffe des gémissements de plaisir.

— J'avais oublié à quel point c'était bon ! lâche-t-elle dans un souffle quelques minutes plus tard.

Une douce somnolence la gagne. C'est toujours ainsi après l'amour. Elle se sent merveilleusement bien. Un regard vers son mari lui suffit pour constater qu'il ressent le même bien-être. Heureuse, elle pose sa tête sur la poitrine d'Edmond. Ils restent ainsi un long moment, les yeux fermés et le corps apaisé.

— Alors, c'était comment là-bas ?

— Pas mal, répond-il d'une voix endormie.

— Mais encore ?

Emma relève la tête et le fixe avec insistance.

— Une ville américaine très agréable. Je suis sûr que tu aimerais t'y promener.

— Edmond! Ne fais pas l'innocent. Ce n'est pas l'architecture de cette ville qui m'intéresse, mais ce que tu y as fait. Ta visite a-t-elle été couronnée de succès?

Il sourit, amusé de sa curiosité évidente. D'une main, il caresse l'épaule chaude et satinée de sa femme.

— J'ai vendu mon vulcanisateur à la Buffalo Dental Manufacturing Company.

Emma se soulève sur un coude, la mine réjouie.

— Et c'est seulement maintenant que tu me l'apprends? C'est une nouvelle merveilleuse. Je suis si contente pour toi! Tu as tellement travaillé pour mettre au point ce procédé. Je sais combien cette invention te tenait à cœur. Ce petit appareil servant à durcir le caoutchouc employé dans la confection des dentiers fera avancer la dentisterie d'un grand pas.

Les cheveux défaits, le rose aux joues, un sourire accroché aux lèvres, elle le contemple d'un regard brûlant d'amour.

— Cette victoire, je te la dois en partie, ma belle.

— Pourtant, je n'ai rien fait.

— Oh que oui! Tu m'as laissé travailler sur mon projet sans émettre de commentaires désobligeants, et ce, même si tu passais de longues soirées toute seule.

— J'ai la chance d'avoir épousé un homme de génie. Je peux bien faire quelques sacrifices, réplique-t-elle en se lovant contre lui.

— T'ai-je dit à quel point tu es merveilleuse?

— Au moins des dizaines de fois, plaisante-t-elle. Mais ça fait toujours plaisir à entendre, ajoute-t-elle avant de l'embrasser sur la bouche. Je vais me faire une tasse de chocolat chaud. En veux-tu une?

— Avec des biscuits à l'avoine?

— Gourmand, va! Ne bouge pas, j'en ai pour deux, trois minutes.

D'un bond, elle se lève, enfile un peignoir sur sa peau nue et glisse ses pieds dans des mules. Au moment de quitter la chambre, elle se retourne, la mine coquine.

— Surtout, ne t'endors pas.

— Aucun danger. J'ai trop hâte de prendre mon dessert, réplique l'homme avec une lueur espiègle au fond des yeux.

Après le départ de sa femme, Edmond se redresse dans le lit. Le dos appuyé contre son oreiller, il résiste à l'envie de fumer une cigarette. Il sait combien Emma déteste cette vilaine habitude. «Fume au salon, mais pas dans notre chambre. S'il fallait que tu t'endormes et que tu mettes le feu…» En voyage, loin des yeux de sa femme, le dentiste en profite pour s'adonner à ce petit plaisir. À la maison, il préfère s'abstenir plutôt que de subir remontrances et regard courroucé.

— Me revoici! claironne joyeusement Emma. Oh! Je vois que monsieur a pris ses aises en mon absence.

Elle pose le plateau sur la table de chevet. Sentant le regard pénétrant de son mari posé sur elle, Emma lui tend une tasse en lui adressant un sourire malicieux.

— Attention, c'est chaud! le prévient-elle.

À regret, il détache ses yeux de la poitrine bien en chair de sa femme.

— Merci, ma belle.

Elle le rejoint au lit. Adossée contre son oreiller, elle boit son chocolat à petites gorgées, savourant le moment présent.

— Dans le train en revenant des États, j'ai pris une décision.

— Laquelle?

— Je garde mon autre brevet pour Québec.

— Celui qui concerne la fusion de l'aluminium pour les pièces de dentisterie?

— C'est ça! Je veux l'exploiter ici, sous ma surveillance, plutôt que de vendre mon procédé aux États-Unis.

Emma ouvre de grands yeux étonnés.

— Mais pourquoi? Tu ferais fortune avec ton invention là-bas.

— Je sais, mais je veux en faire profiter notre ville. J'ai l'intention de rédiger un manuel expliquant ma méthode. Les dentistes intéressés pourront se procurer ma brochure en communiquant avec *La Semaine commerciale*. Elle sera offerte en français et en anglais. Un dollar par exemplaire cartonné.

— As-tu pensé à un titre?

— Que penses-tu de «Nouvelle méthode de dentisterie. L'aluminium dans l'art dentaire»?

Elle fait mine de réfléchir un instant.

— Pas mal. Cela a le mérite d'être clair.

— Assez discuté, passons maintenant aux choses sérieuses.

Il lui enlève sa tasse pour la déposer sur le plateau.

— Hé! Je n'ai pas terminé mon chocolat, proteste-t-elle faiblement.

— J'ai mieux à t'offrir.

Sans lui donner le temps de répliquer, il l'embrasse sur les lèvres tout en défaisant les cordons de son peignoir.

— J'aime sentir ta peau chaude et douce frémir sous mes doigts.

Emma s'abandonne au plaisir qui l'envahit une fois de plus.

* * *

Noël ne s'annonce pas très joyeux cette année, songe Emma. Le plumeau à la main, elle se demande comment aborder le sujet avec son mari. Elle risque un œil vers lui. Le voyant plongé dans sa correspondance, elle hésite à le déranger. Pourtant, elle doit connaître ses intentions. S'armant de courage, elle demande d'un ton détaché :

— As-tu répondu à ton frère ?

Il lève les yeux et la fixe d'un air absent tout en triturant sa moustache.

— Pas encore.

— Dans moins de quinze jours, c'est Noël. Philomène et Eugène nous ont invités à passer les fêtes chez eux. Ne les fais pas languir trop longtemps.

— Je ne sais que leur répondre.

— Oui ou non serait apprécié. Au moins, ils sauront à quoi s'en tenir.

Le dentiste dépose sa plume, retire ses lunettes et soupire.

— Je n'ai pas le cœur à festoyer.

Emma s'approche et noue ses bras autour du cou d'Edmond.

— Eugène est le seul frère qu'il te reste maintenant. Je pense qu'il sent le besoin de se rapprocher de toi.

— Nous n'avons jamais été près l'un de l'autre. Je l'ai à peine connu. Il s'est marié alors que j'étais encore un enfant en culottes courtes.

— Il n'est pourtant pas déménagé bien loin puisqu'il a toujours vécu à L'Islet.

— Je sais, mais nous n'avons pas beaucoup d'affinités. En vieillissant, cela n'ira pas en s'améliorant. Eugène aura soixante-deux ans cette année.

— Et toi quarante-neuf. Vous n'êtes plus des enfants. Eugène tend la main vers toi. Donne-lui une chance.

Edmond reste silencieux.

— Ton frère a invité ta tante Clémentine. Amélia viendra aussi, accompagnée de ses enfants.

— Comment Amélia peut-elle se prêter aux réjouissances alors que son mari vient de mourir ? s'indigne Edmond.

— En acceptant l'invitation d'Eugène, elle essaie de chasser un peu la tristesse qui l'a envahie depuis la mort de Jules. Tu ne peux quand même pas le lui reprocher. Le manoir de L'Islet doit être bien triste en ce moment. Elle a de jeunes enfants et doit aussi penser à eux. Le rire est parfois le meilleur remède pour guérir sa peine.

Emma sent qu'elle est sur le point de le convaincre. Elle abat sa dernière carte.

— Jules n'aurait sûrement pas souhaité que sa femme passe les fêtes de Noël toute seule. Tu sais à quel point il aimait recevoir la famille au manoir. On ne s'y ennuyait jamais. Lorsqu'il chantait ou qu'il jouait du violon, tout le monde prenait plaisir à l'écouter.

— C'est vrai ! Jules était un bon musicien et un excellent chanteur. Sa famille a toujours passé au premier plan pour lui, même s'il travaillait beaucoup comme notaire. Tu as raison. Nous irons chez Eugène pour Noël. J'offrirai à ma tante Clémentine de faire le voyage avec nous. À son âge, il devient plus difficile de se déplacer, surtout en hiver. Nous irons la chercher à son domicile. La rue Couillard est à quelques minutes de chez nous. Depuis que la sœur de ma mère s'est établie à Québec, je la vois très peu.

— Tu travailles trop, l'excuse Emma. Ta tante est adorable. Chaque fois que je lui rends visite, elle n'a que de bons mots à dire sur toi.

Edmond la regarde d'un air intrigué.

— Vous avez conspiré pour que j'accepte l'invitation de mon frère.

Emma dépose un tendre baiser sur la joue de son mari.

— Ce n'était pas une grande conspiration. Tu as pris la bonne décision, Edmond. Je croise mes doigts pour qu'il n'y ait pas de tempête de neige. Le temps est si doux depuis quelques jours. Trop doux...

— Pourquoi être un oiseau de malheur ?

— C'est plus fort que moi ! Ce serait trop bête que Dame Nature nous empêche de quitter la ville la veille de Noël.

— À l'impossible, nul n'est tenu.

— J'haïs ça quand tu parles en paraboles, Edmond.

Emma reprend son plumeau et continue son époussetage alors que le dentiste retourne à ses papiers.

— N'oublie pas de répondre à ton frère.

— Je lui enverrai un télégramme dès demain, promet Edmond.

Emma s'esquive en douce, satisfaite de ce qu'elle a obtenu. Elle a hâte de prévenir Clémentine de la décision d'Edmond. Les occasions de se rendre à L'Islet sont rares pour la vieille dame ; sa hanche la fait tant souffrir qu'elle n'ose pas voyager seule. *Avec nous, ce sera différent,* pense Emma, heureuse de faire plaisir à la sœur de sa belle-mère. *Clémentine Dionne Têtu est une personne d'approche facile qui rend les gens à l'aise, contrairement à sa sœur Hortense qui m'a toujours paru froide, voire glaciale. Bon, je ne veux plus penser à cette femme. Cela risque de gâcher ma joie. Que Dieu ait son âme.*

Chapitre 25

Depuis un bon moment, Emma frotte vigoureusement la table du salon. De temps à autre, elle pousse un soupir. Agacé par son comportement, Edmond délaisse son journal.

— Bon ! Si tu me disais ce qui ne va pas.

— Tout va bien, répond-elle d'une voix morne.

— Emma Casgrain, tu mens très mal et tu es d'humeur maussade depuis ce matin.

Elle jette le chiffon sur la table et regarde son mari droit dans les yeux.

— Je suis fatiguée de me faire constamment appeler « madame dentiste ».

— Pourquoi ? C'est ce que tu es.

— Justement, je ne le suis pas. C'est toi qui es dentiste, Edmond, pas moi.

— Les gens appellent aussi l'épouse d'un médecin « madame docteur ». Je suis certain que chacune est fière de se faire appeler ainsi.

— Eh bien pas moi ! J'ai l'impression de vivre dans ton ombre, de ne pas avoir d'identité en me faisant appeler « madame dentiste » .

— Tu parles comme une suffragette.

— Sur certains points, elles n'ont pas tort.

L'homme lève un sourcil étonné. D'un ton plus doux, elle poursuit :

— Comprends-moi bien, Edmond. Mon intention n'est ni de choquer ni de scandaliser la bonne société. Je veux juste mériter ce titre que les gens me donnent.

— Ce qui signifie ?

Elle prend une grande respiration avant de lâcher dans un souffle :

— Je veux devenir dentiste.

Interprétant le silence de son mari comme un refus de sa part, elle marmonne entre ses dents :

— Je me doutais bien que tu ne serais pas d'accord.

— Cette nouvelle est si inattendue. Donne-moi le temps de la digérer.

Comme chaque fois qu'il est préoccupé, Edmond triture sa moustache.

— C'est une profession exercée par les hommes, lui rappelle-t-il. Aucune femme ne pratique comme dentiste au Canada.

Les yeux enflammés, elle réplique vivement :

— Il faut un début à tout. Je suis prête à relever le défi.

— Es-tu consciente dans quoi tu t'embarques, Emma ? Il te faudra obtenir ta licence de pratique auprès du collège des dentistes du Québec avant d'être autorisée à exercer cette profession.

— Cela ne me fait pas peur. J'ai toujours été une excellente élève. J'apprends vite, tu le dis toi-même. Comme je suis ton assistante depuis plusieurs années, je connais déjà les rudiments de la dentisterie.

Elle a un petit sourire victorieux qui n'échappe pas à son mari.

— Et tu es dotée d'une volonté de fer qui te permet de parvenir à tes fins.

— Dois-je en conclure que tu m'appuies dans mon projet ?

Les yeux de la jeune femme brillent d'enthousiasme.

— Ce ne sera pas facile, Emma, la prévient-il. Le chemin que tu as choisi sera semé d'embûches. Ne t'attends pas à ce que les gens comprennent et approuvent ta démarche. Tu risques de subir la moquerie, voire la raillerie, de tes confrères. La plupart d'entre eux croient que la femme a les doigts trop petits et trop frêles pour exercer cette profession.

Emma éclate d'un rire enjoué.

— Je ne pense pas que cet argument soit valable dans mon cas. J'ai les mains solides et non fines et délicates. Ce qui ne m'empêchera pas de faire preuve de douceur et de délicatesse lorsque je soignerai la bouche d'un patient.

Edmond réfléchit un moment. Emma est tout ouïe lorsqu'il reprend la parole.

— Lors de mes études à Philadelphie, j'ai entendu parler d'une femme qui a obtenu son diplôme en chirurgie dentaire au collège de Pennsylvanie. Si mes souvenirs sont exacts, c'était en 1874.

— Fanny A. Rambarger, complète Emma. Elle est devenue la deuxième femme américaine à réussir cet exploit, la première étant Lucy Hobbs Taylor.

— Tu es bien renseignée.

— Je lis toutes les revues dentaires auxquelles tu es abonné, même les entrefilets. Une anecdote amusante à propos de madame Taylor : elle était mariée à un vétéran de la guerre civile américaine et elle lui a enseigné l'art dentaire. Ils ont ensuite ouvert leur cabinet au Kansas.

Emma tait volontairement le fait qu'à la mort de James Myrtle Taylor, sa veuve a quitté la profession pour se tourner vers des œuvres caritatives et pour défendre le droit des femmes. *Edmond n'a pas besoin de tout savoir*, se dit-elle. Silencieux, Edmond semble peser le pour et le contre de ce qu'il vient d'entendre. Emma est sur des charbons ardents.

— C'est une décision que tu ne dois pas prendre à la légère ni sur un coup de tête, finit-il par dire.

— Je sais, j'y pense depuis longtemps. C'est tout sauf une lubie.

Le dentiste dépose sa pipe dans le cendrier, puis ôte ses lunettes. Il se renverse sur son fauteuil et ferme les yeux. Il passe une main dans ses cheveux grisonnants. Emma retient son souffle en attente de sa réponse. Au bout d'un moment, qui lui semble interminable, il déclare :

— Tu ne fais rien comme les autres femmes, il faudra m'y habituer.

— Alors, c'est oui ?

— Je ne te mettrai pas des bâtons dans les roues. Ta route sera déjà assez difficile sans cela.

— Oh ! Edmond, merci ! s'exclame-t-elle en se blottissant dans ses bras.

Il lui relève doucement le menton afin que leurs regards se croisent.

— Promets-moi une chose.

— Laquelle ? demande-t-elle, tout sourire.

— Si la tâche devient trop pénible, ne t'obstine pas à continuer. Personne ne t'en voudra d'abandonner.

— Cela n'arrivera pas.

— Promets-le-moi quand même, Emma, insiste-t-il, la mine sérieuse.

— Promis, juré, craché !

Emma est si heureuse qu'elle serait prête à accepter n'importe quoi venant de son homme.

— Tu es consciente que les études vont te demander beaucoup de temps ?

Elle acquiesce de la tête.

— Le moment est venu d'engager une bonne à la maison.

Elle ouvre la bouche pour protester.

— Si tu veux obtenir ton diplôme de dentiste, tu dois prendre les moyens pour y parvenir. Tu as beau être la plus adorable fée du logis que je connaisse, il te faudra de l'aide pour tenir maison.

— Je n'aime pas l'idée de me faire servir par une bonne.

— Elle s'occupera uniquement des tâches domestiques.

— Bon, d'accord ! se résigne la fille de Jean-Baptiste Gaudreau. Mais une fois mon diplôme obtenu, nous nous passerons de ses services.

— Chaque chose en son temps, ma belle. Pour l'instant, concentre-toi sur tes études.

Rares sont les maris qui accepteraient que leur femme entreprenne un projet aussi ambitieux que le mien. Il ne faut pas ambitionner sur le pain bénit, comme disait maman.

— Tu as raison, admet-elle en lui adressant un regard reconnaissant. Cette semaine, je mettrai une annonce dans le journal. Avec un peu de chance, nous dénicherons la perle rare.

— Je ne suis pas inquiet, nous la trouverons. Il y a tant de jeunes filles venues de la campagne qui souhaitent travailler comme servante au sein d'une famille respectable de la ville. Nous aurons l'embarras du choix.

— Si tu le dis, répond Emma à demi convaincue.

* * *

Deux jours plus tard, Emma se rend au *Courrier du Canada* sur la rue Buade pour déposer une annonce. « Servante à domicile demandée. S'adresser à Dame Emma Casgrain. 51 rue Saint-Jean, Québec, janvier 1897 ». C'est avec un sourire aux lèvres qu'elle quitte le local du journal, certaine d'avoir bientôt des nouvelles. Elle marche d'un pas alerte malgré le temps maussade. Un vent froid accompagné d'une neige folle l'oblige à relever le capuchon de son manteau et à baisser la tête. Heureusement, elle n'a plus que quelques pas à faire avant d'être chez elle.

— Je suis de retour, Edmond, lance-t-elle joyeusement dès qu'elle ouvre la porte de leur logis.

— Tu as fait vite. Je viens juste de terminer mon dîner.

— Avec ce froid mordant et cette neige qui pinçait les joues, j'avais intérêt à ne pas traîner en chemin, réplique-t-elle en délaçant ses bottines enneigées. L'annonce paraîtra vendredi prochain. J'espère que nous recevrons quelques réponses.

Elle retire son manteau et son chapeau avant d'aller rejoindre son mari à la cuisine.

— Il reste de la soupe. Tu en veux ? propose-t-il gentiment.

— Oui, merci. Ça va me réchauffer. Je ne sens plus mes doigts tellement ils sont gelés, dit-elle en se laissant tomber sur une chaise.

— Je t'avais offert de me rendre au journal, ce matin. Tu aurais dû m'écouter.

— Je ne pensais pas qu'il faisait si froid, répond-elle en guise d'excuse.

Au même moment, le carillon de la porte retentit. Emma fait mine de se lever.

— C'est sûrement monsieur Savard. Il avait rendez-vous en début d'après-midi.

— Laisse, j'y vais. Rejoins-moi en bas lorsque tu auras fini de manger, dit-il en déposant un bol de soupe au poulet sur la table.

Il l'embrasse sur la joue, puis part en vitesse. Elle l'entend dévaler les marches de l'escalier. *Règle numéro un, ne jamais faire attendre trop longtemps un patient, sinon il ira voir ailleurs,* songe-t-elle tout en avalant une cuillerée de soupe qui sent bon le thym.

***

Quatre personnes répondent à l'annonce d'Emma. La femme du dentiste tient à rencontrer chacune d'elles. Toutes lui plaisent. Edmond ne souhaite pas s'en mêler, argumentant que c'est à elle de choisir la candidate qui convient le mieux pour l'emploi. «L'intérieur de la maison relève du domaine de la femme», lui fait-il remarquer. Emma arrête son choix sur une jeune fille de dix-sept ans nouvellement arrivée en ville et logeant chez l'une de ses tantes en attendant de trouver un travail. «Le fait que Célina soit originaire de la Côte-du-Sud a sûrement pesé dans la balance», dit Edmond en souriant à sa femme. Emma ne nie pas que ce détail a influencé sa décision. Elle ajoute que la jeune fille lui a semblé honnête, respectueuse et sérieuse pour son âge.

Le lendemain matin, Célina se présente au domicile du dentiste Casgrain, munie de sa petite valise cartonnée.

— Entre! l'invite chaleureusement Emma en lui ouvrant la porte.

Intimidée, la jeune fille n'ose croiser le regard de sa patronne pendant que celle-ci lui fait visiter la maison. L'attitude de Célina rappelle à Emma son entrée au couvent. *Moi aussi je me tenais droite et silencieuse, écoutant d'une oreille distraite les explications de la religieuse qui nous guidait le long des corridors.* Elle a pitié de la jeune campagnarde.

— Nous allons bien nous entendre, j'en suis sûre, déclare-t-elle d'une voix apaisante. Mon mari et moi menons une vie simple, sans cérémonie. Comme nous recevons peu en raison de notre horaire chargé, tu ne verras pas souvent s'allonger tes heures de travail.

Le regard abaissé vers la pointe de ses bottines, la jeune fille ne dit mot.

— Est-ce que je te fais peur à ce point?

Célina relève aussitôt la tête et soutient sans broncher le regard de sa maîtresse.

— Non, madame Casgrain.

— Alors pourquoi es-tu muette depuis ton arrivée?

— Ma tante m'a recommandé de ne parler que si vous m'adressez la parole, car le rôle d'une domestique est de servir ses maîtres.

Apprendre à se taire, comme au couvent, songe Emma.

— L'un n'empêche pas l'autre, Célina. Tu peux accomplir ton travail sans te départir de ton sourire et de ta langue. Travailler dans la bonne humeur et la joie de vivre est bien plus agréable. Es-tu de mon avis?

— Oh oui! répond spontanément la jeune fille.

— Tant que tu ne jacasseras pas comme une pie, tout ira bien, plaisante Emma.

Célina émet un petit rire nerveux.

— Je sais que, dans la plupart des maisons bourgeoises de la ville, on exige que le personnel soit distant et se dévoue dans le plus grand silence auprès de son employeur. Ici, cette règle ne s'appliquera pas. Tu peux même fredonner en travaillant si le cœur t'en dit. Et si tu as un problème, n'hésite pas à m'en parler.

Un beau sourire illumine le visage de la nouvelle domestique.

— Comme je te l'ai déjà mentionné, en plus de tes gages, tu seras logée et nourrie. Tu peux aller défaire ta valise dans ta chambre. Prends le temps de bien t'installer. Je serai au boudoir si tu as des questions.

Célina incline la tête, puis esquisse une petite révérence.

— Ah! non! Pas de ça ici! s'écrie Emma. Nous ne sommes pas à la cour d'Angleterre et je ne suis pas la reine Victoria pour que tu me fasses des courbettes. Tout ce que je te demande, c'est le respect et la politesse. Me suis-je bien fait comprendre?

— Tout à fait, madame Casgrain. Cela ne se reproduira plus.

— Bien. Une dernière chose, appelle-moi madame Emma. Cela fait moins cérémonieux, explique-t-elle, les yeux rieurs. Va maintenant.

Célina se dirige d'un pas plus léger qu'à son arrivée vers la chambre qui lui a été allouée. Une fois la porte refermée, la jeune fille appuie son dos contre celle-ci et pousse un soupir de soulagement. Tout s'est déroulé beaucoup mieux que prévu. Sa tante lui avait brossé un tableau plutôt sombre des maisons bourgeoises de la ville. «Ces gens sont froids et hautains. Ne t'attends à aucune considération de leur part, encore moins un remerciement. Tu es là pour les servir, ne l'oublie jamais », l'avait prévenu la sœur de son père. À la grande surprise de Célina, sa nouvelle patronne lui est apparue sous les traits d'une femme sympathique. Son regard se promène dans la pièce. La chambre est de bonne taille et meublée avec goût. « Tu verras, tu seras logée sous les combles. Prépare-toi à geler l'hiver et à crever l'été », lui avait prédit sa tante. Cette veuve sans enfant préfère travailler dans une usine plutôt que d'être « l'esclave » d'une bourgeoise de la ville. Célina est heureuse de constater que sa tante s'est trompée. Sa chambre n'est ni au grenier ni au sous-sol. De plus, la pièce est jolie, chaude et bien éclairée. La jeune fille dépose sa valise sur le lit recouvert d'un édredon et en vide rapidement le contenu. Elle ouvre l'armoire en acajou et pend un à un ses vêtements sur des cintres. Célina glisse sous son oreiller sa chemise de nuit, puis range ses sous-vêtements, ses bas et autres effets personnels dans les tiroirs de la commode. C'est la première fois de sa vie qu'elle dispose d'une chambre juste pour elle. Elle s'approche de la fenêtre, écarte les rideaux de dentelle blanche et contemple la vue qui s'offre à ses yeux. Du troisième étage, elle aperçoit les piétons, les voitures et les chevaux qui circulent sur la rue Saint-Jean, malgré le froid et la neige qui tombe. Elle se réjouit d'être bien au chaud, à l'abri des intempéries. *Au travail!* se dit-elle joyeusement. Elle enlève sa belle robe du dimanche qu'elle suspend avec soin dans l'armoire avant d'enfiler une robe noire. Après avoir noué un tablier blanc autour de sa taille, la jeune fille relève ses cheveux blonds en un chignon serré. Malgré sa tenue sévère, la jolie campagnarde respire la joie de vivre. Un dernier regard à son reflet dans le petit miroir accroché sur l'un des murs et la voilà prête à quitter la chambre. Dès qu'elle se retrouve à la cuisine, Célina fait chauffer de l'eau qu'elle verse ensuite dans un grand bol pour laver la vaisselle du déjeuner. La domestique veille à faire le moins de bruit possible pour ne pas déranger sa maîtresse qui étudie dans le boudoir. Célina ne comprend pas très bien les raisons qui poussent sa patronne à vouloir devenir dentiste. « Elle n'y arrivera pas, avait décrété la tante de Célina. Dentiste, c'est comme médecin, ce sont des professions pour les hommes, pas pour les femmes. » *Peut-être bien, mais pourquoi ne pas tenter sa chance si c'est ce qu'elle souhaite ?* songe la jeune fille en essuyant une assiette. Elle se met à fredonner doucement, le cœur heureux et l'esprit libre.

Chapitre 26

— Une pure merveille! ne cesse de répéter Edmond d'un air extasié.

— J'admets qu'elle est belle. Tu vas faire des jaloux quand tu te promèneras avec ta voiture dans les rues de la ville.

— Comprends-tu maintenant pourquoi j'ai eu le coup de foudre en la voyant, Emma?

— Tu m'en as parlé pendant des heures après ton retour des États-Unis.

— Quand je pense que j'aurais pu passer à côté de cette splendeur! Je me suis rendu à l'exposition uniquement par curiosité. J'étais loin de m'imaginer que j'y découvrirais une telle merveille.

Emma sourit sans répondre. L'automne dernier, elle avait décliné l'offre de se rendre aux États-Unis avec son mari, prétextant qu'elle voulait rester à la maison pour se concentrer sur ses études. Bien sûr, c'était vrai, mais la véritable raison de son refus était son incapacité à supporter les longs trajets en train. Chaque fois, elle revenait exténuée avec la sensation d'avoir la tête prise dans un étau. Edmond s'est résigné à voyager seul. Il s'est rendu aux États-Unis pour promouvoir deux de ses inventions: une lampe à gaz acétylène et une machine à faire les cigarettes. Emma est fière de l'esprit inventif de son mari. «À cinquante ans, il en surprend encore plus d'un», songe-t-elle en lui jetant un regard amoureux.

— Il a quand même fallu que tu l'assembles, Edmond. Cette voiture est arrivée de France en pièces détachées.

— Un jeu d'enfant! C'était simple comme bonjour.

— Pour quelqu'un comme toi qui s'y connaît en mécanique, précise-t-elle. Mais pourquoi provient-elle de France puisque tu l'as vue aux États-Unis?

— Ce petit bijou a été fabriqué en France par Léon Bollée. Son père et son frère sont aussi constructeurs automobiles. Une grande famille d'inventeurs! Réalises-tu que c'est la première voiture du genre au Canada? Il n'en existe aucune autre.

Emma observe la nouvelle acquisition de son mari.

— Cette voiture à trois roues semble équipée de sièges confortables. Où s'assoit le conducteur? À l'avant?

Edmond secoue négativement la tête.

— À l'arrière.

— Je me retrouverai donc assise à l'avant si je souhaite me balader avec toi à bord de cet engin.

— Oui, si tu es passagère.

— Que veux-tu que je sois d'autre? Sûrement pas conductrice.

— Pourquoi pas, puisque tu sembles n'avoir peur de rien?

— Cesse de te moquer de moi. Tu sais bien que je ne conduirai jamais un tel engin. J'aurais bien trop peur de prendre le champ.

Elle s'interrompt, le visage soudain sérieux.

— Qu'y a-t-il, Emma?

— Le passager n'est guère protégé dans cette position à l'avant. En cas d'accident, il sera projeté dans les airs et se retrouvera sur le pavé avec un ou plusieurs membres cassés.

— Voilà sans doute pourquoi, en France, on surnomme cette voiture «le tue belle-mère», réplique Edmond, l'air moqueur.

— Si tu continues à m'étriver, jamais je ne monterai dans ta Bollée.

— Ne te fâche pas, ma belle. Je te promets de conduire prudemment, surtout lorsque tu m'accompagneras. Je tiens beaucoup trop à toi pour t'infliger ne serait-ce qu'une égratignure.

Elle examine de nouveau la voiture.

— Une chose est certaine. Il faudra l'utiliser uniquement lorsqu'il fait beau.

— Pourquoi?

— Aussi belle que soit ta merveille, elle ne possède pas de capote pour nous protéger de la pluie.

— C'est romantique, une balade sous la pluie.

— Tu la feras sans moi. Je ne trouve rien d'agréable à être trempée comme un canard.

En retrait, Célina observe le couple. Avec le temps, elle a appris à les connaître et sait qu'ils aiment bien se taquiner. L'air courroucé de madame Emma n'est qu'un leurre. Elle est persuadée que sa patronne rêve d'essayer la voiture. Depuis que la jeune fille travaille chez les Casgrain, elle ne trouve rien à redire sur eux. Au début, elle avait été surprise que la femme du dentiste la tutoie. Sa tante lui avait affirmé que les bourgeois vouvoyaient leurs domestiques. Célina avait osé poser la question à sa patronne. «Parce que le tutoiement rapproche les gens et c'est plus chaleureux», avait répondu Emma Casgrain en la gratifiant d'un sourire.

— Et toi, Célina, qu'en penses-tu?

Le dentiste fixe la domestique d'un œil amusé.

— C'est une bien belle voiture, répond-elle prudemment.

— Oui, ça je sais, mais la question était plutôt : te promènerais-tu sous la pluie ?

— Je sors par tous les temps, monsieur. La pluie, la neige, le froid, le vent, rien ne m'arrête.

Edmond lance un regard triomphant à sa femme. Celle-ci réplique aussitôt :

— Célina n'a pas le choix, elle doit faire les courses. Ce n'est pas par plaisir qu'elle brave les intempéries.

— Je suis certain qu'elle ne refuserait pas une petite promenade en Bollée même s'il pleuvait. Ai-je raison, Célina ?

La domestique ne sait quoi répondre. Elle ne veut déplaire ni à l'un ni à l'autre.

— Tu la mets dans l'embarras. Ne réponds pas, Célina. Mon mari pose parfois des questions saugrenues.

Edmond ne s'offusque pas du commentaire. Au contraire, il propose d'une voix joyeuse :

— Il fait beau. Le temps est doux et c'est dimanche. Faites-vous belles, mesdames. Je vous emmène faire un petit tour.

Un peu réticente, Emma surprend le regard enthousiaste de la bonne. *Pourquoi la priver de ce petit bonheur ? Elle n'a pas souvent l'occasion de s'amuser.*

— Donne-nous quinze minutes pour nous préparer, répond-elle.

— Quinze, pas plus, autrement je pars sans vous.

— Vite, Célina, il n'y a pas une minute à perdre, s'écrie Emma en feignant la panique.

Elle monte aussitôt les marches de l'escalier, suivie de la bonne. *J'adore cette femme !* se dit Edmond, un sourire aux lèvres. Un quart d'heure plus tard, Emma et Célina descendent, vêtues de leurs plus beaux atours. L'homme sort sa montre de son gousset et vérifie l'heure.

— Bien, vous êtes ponctuelles ! déclare-t-il d'un ton plaisantin. Installez-vous à l'avant. En vous tassant, il y a de la place pour deux.

Emma grimpe la première sur le siège. Célina vient ensuite la rejoindre. Celle-ci a beau être mince, les deux femmes sont à l'étroit.

— Impossible de bouger, nous sommes coincées entre les deux grandes roues, ronchonne Emma.

— C'est la voiture qui bougera, pas nous.

— Très drôle, Edmond.

Célina se tient le dos bien raide, s'interdisant de remuer, ne serait-ce qu'un orteil. Elle ne veut surtout pas indisposer sa patronne qu'elle sent tendue.

— Attention, mesdames ! Je vais faire démarrer cette merveille.

Sous l'œil curieux de sa femme et de la bonne, Edmond donne un vigoureux tour de manivelle. Le moteur se met à pétarader. La mine réjouie, le conducteur prend place sur le siège arrière.

— Et voilà ! En route pour l'aventure ! s'écrie-t-il en actionnant le levier de vitesse.

Aussitôt que la voiture commence à rouler, Emma agrippe le bras de Célina. *Quelle idée stupide ai-je eue de monter dans cet engin !* se sermonne-t-elle en serrant les dents. Au fur et à mesure que la Bollée prend de la vitesse, la femme du dentiste se sent de plus en plus inquiète. Sur les trottoirs, les piétons leur jettent des regards intrigués. Edmond porte la main à son chapeau pour les saluer. Par moments, Emma ferme les yeux.

— Edmond, pour l'amour du ciel, va moins vite, le supplie-t-elle.

— Je roule à la plus petite vitesse, proteste son mari. Nous ne faisons que cinq milles à l'heure.

Les yeux de Célina pétillent de contentement. Jamais elle ne s'est autant amusée. Tout le long de la rue Saint-Jean, les gens se retournent sur leur passage. La jeune fille ne déteste pas être au centre de l'attention. Elle prend plaisir à voir la voiture du dentiste dépasser les fiacres et les charrettes. Les traits crispés par l'anxiété, sa patronne est loin de partager son allégresse. Visiblement, elle n'aime pas être le point de mire.

— Ça suffit pour aujourd'hui, déclare Edmond en faisant demi-tour.

Merci, mon Dieu! se dit Emma, soulagée. Dès que la voiture s'immobilise devant la maison, la femme du dentiste respire plus normalement. Célina descend la première et remercie aussitôt son patron. Les jambes flageolantes et le cœur au bord des lèvres, Emma descend à son tour. Edmond remarque son teint pâle.

— Ça va, Emma?

Elle s'apprête à répliquer vertement, mais se ravise lorsqu'elle aperçoit la voisine sur le seuil de sa porte. Emma redresse aussitôt les épaules. *Pas question de faire preuve de faiblesse devant cette Irlandaise. Je ne lui ferai pas le plaisir de m'évanouir ni de manifester ma contrariété.* Kate Kirwin s'avance vers eux, le sourire fendu jusqu'aux oreilles.

— Vous avez enfin étrenné votre voiture, docteur Casgrain.

— En effet, le temps radieux se prêtait bien à une balade.

— Je vous envie, madame Casgrain. J'aimerais bien que mon mari soit aussi avant-gardiste que le vôtre. J'ai bien peur de devoir patienter un bon moment avant que Léonard fasse l'acquisition d'une voiture de ce genre.

— À défaut d'une Bollée, vous pourrez toujours faire l'expérience du tramway électrique, madame Léonard, réplique Emma dont le visage retrouve peu à peu ses couleurs. On prévoit son inauguration cet été.

— Oui, oui, je sais. Québec passera à l'ère moderne, comme disent les journaux. Il en sera fini du temps des voitures à cheval.

— Bien des cochers perdront alors leur travail, déplore Emma. Ils devront changer de métier et vendre à bas prix leurs chevaux et voitures.

— Je sais bien, mais on ne peut empêcher le progrès, madame Casgrain. Il y aura toujours des gagnants et des perdants. C'est la vie.

La jolie rousse tire un mouchoir de la poche de sa jupe.

— Il fait chaud en ce début de juin, dit-elle en s'épongeant délicatement le cou.

La femme du décorateur tourne son joli minois vers son voisin.

— Dites-moi, docteur Casgrain, votre voiture s'alimente de quelle façon ? Sûrement pas comme un cheval, ajoute-t-elle en éclatant de rire.

Son rire aigu écorche les oreilles d'Emma.

— J'aimerais bien que ce soit le cas, répond le dentiste. Le foin coûte moins cher que la gazoline et il est beaucoup plus facile de s'en procurer.

La belle Kate se frappe le front avec la paume de sa main.

— Que je suis donc bête ! déclare-t-elle en souriant. C'est une voiture à gaz. Je pose parfois des questions stupides.

Comme quoi il faut tourner sept fois sa langue dans sa bouche avant de parler, pense méchamment Emma qui se force à garder un air aimable devant leur voisine.

— Où achetez-vous de la gazoline ? s'enquiert avec curiosité l'Irlandaise.

— Chez les vendeurs d'huile à lampe. Ce sont les seuls à en posséder.

— Bon, je vais vous laisser. Au fait, nous avons reçu votre commande de papier peint pour votre salon.

— Merci, je passerai à la boutique demain, répond Emma.

— Je vous souhaite une belle fin de journée. À demain !

La voisine leur adresse un dernier sourire avant de tourner les talons.

— Une femme bien charmante, cette Kate ! murmure Edmond.

Emma retient un commentaire désobligeant. Le petit côté « madame Je-Sais-Tout » de la belle Irlandaise l'agace. Elle n'a pas l'intention de s'en faire une amie, encore moins une confidente. Pourtant, elle doit admettre que la femme de Léonard Bernard est travaillante et toujours aimable envers la clientèle. C'est un plaisir pour l'œil d'entrer dans leur boutique. Le couple se vante d'avoir le plus beau choix de papiers peints de Québec. *Et ils ont raison*, pense Emma. *Mais la qualité a un prix et seuls les gens riches de la Haute-Ville peuvent se permettre d'acheter chez L. Bernard pour décorer leurs résidences.*

— Je monte me changer et préparer le repas, madame Emma.

— Ne te complique pas la vie. Un repas léger suffira ce soir.

— J'avais pensé à du poisson poché et une salade verte.

— C'est parfait ! répondent en chœur Emma et Edmond.

Pendant que la bonne franchit le seuil de la porte, le dentiste propose à sa femme :

— Une petite marche de santé ? Il n'y a rien de mieux pour ouvrir l'appétit.

— À la condition que tu ajustes ton pas au mien. J'ai souvent peine à te suivre.

— Je marcherai à ton rythme, promet-il en lui offrant galamment le bras.

Les Casgrain se promènent sur la rue Saint-Jean depuis un moment lorsque Edmond déclare soudain :

— Je vais inviter Ulric Barthe à faire l'essai de ma voiture.

— Pourquoi le rédacteur en chef de *La Semaine commerciale* accepterait-il ta proposition ?

— Pour deux raisons. Ulric est un ami. De plus, il est journaliste, donc curieux de nature.

— Et il te fera une belle publicité dans son journal, conclut-elle en lui décochant un sourire.

— On ne peut rien te cacher.

— Mais pourquoi ne pas avoir plutôt invité ton cousin ?

— Thomas Chapais ?

— Oui, il est propriétaire du *Courrier du Canada* depuis plusieurs années et en a été longtemps le rédacteur en chef.

— J'y ai pensé, mais Thomas est passablement occupé depuis qu'il a été nommé au Conseil législatif de la province de Québec. Je te l'ai dit, Ulric est un ami et il aime les sensations fortes. Je ne suis pas certain que mon cousin aurait autant apprécié.

— As-tu une idée où tu emmèneras monsieur Barthe ?

— Sur le chemin Sainte-Foy. C'est le meilleur endroit pour faire de la vitesse. En ville, c'est dangereux. Il y a trop de circulation dans les rues. Je ne voudrais pas faucher un piéton ou entrer en collision avec une charrette, ou pis, un tramway.

— Tu rouleras à quelle vitesse ? s'enquiert-elle d'un ton inquiet.

— À la plus grande si je veux impressionner mon passager.

— Sois plus précis. À combien ?

— Dix-huit milles à l'heure.

— Mon Dieu ! s'écrie Emma en plaquant une main sur sa bouche ouverte. À cette vitesse, vous allez vous tuer.

— Mais non ! Nous roulerons sur une route plate, sans dénivellation. Ce n'est pas comme en ville où il y a des côtes à monter et à descendre. À Sainte-Foy, nous sommes presque en campagne, nous ne risquons pas de croiser beaucoup de circulation.

— Sois quand même prudent, Edmond.

Affichant un air contrarié, elle ajoute :

— Je sens que je n'ai pas fini de m'inquiéter.

* * *

Ulric Barthe accepte avec empressement l'invitation d'Edmond. Le cœur serré, Emma regarde la Bollée s'éloigner sur la rue Saint-Jean. « Relaxe, ma belle. Il ne nous arrivera rien », lui a murmuré son mari avant de partir. « La voiture qui marche toute seule », comme les gens de Québec la surnomment déjà, l'attire et l'effraie. Rouler à grande vitesse donne une impression de liberté, mais comporte aussi des dangers. Le risque d'entrer en collision avec une voiture à cheval ou un tramway reste bien présent. La semaine dernière, Edmond a évité de justesse une jeune fille qui traversait la rue Saint-Vallier. Il s'en est fallu de peu pour que celle-ci soit écrasée par les roues de l'automobile.

— J'espère qu'il ne mouillera pas, le ciel est bien gris, constate Célina.

Emma tourne son regard vers la bonne.

— Il ne manquerait plus que ça! soupire-t-elle.

— Elle a fière allure la voiture de monsieur Casgrain.

— En effet, elle brille de tous ses feux.

Edmond l'a astiquée pendant des heures, hier soir. Il y tient comme à la prunelle de ses yeux, songe Emma.

— Je vais faire les courses, madame Emma.

— Pense à acheter de l'huile d'olive et de l'eau de Vichy à l'épicerie Roumilhac. Prends aussi quelques charcuteries françaises et un ou deux fromages fins. Mon mari en raffole.

— Bien, madame.

Le panier sous le bras, la domestique s'apprête à partir.

— Passe également à la pharmacie Roy. J'ai besoin d'une boîte de cachets pour les maux de tête.

— Avez-vous une préférence?

— Peu m'importe. Les cachets Williams ou Lawrence sont aussi efficaces les uns que les autres. Si tu as le temps, fais un saut au bureau de poste.

— Je n'y manquerai pas.

— Dépêche-toi avant qu'il se mette à pleuvoir.

Célina acquiesce de la tête et prend congé de sa maîtresse. Elle marche d'un pas rapide sur le trottoir. Faire les courses lui plaît bien. Cela lui permet de revêtir sa belle robe bleue et d'oublier pour quelques minutes son statut de servante. Sans sa robe noire, son tablier et sa coiffe blanche, elle ressemble à une jeune citadine jolie et distinguée. L'illusion est parfaite. *Jusqu'à ce que je m'ouvre la bouche,* rectifie-t-elle aussitôt. Célina sait qu'elle ne s'exprime pas comme les jeunes filles de bonne famille et que sa façon de parler trahit ses origines paysannes. Elle n'a pas usé ses fonds de culotte sur les bancs d'école. La maladie de sa mère l'a obligée à quitter la petite école de rang pour s'occuper de ses frères et sœurs. Elle a juste eu le temps d'apprendre à lire et à écrire. «Au moins, tu sais écrire ton nom. Ton père et moi, on trace une croix sur le papier en guise de signature», lui a fait remarquer sa mère pour la consoler d'avoir dû abandonner l'école. Célina est heureuse d'avoir été engagée chez les Casgrain. Même si elle est la seule servante de la maison, sa journée de travail dépasse rarement les dix heures. Le reste du temps, elle est libre de l'employer comme bon lui plaît. «Es-tu sûre de pouvoir t'absenter sans la permission de ta patronne?» lui avait demandé la sœur de son père, quelques jours après son engagement. Visiblement, la femme était étonnée de la liberté dont jouissait sa nièce de dix-sept ans. «Profites-en, car cela ne durera pas, Célina.» Encore une fois, les prédictions de sa tante s'étaient révélées fausses. Madame Emma ne contrôle pas ses allées et venues et ne surveille pas ses fréquentations. «Tu ne sembles pas une oie blanche. Je te fais confiance», lui a-t-elle simplement dit lors de l'embauche. La jeune fille s'est fait un point d'honneur de mériter cette confiance et de ne pas abuser de la générosité de sa patronne. Elle ne sort jamais seule la nuit tombée, veille à ne pas gaspiller l'argent de ses gages et remplit avec soin ses devoirs religieux. Depuis que madame Emma lui a permis d'utiliser la nouvelle machine à coudre Singer, Célina est aux anges. La jeune fille a compris très vite comment s'en servir. Dès qu'elle en a l'occasion, elle se rend dans la petite pièce aménagée en salle de couture. Le pied sur la pédale, elle actionne le mécanisme de la machine tout en chantonnant. Même si elle n'a pas encore de prétendant, elle souhaite préparer son trousseau. Ainsi, elle ne se présentera pas les mains vides le jour de son mariage. Célina apprécie aussi le fait de pouvoir lire la chronique mondaine qui paraît chaque semaine dans *Le Courrier du Canada*. Elle se délecte également de la lecture pour les dames dans *La Semaine commerciale*. Elle y apprend plein de choses intéressantes qui lui serviront une fois mariée. Dans ce journal, on donne des recettes de cuisine, des trucs pour soigner les petits maux courants sans avoir recours au médecin, des conseils de mode féminine, etc. «Ne prends pas à la lettre tout ce qui est écrit dans cette chronique, l'a prévenue sa patronne. Certains conseils sont idiots. Comme celui de ce savant allemand qui prétend que manger un oignon cru calme les nerfs de la femme et embellit son teint. Je n'ai jamais entendu pareille sottise.» Célina a souri, mais reste persuadée qu'il y a un fond de vérité dans cette histoire d'oignon cru. *Il n'y a pas de mal à l'essayer. Si cela ne donne aucun résultat, tant pis, mais si cela fonctionne, j'aurai un beau teint,* se dit la jeune fille dont les pas l'ont conduite devant la confiserie McWilliam. Elle doit faire un effort pour ne pas s'arrêter devant la vitrine de la pâtisserie. Si elle ne se retenait pas, elle s'achèterait des bonbons au chocolat. Ils sont si bons et fondent dans la bouche. Mais comme elle travaille chez un dentiste, elle résiste à ce petit plaisir. «Le sucre carie les dents», lui répète souvent madame Emma. À regret, Célina détache son regard de la vitrine et poursuit son chemin. Sa liste de commissions est longue et le ciel s'assombrit de plus en plus.

* * *

À son retour, Célina aperçoit la voiture du dentiste stationnée devant la façade de la maison. *Elle est moins propre que tantôt,* constate-t-elle. Des traces de boue sont visibles un peu partout sur l'automobile. Pressée de déposer son lourd panier, la jeune fille pénètre dans la demeure des Casgrain et gravit les marches d'un pas rapide. Au deuxième étage, la porte est entrouverte. De sa main libre, elle pousse la porte et entre dans le logis. Des bribes de conversation lui parviennent du salon. La bonne tousse pour signaler sa présence.

— C'est toi, Célina ?

— Oui, madame Emma.

— Quand tu auras terminé à la cuisine, nous prendrons le thé au salon.

— Bien, madame.

La domestique file vers la cuisine. En moins de cinq minutes, elle vide le panier de son contenu, range les provisions, puis sort de l'armoire deux tasses de porcelaine anglaise assorties de deux soucoupes. Une fois l'eau chauffée, elle la verse doucement dans la théière blanche où elle a pris soin de déposer deux sachets de thé noir. Du Earl Grey, ses patrons ne boivent rien d'autre. Un parfum d'orange chatouille aussitôt ses narines. Sur le plateau, elle dispose le service à thé accompagné de biscuits secs et de petits fours.

— Merci, Célina. Pose-le sur la table, nous nous servirons.

La bonne glisse une main dans la poche de son tablier et en sort une enveloppe qu'elle tend à sa patronne.

— Le postier m'a remis une lettre pour vous. Elle vient des États-Unis.

— Donne vite, s'écrie Emma. Ça fait des jours que j'attends des nouvelles de ma famille.

Fébrilement, elle décachette l'enveloppe et en extrait une feuille de papier bleu qu'elle déplie avec précaution. Ses yeux parcourent rapidement la lettre.

— Ma sœur aînée se marie cet été, lance-t-elle en tournant un regard étonné vers Edmond.

— C'est une bonne nouvelle, non ?

— Oui, sans doute.

— Tu ne sembles pas très convaincue.

— Je n'aurais jamais pensé que Caroline se marierait un jour. À quarante-trois ans, elle a depuis longtemps coiffé la Sainte-Catherine. J'espère juste qu'elle ne se marie pas par dépit. J'ignore tout de ce type qu'elle va épouser. Elle ne donne aucun détail. Je ne sais même pas si son fiancé est canadien ou américain. Pourvu que ce ne soit pas un mariage mixte.

— Cela ne serait pas un déshonneur. Est-ce si important que ta sœur se marie avec quelqu'un d'ici ?

— Tu en as de drôles de questions ! Bien sûr que ça l'est, Edmond. Les Américains ne parlent pas notre langue et ne pratiquent pas notre religion. Je ne veux pas que ma sœur oublie son français et perde sa foi catholique en épousant un étranger. Ce serait comme si elle trahissait ses origines.

— Tu y vas un peu fort, Emma. La plupart de tes frères et de tes sœurs vivent aux États-Unis maintenant. Il faudra que tu l'acceptes. Cela ne signifie pas qu'ils ont renié leur pays natal pour autant.

Elle le fusille du regard pendant que la bonne se retire de la pièce, emportant le plateau vide. Edmond porte la tasse à ses lèvres. Le thé est trop chaud. Il dépose la tasse dans la soucoupe.

— De plus en plus de Canadiens français émigrent aux États, reprend-il. Une fois là-bas, ils cherchent à se regrouper entre eux afin d'éviter l'isolement et l'abandon. Je ne serais pas surpris que Caroline soit fiancée à un gars de chez nous.

— Pourquoi laisser planer tout ce mystère alors ? Depuis la mort de papa, il y a un an et demi, on dirait que ma famille a éclaté en morceaux. Nous sommes tous dispersés.

Elle serre la lettre contre son cœur.

— Je ne pourrai même pas assister au mariage de Caroline.

— Pourquoi ?

— Parce que les noces auront lieu en même temps que celles de Stanislas. Et nous avons déjà accepté l'invitation de mon frère. Une fois de plus, la famille sera divisée.

Sa voix n'est plus qu'un murmure. Edmond ressent sa tristesse.

— Nous irons passer quelques jours aux États cet automne. Ce sera comme une seconde lune de miel, ajoute-t-il en lui adressant un clin d'œil.

— On verra, répond-elle. Le trajet en train dure des heures et me rend chaque fois malade.

— Je sais, mais c'est malheureusement le prix à payer pour voir ta famille.

— Au moins pour se rendre au mariage de Stanislas, le trajet sera court. Mon petit frère a eu la brillante idée de choisir une fille de Trois-Pistoles.

— Je lui reconnais encore une autre bonne idée, celle d'exercer la profession de dentiste.

— Tu l'as beaucoup inspiré. Lorsqu'il était petit, Stanislas te vouait une admiration sans bornes. Tu l'impressionnais beaucoup. Plus d'une fois, il a confié à mes parents vouloir suivre tes traces en devenant dentiste.

— Cela ne devait pas faire très plaisir à ton père.

Emma sourit.

— Il aurait préféré un travail plus terre à terre si je peux m'exprimer ainsi. Chez les Gaudreau, comme chez les Létourneau, tout le monde a été élevé sur une ferme. Mes oncles étaient tous cultivateurs. Papa envisageait le même avenir pour ses fils.

Les traits de son visage s'assombrissent alors qu'elle croque un biscuit sec.

— Je sais, mais ce n'était plus possible, ma belle. Ton père l'a compris. Il n'est pas le seul cultivateur à avoir émigré aux États-Unis.

— Au rythme où vont les choses, il ne restera bientôt plus personne chez nous. Les paroisses se vident une à une sur la Côte-du-Sud.

— Les gens cherchent à échapper à la misère, Emma. Voilà pourquoi ils prennent la route des États.

— Je suis loin d'être certaine qu'ils ont amélioré leur sort là-bas. Passer ses journées dans une manufacture bruyante et sale à exercer un travail routinier et exigeant n'a rien de bien réjouissant.

— S'ils étaient si malheureux, ils reviendraient au pays comme d'autres l'ont fait.

Emma affiche une moue sceptique.

— Cesse de te faire du souci pour ta famille, ils vont bien.

— Qu'en sais-tu? lance-t-elle d'un ton agressif. On ne vit pas là-bas. Ils peuvent nous cacher bien des choses. Les lettres que je reçois de mes sœurs sont toujours courtes et impersonnelles. Elles me donnent l'information au compte-gouttes. Comme si elles avaient peur d'en dévoiler trop.

Elle tourne un regard tourmenté vers son mari.

— Comprends-tu Edmond que c'est justement ce silence qui m'inquiète ? Ce non-dit que je lis entre leurs lignes. Cette souffrance, cette amertume, cette déception que je perçois dans chacune de leurs lettres.

Il l'attire vers lui. Elle pose sa tête sur son épaule et pousse un long soupir.

— Tu es fatiguée. Cela te fait voir tout en noir. Quand as-tu dormi une nuit complète pour la dernière fois ? Tu passes tes soirées et une partie de la nuit le nez dans tes livres.

— Je n'ai pas d'autre choix si je veux réussir les examens. Il y a tant de matière à assimiler et si peu de temps pour y parvenir.

— Tu t'en mets trop sur les épaules.

Elle redresse aussitôt la tête et le fixe d'un air fâché.

— Que veux-tu insinuer ? Que je suis incapable d'aller au bout de ce que j'entreprends ? Si c'est ce que tu penses, j'ai de petites nouvelles pour toi, Edmond Casgrain. Je ne renoncerai pas à mon rêve d'être dentiste. Je vais mettre les bouchées doubles s'il le faut, mais j'y arriverai.

— Et si tu tombes malade à force de brûler la chandelle par les deux bouts, est-ce que cela en aura valu la peine ?

— Cela n'arrivera pas, j'ai une santé de fer.

Le couple garde le silence un bon moment. Désireuse de briser le malaise qui semble s'installer entre eux, Emma s'informe d'une voix qui se veut joyeuse :

— Ainsi, Ulric Barthe a aimé sa promenade en Bollée ?

— Il a surtout été impressionné par la puissance du moteur. Lorsque j'ai embrayé à la troisième vitesse, c'est-à-dire à dix-huit milles à l'heure, il jubilait. «L'effet est vertigineux», m'a-t-il déclaré en descendant de la voiture.

Emma étouffe un bâillement.

— Va t'étendre un peu, lui suggère-t-il. Une petite sieste avant le souper te fera du bien.

— Tu as raison. Mes yeux se ferment tout seuls. Tiens! Il commence à pleuvoir, constate-t-elle en regardant dehors. Vous avez été chanceux de ne pas essuyer une goutte de pluie durant votre promenade.

— En effet!

Elle l'embrasse sur le dessus de la tête.

— À tantôt, Edmond.

— Repose-toi bien.

Chapitre 27

— Que dirais-tu d'essayer le nouveau tramway ce matin?

Affairée à polir l'argenterie, la bonne lance un regard étonné à sa patronne attablée à la cuisine, une tasse de café à la main. *A-t-elle oublié que c'est lundi, jour de lavage et de ménage?* se demande la domestique.

— C'est qu'il y a beaucoup de besogne aujourd'hui, madame Emma.

— L'astiquage et l'époussetage attendront. Un peu de poussière dans une maison n'a jamais fait mourir personne.

— Et les chemises de monsieur Casgrain?

— Tu les laveras demain. Range ton tablier et va te changer. Nous partons dans quelques minutes.

— Mais je croyais que vous deviez étudier.

— Pas ce matin. Je m'accorde un congé.

— Mais…

— Depuis quand discutes-tu les ordres de ta patronne? Dépêche-toi, va te changer.

Le sourire en coin d'Emma fait disparaître les dernières hésitations de Célina qui file vers sa chambre, le visage heureux. Il ne lui faut que quelques minutes pour être prête et revenir à la cuisine.

— Te voilà bien jolie, la complimente Emma qui la toise de la tête aux pieds.

Les cheveux tressés en une longue natte qui descend jusqu'au milieu de son dos, la jeune fille a revêtu une jupe. De la main droite, elle tient son chapeau de paille orné d'un ruban rose.

— Merci, madame, répond la bonne en baissant les yeux.

Peu habituée à recevoir des compliments, elle se sent gauche et timide devant sa patronne. Emma repousse sa chaise et se lève.

— Partons maintenant.

Devant le miroir au-dessus de la console, la maîtresse de maison met son chapeau, puis enfile ses gants de dentelle. Elle accroche à son poignet droit le cordon qui retient le petit sac où elle a rangé un mouchoir, un flacon de sels, son parfum préféré et un peu d'argent. Suivie de Célina, elle descend l'escalier. Dès qu'elle ouvre la porte de la maison, un vent chaud l'assaille. *Heureusement que je ne porte pas de corset. Avec cette chaleur, cela aurait été un véritable supplice,* se dit-elle en franchissant le seuil de la porte.

— Ne reste pas derrière moi, Célina. Le trottoir est assez large pour marcher côte à côte.

La jeune fille accélère le pas pour rejoindre sa patronne. Le soleil tape fort sur son chapeau de paille. Elle envie l'ombrelle ouverte de madame Emma qui protège celle-ci des chauds rayons du soleil. Derrière elles, la clochette d'un tramway sonne à toute volée.

— Vite, Célina. Je ne veux pas le manquer et devoir attendre le prochain.

À quelques pieds devant elles, le tramway s'immobilise au milieu de la rue. Quelques personnes y montent. La domestique des Casgrain grimpe à son tour et demande au conducteur de patienter quelques secondes, le temps que sa patronne les rattrape. Avec difficulté, Emma parvient à se hisser sur le marchepied. *Il faudrait ajouter une marche supplémentaire. J'ai bien failli perdre pied,* grommelle-t-elle intérieurement.

— Combien est le prix d'un passage? s'informe-t-elle au conducteur.

— Cinq centins par passager, madame. Le billet est bon toute la journée.

Emma fouille dans son réticule et en sort deux pièces de monnaie qu'elle laisse tomber dans le distributeur en précisant au chauffeur:

— Je paie pour deux personnes.

Ce dernier approuve d'un signe de tête. Célina s'efface pour laisser passer sa patronne. Emma avance dans l'allée en quête d'une banquette libre. Dès qu'elle a trouvé, elle y prend place, suivie de sa domestique. Derrière le banc des deux femmes, un petit chien jappe bruyamment.

— On devrait interdire les chiens dans les tramways, chuchote Emma.

Célina est si contente de se promener en petit char qu'elle ne fait aucun cas de l'animal tapageur. Elle n'a pas assez de ses deux yeux pour tout voir. Deux sièges plus loin, un homme lit son journal, la feuille déployée toute grande devant lui au grand déplaisir de son voisin qui lui jette un regard mauvais. Un peu plus loin, une femme tient sur ses genoux un petit garçon qui suce son pouce. Le tramway circule sur des rails de fer. *Rien de comparable à celles en bois du tramway hippomobile,* songe Célina. Les rues de la ville défilent devant ses yeux. Même si elle sait que les petits chars n'ont pas le droit de dépasser huit milles à l'heure, elle a l'impression de circuler à grande vitesse. «Pas de chevaux pour les tirer, juste une longue perche placée sur les chars et qui communique avec les fils électriques suspendus dans les airs. Le nouveau tramway fonctionne grâce à la centrale de la chute Montmorency», avait expliqué le docteur Casgrain à sa femme lors de l'inauguration le 19 juillet dernier. Tout le long du circuit, hommes et femmes s'étaient massés en grand nombre sur les trottoirs pour ne rien manquer du spectacle. Le maire Parent, accompagné des échevins et de quelques notables de la ville, était monté à bord du tramway. Tout comme la plupart des gens, Célina avait poussé un cri d'admiration lorsque la voiture avait commencé à se déplacer sur les rails. Comme une petite fille excitée, elle avait battu des mains.

— Il faut descendre, Célina.

La voix de sa patronne la ramène au présent. La jeune fille se lève prestement et marche jusqu'à la porte de sortie. Dès que celle-ci s'ouvre par le milieu en deux volets qui glissent de chaque côté, Célina descend en sautant avec agilité sur le trottoir. Emma choisit de descendre de reculons, comme le font la majorité des dames. La domestique retient son souffle. Il s'en est fallu de peu pour que sa patronne s'empêtre dans le bas de sa robe et s'étale de tout son long sur le pavé. La femme du dentiste lui adresse un pâle sourire.

— Je suis moins souple et adroite que toi pour monter et descendre d'un tramway, constate-t-elle en ouvrant son ombrelle. Marchons jusqu'au Château Frontenac. Nous rentrerons ensuite à pied.

Emma n'ose pas avouer qu'elle a vraiment eu peur de tomber et de se blesser. Elle sent le besoin de faire quelques pas pour se remettre de ses émotions. *Les petits chars, ce n'est pas pour moi. Je laisse ça aux plus jeunes et aux plus intrépides. Ça roule trop vite. On a à peine le temps de descendre que ça repart aussitôt. Et tous ces fils suspendus dans les airs, mon Dieu que c'est laid! Nous avions bien assez des poteaux plantés un peu partout dans les rues pour acheminer l'électricité dans les résidences et les commerces de la ville.* Célina constate que sa patronne a perdu sa bonne humeur. Elle se fait discrète et silencieuse, rythmant son pas à celui de madame Emma. Ce qui ne l'empêche pas de profiter du moment présent. Pour une fois qu'elle fait autre chose que vaquer au ménage, au lavage et à la préparation des repas, elle ne s'en plaindra pas. La jeune fille lève les yeux pour admirer l'imposante façade du Château Frontenac. Disposé en fer à cheval, l'édifice est agrémenté d'une cour au centre de laquelle se dresse une magnifique fontaine. Cet hôtel, construit il y a trois ans, fait la fierté des citadins. Célina n'a aucune misère à le croire en le regardant. Emma s'arrête un instant pour reprendre son souffle. L'air moite et chaud la fatigue. Elle jette un œil à sa bonne. Celle-ci a le teint aussi frais qu'une rose.

— Comment fais-tu pour supporter cette chaleur écrasante ? lui demande Emma qui sue à grosses gouttes malgré son ombrelle. Tu ne transpires même pas. Oh, attention ! s'écrie-t-elle en tirant la jeune fille par le bras pour éviter qu'elle se fasse frapper par une charrette transportant des barils.

Devant le danger qu'elle vient de courir, Célina frissonne malgré elle.

— Ce conducteur imprudent vient de nous donner des sueurs froides. Grâce à lui, nous sommes passées du chaud au froid en une fraction de seconde, plaisante Emma pour détendre l'atmosphère. Viens, nous avons mérité un petit remontant.

Les deux femmes pénètrent dans l'hôtel comme si elles entraient dans un sanctuaire. Intimidées par les lieux, elles s'avancent avec respect jusqu'au hall d'entrée.

— Puis-je vous être utiles, mesdames ? s'informe poliment l'homme derrière le comptoir.

— Nous aimerions prendre un café si cela est possible, répond Emma en prenant un ton légèrement mondain.

— Bien sûr.

Il agite une clochette. Un préposé se présente rapidement au comptoir.

— Conduisez ces dames au restaurant de l'hôtel, je vous prie, Pierre.

Dès qu'elles se retrouvent assises devant une petite table qui donne vue sur le fleuve, Emma et Célina se détendent.

— J'avais les jambes lourdes. Ça fait du bien de s'asseoir un moment.

La femme du docteur Casgrain consulte la montre qui pend à son cou.

— Il est presque onze heures. L'avant-midi a passé vite, note-t-elle.

— C'est vrai, madame.

À la table voisine, un homme dans la trentaine fait mine de lire son journal. Emma le soupçonne plutôt de lorgner sa jolie domestique. Inconsciente du manège, Célina sirote son café, du bonheur plein les yeux.

— C'est la première fois que je viens dans un si bel endroit. Merci, madame Emma, pour cette matinée merveilleuse.

— Tu travailles bien. C'est ma façon de te récompenser. Depuis que tu es à notre service, tu accomplis tes tâches avec efficacité et sans jamais te plaindre.

— Comment le pourrais-je ? dit spontanément la jeune fille. Monsieur Casgrain et vous êtes si gentils avec moi.

— J'espère que nous te garderons encore longtemps parmi nous.

Elle pourrait être ma fille, pense la femme de trente-six ans avec un brin de nostalgie. *J'aurais tant aimé être mère.*

Chapitre 28

— J'ai réussi, Edmond! J'ai réussi!

Les larmes aux yeux, la lettre encore à la main, Emma se tient debout au milieu du salon et fixe son mari d'un air incrédule. Il s'avance vers elle et la serre dans ses bras. «Enfin une bonne nouvelle!» se réjouit-il. Le décès de son frère aîné survenu le 22 mars à L'Islet est encore frais à sa mémoire. Depuis qu'Eugène s'est éteint paisiblement à l'âge de soixante-cinq ans, Edmond se trouve orphelin de frères et de sœurs. Les deux dernières années, il s'était beaucoup rapproché de ce frère qu'il avait si peu connu durant sa jeunesse. Eugène était même venu lui rendre visite à Québec en compagnie de sa femme, Philomène. Ce rapprochement, Edmond le devait à Emma. C'est elle qui avait insisté sur l'importance de la famille.

— Je suis fier de toi, lui murmure-t-il. Viens t'asseoir, tu trembles.

Elle se laisse guider jusqu'au canapé où elle prend place à côté d'Edmond.

— Il va falloir fêter ça! Je t'invite au restaurant demain soir.

Encore sous le choc, Emma prête une oreille distraite aux propos de son mari. *Je suis la première femme dentiste au Canada*, se dit-elle, émue.

— Réalises-tu que tu as gradué du collège de médecine dentaire du Québec? Emma, tu m'écoutes?

— Pince-moi, Edmond. J'ai peur de rêver.

— Tu ne rêves pas. Ce papier te prouve que tu as passé avec brio tous les examens et que tu as obtenu ta licence de pratique. Dorénavant, tu es autorisée à exercer la profession sans qu'un autre dentiste te supervise.

— Je n'y serais jamais parvenue sans toi.

La reconnaissance se lit dans les yeux de la nouvelle diplômée. Elle se blottit dans les bras de son mari.

— Tu m'as soutenue, réconfortée quand j'étais en proie au découragement et au doute. Par moments, je ne devais pas être facile à vivre.

— Ah ça! Je ne te le fais pas dire, réplique-t-il, un sourire moqueur au coin des lèvres.

Elle lui décoche un petit coup de coude dans les côtes avant de murmurer :

— J'ai hâte d'apprendre la nouvelle à Stanislas. La famille compte maintenant trois dentistes.

— Pourquoi ne pas célébrer ta nomination en compagnie de ton frère et de sa femme ? Je suis certain qu'ils seraient ravis de se joindre à nous.

— Bonne idée! Je les ai négligés un peu ces derniers temps. Je m'en veux d'autant plus que Stanislas m'avait confié que Marie-Hélène trouvait difficile de vivre en ville.

— Maintenant que les études et les examens sont derrière toi, tu auras l'occasion de te reprendre. Alors, c'est oui pour le restaurant ?

— Avec joie! J'aviserai Célina que nous souperons à l'extérieur demain. Elle pourra disposer de sa soirée. Et si nous invitions également ta tante Clémentine ?

— Bien sûr ! J'aurais dû y penser. Nous prendrons un fiacre pour l'occasion. Ma voiture ne peut contenir autant de passagers.

Il se lève du canapé.

— Où vas-tu ?

— Annoncer la bonne nouvelle à ton frère et à ma tante. Tu viens avec moi ?

— Non, je vais en profiter pour me faire couler un bain afin de me remettre de mes émotions.

— Tu l'as bien mérité. À plus tard, ma belle.

Quelques minutes plus tard, Emma prévient la bonne de ne pas la déranger et s'enferme dans la salle de bain. Pendant que la baignoire de porcelaine blanche se remplit, la dentiste se dévêt. Devant le petit miroir au-dessus du lavabo, elle examine son reflet. *J'ai les yeux cernés et les traits fatigués, résultat de mes longues veilles*, note-t-elle en faisant une grimace au miroir. Une fois nue, elle entre dans la baignoire et pousse un soupir de bonheur. *Quelle chance d'avoir l'eau chaude !* Les yeux fermés, elle repense à la cuve de bois de son enfance qu'il fallait remplir en versant de grands seaux d'eau préalablement chauffés sur le poêle. Une fois par semaine, le samedi de préférence, chacun des enfants s'y plongeait à tour de rôle en se savonnant le plus rapidement possible pour permettre à tous de bénéficier d'un peu d'eau chaude. La cuve était petite et peu confortable. L'eau était souvent tiède et pas très propre lorsque venait le tour du dernier. Aujourd'hui, à trente-sept ans, Emma savoure pleinement le moment du bain et prend conscience de la chance qu'elle a de vivre dans une belle maison dotée de toutes les commodités. *Maman n'a jamais eu cette chance*, déplore-t-elle tout en frictionnant ses jambes avec un épais gant de toilette. Elle saisit ensuite le savon au muguet des bois de Roger et Gallet, celui qu'elle garde pour les grandes occasions et qu'elle achète à la pharmacie Roy. Rond et parfumé, il n'est en rien comparable aux traditionnels savons rectangulaires. Il rend la peau douce et il sent si bon. *Dire que cette maison de parfums a été fondée à Paris un an après ma naissance par un chapelier et un banquier,* songe-t-elle en humant l'odeur florale du muguet qui se dégage du savon.

* * *

— Cette première journée s'est plutôt bien passée. Qu'en penses-tu ?

La nouvelle dentiste attend le départ de la secrétaire pour répondre. Dès que celle-ci salue le couple et referme la porte derrière elle, Emma se laisse tomber sur une chaise et pousse un long soupir.

— Je me suis sentie tendue et nerveuse toute la journée.

— Pourtant, tu étais pleine d'entrain à l'ouverture de la clinique.

— J'ai vite déchanté, crois-moi.

— Comment ça ?

— La plupart des patients qui m'ont consultée aujourd'hui ne m'ont pas fait un accueil très favorable. C'est évident qu'ils mettaient en doute mes compétences et qu'ils étaient très réticents à se faire jouer dans la bouche par une femme. T'assister au cabinet en te donnant les bons instruments au bon moment, c'est une chose, mais agir à titre de dentiste, c'en est une autre. Certains m'ont demandé pourquoi le dentiste Casgrain n'était pas présent durant la consultation.

— Tu aurais dû leur brandir ton diplôme sous le nez pendant qu'ils avaient la bouche ouverte, plaisante Edmond.

— J'y ai pensé, mais cela n'aurait rien changé. La confiance n'était pas au rendez-vous. À leurs yeux, une femme dentiste, c'est inconcevable.

— Je t'avais prévenue que tu empruntais une voie difficile en voulant devenir dentiste.

— Inutile de me le rappeler, je m'en souviens très bien, réplique-t-elle d'un ton irrité.

— Laisse-leur le temps de s'adapter au changement. Ils finiront par réaliser que tu œuvres aussi bien qu'un homme et sûrement avec plus de douceur et de patience.

— J'ai travaillé si fort pour obtenir mon diplôme. Dis-moi que je n'ai pas fait tout ça pour rien.

— Viens là, répond Edmond qui lui ouvre les bras dans lesquels elle se jette en étouffant un sanglot. Tout va s'arranger, ma belle. Ce n'est qu'une question de temps avant que les gens reconnaissent ta valeur comme dentiste. J'y veillerai, je t'en donne ma parole.

— Mais comment?

— Je vais te référer certains de mes patients, ceux qui sont le plus ouverts d'esprit, en leur affirmant qu'ils seront entre bonnes mains avec toi. Une fois que tu les auras traités en soulageant la douleur intense causée par un mal de dents ou en réparant une dent gâtée plutôt que de l'arracher, ils ne te verront plus d'un œil sceptique et parleront de toi en termes élogieux à leur entourage. Tu verras ta clientèle grossir rapidement.

* * *

Edmond a tenu parole et a dit vrai. Six mois plus tard, Emma a réussi à se faire accepter comme dentiste auprès de leur clientèle. Les patients qui viennent la consulter le font désormais par choix et avec confiance. Même si ses journées de travail sont parfois longues, elle n'échangerait son sort pour rien au monde. Le sourire que lui adresse un patient satisfait vaut son pesant d'or. Mais ce qu'elle affectionne par-dessus tout, c'est de s'occuper des plus jeunes. Emma prend le temps de parler avec l'enfant en insistant sur l'importance de prendre soin de ses dents afin de les garder longtemps. Ensuite, elle lui fait faire le tour de son cabinet tout en répondant aux questions de son jeune patient. Elle le laisse toucher au fauteuil à pédale, mettre un doigt dans le nouveau crachoir à courant d'eau muni d'une pompe à salive. Fasciné par les instruments disposés sur la tablette près du fauteuil, il ne les quitte pas des yeux. Emma lui explique leur utilité et les fait fonctionner devant lui. Chaque fois, c'est comme un tour de magie. La fillette ou le petit garçon perd l'air craintif qu'il arborait dans la salle d'attente. Il n'est pas rare qu'un sourire éclaire le visage de l'enfant. Il s'assoit ensuite bien sagement dans le fauteuil en fonte richement décoré, ouvre docilement la bouche et laisse la dentiste examiner ses dents. Le bruit de la fraise électrique ne l'effraie pas. Madame Casgrain lui a promis qu'il n'aurait pas mal grâce à une petite piqûre qu'elle lui fera dans la gencive avant de commencer. Emma préfère ne pas utiliser le gaz hilarant pour éliminer la douleur. Le protoxyde d'azote a beau être reconnu pour ses pouvoirs anesthésiants depuis 1844, année où le dentiste américain Horace Wells s'est fait extraire une dent par l'un de ses étudiants qui avait utilisé ce gaz pour geler la douleur de son patient, Emma reste prudente. Et si le patient ne se réveillait pas après l'intervention ? Ou s'il restait avec des séquelles au cerveau ? Elle ne se le pardonnerait jamais. Emma privilégie plutôt l'anesthésie locale. Pratiquée pour la première fois en 1885 par un dentiste viennois, la méthode consiste à injecter dans la gencive du patient une petite quantité de cocaïne à l'aide d'une seringue. Lorsqu'elle traite un enfant, Emma diminue la dose de cocaïne afin de réduire les effets secondaires. Durant toute l'intervention, elle surveille les réactions de son petit patient. Une main crispée sur l'accoudoir du fauteuil, les yeux qui se froncent ou le pied qui bouge lui signalent que la douleur n'est pas tout à fait neutralisée. La dentiste chantonne pour distraire l'enfant et travaille plus vite pour alléger sa souffrance. Lorsque tout est terminé, elle le félicite de s'être comporté comme une grande personne et lui remet une belle brosse à dents en poils de sanglier. « Utilise-la après chaque repas et ne mange pas trop de sucreries si tu veux éviter les caries», lui recommande-t-elle en lui souriant avant de le raccompagner dans la salle où l'attend sa mère ou son père. Pour établir un lien de confiance avec son jeune patient, Emma ne souhaite pas la présence du parent dans le cabinet. Trop souvent, l'adulte est plus anxieux que son enfant et lui transmet sa peur. La joie et la fierté d'avoir fait ça comme un grand font plaisir à voir sur le visage de l'enfant qui exhibe bien haut sa belle brosse à dents comme s'il s'agissait d'un trophée. La dentiste et le parent échangent un regard complice. *Si seulement je pouvais insuffler cette même confiance à Célina*, se dit Emma. La jeune bonne a une peur bleue du dentiste. Cela remonte à son enfance, a-t-elle expliqué à sa patronne. Célina garde un souvenir effroyable de celui qu'elle appelait «l'arracheur de dents». Ce forgeron, qui n'avait aucune connaissance médicale, se servait d'une grosse pince d'une propreté douteuse pour enlever la dent gâtée. L'homme devait parfois tirer fort et s'y prendre deux, voire trois fois, pour venir à bout de la dent récalcitrante. Tout cela s'accomplissait dans une douleur insupportable qui rendait la fillette blanche comme un linge et moite de sueurs. Les jours suivant l'extraction dentaire, elle avait la joue enflée et se sentait fiévreuse et amorphe. *Dans de telles conditions, pas surprenant que la pauvre ait développé une hantise du dentiste*, songe Emma tout en jouant du piano au salon. Elle se souvient de sa première rencontre avec Célina. Celle-ci lui avait plu tout de suite. La jolie blonde aux yeux bleus intelligents avait un petit côté réservé et sérieux plutôt rare chez une jeune fille de dix-sept ans. Une seule ombre au tableau : un sourire gâché par une dentition pourrie. *Voilà sans doute la raison pour laquelle Célina met si souvent sa main devant sa bouche lorsqu'elle sourit. Elle ne veut pas dévoiler ses dents gâtées au regard des autres.* À plusieurs reprises, Emma lui a offert des soins dentaires afin qu'elle retrouve un beau sourire et une saine dentition. Chaque fois, la bonne a poliment refusé. *Chat échaudé craint l'eau froide*, se dit la dentiste, déçue de voir la jeune fille demeurer sur ses positions. Edmond, à qui Emma s'est confiée, lui a recommandé la patience. «N'insiste pas ! Lorsqu'elle sera prête, elle te fera signe.»

Un sage conseil que la dentiste s'est résignée à suivre même si elle trouve dommage que Célina ne profite pas de son offre et de ses compétences pour retrouver le sourire qu'elle mérite.

* * *

— Maintenant que nous sommes deux dentistes à œuvrer dans ce cabinet, il est impératif d'avoir le téléphone.

Emma se redresse d'un bond dans le lit.

— Pourquoi? Nous avons déjà une secrétaire qui s'occupe de prendre les rendez-vous.

— Bien des clients préféreraient téléphoner plutôt que de se présenter sur place. Cela leur éviterait d'attendre parfois longtemps dans la salle pour une consultation ou un traitement.

— Personne ne s'en est plaint jusqu'ici.

— À toi peut-être pas, mais à moi oui. Lorsqu'il y a une urgence, le patient pourrait nous joindre même si le bureau est fermé. Il lui suffirait d'appeler.

— Ainsi, nous serions disponibles de jour comme de nuit, déclare-t-elle d'un ton ironique.

— Cela m'étonnerait que le téléphone sonne souvent la nuit. Les gens l'utiliseront seulement en cas de nécessité.

Elle lui jette un regard peu convaincu.

— Écoute Emma, il faut être de notre temps.

— Ce n'est pas tout le monde qui a les moyens d'avoir le téléphone, Edmond.

— Je sais, mais nos clients proviennent presque tous de la classe aisée. La plupart d'entre eux ont déjà fait installer le téléphone à leur domicile. Regarde autour de toi. Le pharmacien, l'épicier, le photographe, l'horloger, le notaire, l'avocat, le médecin, même le curé ont opté pour ce nouveau mode de communication. Pourquoi pas nous ?

— Où as-tu l'intention de le faire installer ?

Heureux de constater que sa femme commence à se faire à l'idée, il s'empresse de répondre :

— Au rez-de-chaussée, tout près du bureau de la secrétaire.

— Bien, c'est mieux qu'au salon. Ainsi, je ne sursauterai pas chaque fois que cet appareil sonnera. Le bruit est plutôt strident.

— C'est vrai, reconnaît-il, mais on s'y habitue vite, il paraît.

Allongé sur le dos, les mains derrière la nuque, Edmond semble savourer sa victoire. Du moins, c'est l'impression qu'Emma ressent en le regardant.

— Puisqu'il faut suivre le progrès, fais-le installer, se résigne-t-elle en laissant retomber sa tête sur l'oreiller.

Il l'embrasse sur le front.

— Tu ne le regretteras pas.

Edmond se tourne sur le côté et s'endort rapidement. Emma met plus de temps à trouver le sommeil. Elle écoute le souffle lent et profond de son mari tout en fixant les rideaux agités par le vent. Une brise fraîche pénètre dans la chambre. Elle remonte la courtepointe jusqu'à son menton. De l'extérieur lui parviennent le cliquetis des roues d'une charrette et le pas d'un cheval qui s'éloigne. À deux reprises, elle entend tousser la bonne. *Célina traîne une vilaine grippe depuis un moment,* songe-t-elle. *Si sa condition ne s'améliore pas d'ici quelques jours, je l'obligerai à voir un médecin. Maintenant, je ferais mieux de dormir. La journée s'annonce chargée demain.*

Chapitre 29

— Je te l'avais bien dit que tu te lancerais en politique, mon cher époux.

Affairé à stériliser ses instruments, le dentiste ne réagit pas à la remarque de sa femme. Assise sur un tabouret, elle le regarde travailler un moment avant de demander d'une voix forte :

— En as-tu encore pour longtemps, Edmond ?

Les lunettes sur le bout du nez, il se tourne vers elle, la mine interrogative.

— Dix minutes, tout au plus, pourquoi ? As-tu quelque chose de prévu ce soir ?

— Rien de spécial. Mais j'ai hâte de me retrouver seule avec mon homme. Célina va voir sa tante ce soir, précise-t-elle avec un petit sourire.

— Ah ! Je comprends mieux ton impatience. Il fallait me le dire plus tôt.

Elle quitte son siège et s'approche de lui.

— Je vais t'aider. À deux, ça ira plus vite.

Pendant qu'elle fait de l'ordre dans le cabinet, elle lance d'un ton victorieux :

— Au fait, j'ai gagné mon pari.

— Lequel ?

— Celui que je t'ai fait il y a dix ans.

Il cesse de se laver les mains et lui jette un regard intrigué.

— C'est loin. Rafraîchis-moi la mémoire.

— Je t'avais parié qu'un jour tu serais intéressé par la politique. Je t'avais même affirmé que tu ferais un bon échevin.

Derrière sa moustache, le dentiste sourit.

— Et je t'avais répondu que cela ne faisait pas partie de mon plan d'avenir et que tu rêvais éveillée.

— Je constate que la mémoire vous revient, monsieur l'échevin du quartier Saint-Louis.

— Eh oui! confirme-t-il d'un air amusé.

— Je me demande ce que tes parents auraient pensé de ta nouvelle fonction.

— Contents sûrement, mais pas le moins du monde impressionnés. Mes grands-pères et plusieurs de mes oncles ont œuvré en politique, que ce soit comme député, ministre, juge de la Cour du Banc de la Reine, juge de la Cour suprême du Canada, Père de la Confédération, conseiller législatif, etc. Aux yeux de mes parents, un petit conseiller municipal n'aurait pas pesé bien lourd dans la balance.

— Moi, je suis impressionnée par ton nouveau statut. Et je suis certaine que tu prendras ton rôle très au sérieux lors des assemblées du conseil de ville de Québec.

— J'y compte bien. Si je me suis engagé en politique, c'est pour y prendre part activement. Je suis heureux de travailler au côté de Napoléon Parent. C'est un maire remarquable. Depuis son élection, il y a six ans, cet homme fait bouger la ville.

— Il a de bonnes idées. Celle de créer un espace vert pour les gens de Saint-Roch et de Saint-Sauveur est géniale. Te souviens-tu de l'inauguration du parc Victoria il y a trois ans? demande-t-elle, les yeux rêveurs. Quelle belle journée nous avons passée!

— Il y avait un peu trop de monde à mon goût. Plus de vingt mille personnes selon les journalistes. Mais je te l'accorde, des fêtes royales ont célébré cet événement. Je me souviendrai longtemps de ce 22 mai 1897. Le premier ministre du Canada, Wilfrid Laurier, était présent.

— Je n'ai jamais vu autant de fleurs. Il y en avait partout. Nous avons eu droit à une fanfare. La tour d'observation était remplie d'hommes en chapeau haut-de-forme. Au beau milieu, on apercevait un immense portrait de la reine Victoria.

— Le maire Parent avait suggéré au gouverneur général de nommer ce parc en l'honneur de celle-ci afin de souligner ses soixante ans de règne.

— Me donnez-vous un cours d'histoire, monsieur l'échevin?

— Il faut bien parfaire vos connaissances, madame la dentiste.

Elle lui tire la langue avant de lui prendre affectueusement la main pour l'entraîner vers la sortie. La secrétaire est partie depuis une demi-heure. Emma jette un œil au téléphone accroché au mur. *Pourvu qu'il ne sonne pas! Cela fait si longtemps qu'Edmond et moi n'avons pas profité d'une soirée tranquille,* se dit-elle en se dépêchant de monter l'escalier. La dentiste a beau aimer sa profession, par moments, elle apprécierait un peu de repos. Depuis qu'Edmond a fait installer le téléphone au cabinet dentaire et que leurs deux noms se retrouvent maintenant dans l'annuaire *Marcotte*, la sonnerie stridente de ce nouveau moyen de communication retentit de plus en plus souvent. Edmond songe à faire installer le téléphone dans leur résidence. «Pourquoi pas dans notre chambre à coucher? lui a-t-elle rétorqué lorsqu'il lui a fait part de son intention. Les gens pourront nous joindre même au lit.» Il s'est contenté de sourire, mais elle sait que ce n'est qu'une question de temps avant que cela se concrétise et que la sonnerie du téléphone se fasse entendre au salon de leur domicile.

Chapitre 30

Alors que Célina a pris sa journée de congé, Emma et Edmond profitent de la belle température pour aller se balader en voiture. Avec le temps, la dentiste a appris à apprivoiser la voiture à gaz. La crainte qui la saisissait dès que la voiture commençait à rouler a disparu. Elle fait confiance au conducteur, surtout s'il respecte les limites de vitesse imposées par la ville : pas plus de six milles à l'heure. Il est terminé le temps où le docteur Casgrain était le seul automobiliste à circuler dans les rues de Québec. Certains notables de la ville ont suivi son exemple et se sont acheté une voiture. Bien sûr, ils ne sont pas légion. Il faut avoir les moyens pour se payer un tel luxe. Assise sur le siège avant, Emma se sent merveilleusement bien. Elle est reconnaissante envers Edmond qui a insisté pour cette petite escapade dominicale. « Il fait trop beau pour rester à l'intérieur. Tu écriras à ta sœur ce soir », lui avait-il dit ce matin à l'heure du déjeuner. À contrecœur, elle avait demandé à la bonne de lui préparer un goûter léger qu'ils mangeraient en cours de route. Loin de la ville, du bruit et de l'agitation, Emma avait renoué avec le calme de la campagne. Le couple avait pique-niqué au bord d'une petite rivière. Ils s'étaient ensuite allongés sur l'herbe à l'ombre d'un vieil arbre. L'air était tiède et doux en cet après-midi du 10 juin 1900. Emma se sentait légère comme un papillon. Le bruissement de la rivière l'apaisait. Tout comme Edmond, elle avait retiré ses souliers pour sentir sous ses pieds la fraîcheur de l'herbe. Ne penser à rien, savourer le moment présent en écoutant les oiseaux gazouiller. La main dans celle de son mari, elle observait les petits nuages blancs et s'amusait à leur trouver une forme animale. L'après-midi avait filé trop vite. « Nous reviendrons », avait promis Edmond en lui effleurant la joue d'une bise. Il est presque dix-huit heures. Emma pense au pot-au-feu qui mijote sur le poêle depuis la matinée. Le grand air lui a creusé l'appétit et elle a hâte de se retrouver à la maison pour déguster le repas cuisiné par Célina. La voiture monte la rue de la Couronne. Le moteur tient bon sans donner aucun signe d'essoufflement. La passagère ne peut s'empêcher de repenser à la fois où la Bollée s'était arrêtée sur la rue Saint-Jean au coin d'Auteuil, refusant de redémarrer. Edmond avait alors soulevé la voiture et l'avait transportée jusqu'à leur domicile sous les regards ébahis des passants. «Tu aurais dû la pousser. Cela t'aurait évité un tour de reins», l'avait-elle grondé ce soir-là en lui frictionnant le dos. Un autre souvenir jaillit de sa mémoire : la transformation de la Bollée en véhicule capable de rouler même l'hiver. Edmond avait travaillé sur ce projet tout l'automne 1899. Dès que le dentiste disposait de moments libres, il s'enfermait dans le hangar de la cour arrière et devenait mécanicien quelques heures. Lorsqu'il avait jugé sa voiture prête à affronter la neige et les rigueurs de l'hiver québécois, il l'avait essayée dans les rues de la ville. Pour l'occasion, Edmond avait revêtu son paletot de castor, enfilé des gants de cuir et mis sur sa tête un bonnet de fourrure. Ce jour-là, il fit taire tous ceux qui avaient affirmé haut et fort que la voiture à gaz du dentiste Casgrain ne pourrait jamais circuler l'hiver. Edmond avait si bien modifié sa Bollée que celle-ci semblait prendre plaisir à défier la nature. Il avait remplacé les deux roues avant du véhicule par des patins recourbés qui glissaient avec facilité sur la neige. «Elle se déplace aussi vite et bien qu'une carriole, et sans l'aide d'un cheval», avait murmuré un vieil homme sidéré qui n'en croyait pas ses yeux. Rapidement, les gens de Québec avaient surnommé «autoneige» le véhicule du dentiste. *Même les policiers ont adopté l'invention d'Edmond pour partir aux trousses des voleurs et des malfaiteurs. J'ai de quoi être fière de mon homme. Son ingéniosité fait le bonheur de bien des gens,* pense Emma.

— Bon sang de bonsoir ! s'écrie soudain Edmond.

Revenue brusquement au présent, Emma tourne la tête vers la droite et aperçoit un tramway débouchant de la rue Saint-Joseph et venant dans leur direction.

— Mon Dieu! hurle-t-elle, terrifiée, en fermant les yeux.

Le tramway émet un timbre strident. Les dents serrées et la mine concentrée sur la route, Edmond tente d'éviter la collision en donnant un vigoureux tour de volant. Derrière eux, une voiture klaxonne. Tout se déroule ensuite comme dans un mauvais rêve. L'auto du dentiste percute le tramway. Sous la violence de l'impact, Emma est projetée dans les airs et retombe avec un bruit sourd sur la chaussée devant les yeux horrifiés de son mari. Ébranlé par le choc, Edmond s'extirpe de la voiture avec difficulté.

— Êtes-vous blessé? s'informe aussitôt l'automobiliste qui roulait derrière eux.

Hébété, le docteur Casgrain ne sait plus trop où il en est.

— Ma femme, parvient-il à bredouiller en pointant le corps inanimé au sol.

— Restez ici. Nous allons nous occuper d'elle.

Edmond porte une main tremblante à son front.

— Asseyez-vous un moment, docteur Casgrain, lui recommande un policier déjà sur les lieux. Vous ne tenez plus sur vos jambes.

Plusieurs personnes, témoins de l'accident, contemplent la scène avec un air affligé. Un petit attroupement se forme bientôt. Le conducteur du tramway ne cesse de répéter qu'il n'y est pour rien, qu'il a aperçu la voiture au dernier moment. L'homme dans la quarantaine gesticule et semble atterré.

— La pauvre, elle ne bouge plus! murmure une passante.

— Est-elle morte? chuchote une autre.

— C'est la femme de l'échevin du quartier Saint-Louis.

— Écartez-vous! Libérez la place! ordonne le policier en faisant reculer les gens.

Il s'approche ensuite de la victime qui gît toujours sur le sol et s'agenouille à ses côtés.

— Madame, m'entendez-vous? demande-t-il doucement.

Emma gémit sans ouvrir les yeux.

— Elle est consciente, déclare-t-il à l'assistance, visiblement soulagée. Il faut la transporter à l'hôpital.

— Pas l'hôpital, émet faiblement Emma.

— Aidez-moi à la reconduire à notre résidence.

La voix d'Edmond est calme, mais ferme. Il a retrouvé son aplomb malgré le choc qu'il vient de subir.

— Mais votre femme a besoin de soins, insiste le policier. Elle doit être vue par un médecin.

— Soyez sans crainte, elle en verra un. Mais pour le moment, elle a surtout besoin de repos et de tranquillité. Quelqu'un dispose-t-il d'une voiture?

— Moi j'en ai une, affirme celui qui roulait derrière la Bollée au moment de la collision.

Le dentiste reconnaît le président de la Caisse d'économie de Notre-Dame de Québec.

— Merci, monsieur Methot.

— C'est la moindre des choses en pareille circonstance.

Le policier fait signe à deux gaillards de s'avancer vers lui.

— Soulevez délicatement la blessée et transportez-la jusqu'à la voiture de monsieur Methot.

Dès que les brancardiers improvisés s'exécutent, Emma pousse un cri.

— Ma jambe!

— Doucement, leur recommande Edmond. Elle a peut-être la jambe cassée. Tiens bon, ma belle, lui glisse-t-il à l'oreille.

Emma se sent trop faible pour discuter. Elle remet son sort entre les mains de son mari et ferme les yeux pour ne plus voir tous ces gens agglutinés devant elle, avides de sensations fortes. Elle perd de nouveau connaissance. Lorsqu'elle se réveille, elle aperçoit le visage d'un homme penché vers elle.

— Tout va bien, la rassure l'inconnu en lui tapotant doucement l'épaule.

Que fait cet homme dans ma chambre? se demande-t-elle en remontant la couverture sur ses épaules.

— Vous avez eu un accident de voiture, lui explique l'homme. Je suis le docteur Ahern. Votre mari m'a fait prévenir.

D'un coup, tout lui revient: le juron d'Edmond, le tramway qui fonce vers eux, les coups de klaxon, le choc, la chute, les gens autour d'elle, la compassion dans leurs yeux… Elle tente de se redresser dans son lit. La douleur est si forte qu'elle pousse un cri.

— Bougez le moins possible, madame Casgrain. Vous vous êtes cassé la jambe. Heureusement, j'ai pu réduire la fracture. Si vous suivez mes recommandations, vous devriez être vite rétablie.

— Tout mon corps me fait souffrir.

Le médecin la fixe d'un air grave.

— Vous avez plusieurs contusions internes et de nombreuses écorchures. Sous la violence de l'impact, vous avez été projetée hors du véhicule. Bénissez le ciel d'être dotée d'une constitution robuste. Dans votre malheur, vous avez eu beaucoup de chance. Une fracture à la tête aurait pu être fatale ou laisser d'importantes séquelles.

Emma frémit à cette pensée.

— Je vous ai prescrit du laudanum pour atténuer la douleur. Cela vous aidera également à dormir. Je vous laisse vous reposer maintenant.

Elle le regarde refermer sa trousse de médicaments sans émettre le moindre commentaire. Secouée par les derniers événements, elle se sent désemparée. Au moment où le médecin s'apprête à prendre congé, elle demande d'une petite voix :

— Quand pourrai-je reprendre mes activités professionnelles, docteur ?

— Pas avant un mois, c'est certain. Votre jambe doit être immobilisée durant tout ce temps afin que l'os puisse se ressouder complètement.

Elle hoche la tête et bredouille un faible merci. Dès que Michael Ahern quitte la chambre, Emma laisse échapper des larmes d'impuissance. *Un mois à ne rien faire,* rage-t-elle, découragée. *Qui va s'occuper de mes patients pendant ma convalescence ? Edmond ne peut en prendre davantage. Il est déjà assez occupé avec ses séances au conseil municipal.*

— Je peux entrer ?

Dans l'entrebâillement de la porte, Edmond lui sourit.

— Entre, répond-elle en l'accueillant plutôt froidement.

— Comment vas-tu ce matin ?

— Je me porte comme un charme. Cela ne pourrait aller mieux, répond-elle d'une voix renfrognée.

Faisant fi de sa mauvaise humeur, il lui tend les journaux.

— Je t'ai apporté un peu de lecture.

— Crois-tu que j'ai la tête à ça en ce moment ?

— *Le Soleil* et *Le Courrier du Canada* mentionnent notre accident d'auto.

Les bras croisés sur sa poitrine, elle ne dit mot, mais il sent qu'il a piqué sa curiosité. Saisissant *Le Soleil*, l'homme le feuillette jusqu'à la page désirée.

— Regarde ! En plus de l'article, on a ajouté des croquis de nous.

Elle risque un œil vers la page étalée devant elle.

— Quelle horreur ! Je ressemble à une matrone, déclare-t-elle d'un ton indigné. Le dessinateur du journal m'a donné un air sévère et maussade. Quant à toi, tu es à ton avantage comme toujours. Un complet foncé, une chemise blanche garnie d'un nœud papillon, les cheveux bien peignés, la moustache bien taillée, un air digne. Que demander de plus ? Si tu m'as montré le journal pour me remonter le moral, eh bien c'est raté.

Du bout des doigts, Edmond triture sa moustache.

— Quand je pense que je suis clouée au lit pour je ne sais combien de temps ! soupire-t-elle. J'aurais mieux fait d'écrire à ma sœur hier après-midi plutôt que de t'accompagner en promenade.

Elle regrette aussitôt ces paroles blessantes et tente de se racheter.

— Ce n'est pas ta faute, Edmond. Le tramway allait trop vite. Il était impossible d'éviter la collision.

— Cette journée avait pourtant si bien commencé. Il a suffi d'un instant pour que tout bascule.

Elle lui prend la main et la serre très fort.

— On dit que la vie ne tient qu'à un fil. Eh bien, il devait être très solide hier, car nous sommes encore là toi et moi.

— J'ai toujours su que j'avais bien de la chance d'avoir épousé une solide fille de la campagne. Aujourd'hui, je le pense encore plus.

Il l'embrasse avec tendresse. Emma se sent remuée. Même après toutes ces années, les baisers de son homme lui font encore de l'effet.

— Tu ne peux savoir l'émotion que j'ai ressentie lorsque je t'ai vu projeter dans les airs, hier soir. J'ai eu si peur de te perdre, Emma.

Elle pose un doigt sur les lèvres d'Edmond.

— Chut! Ne pense plus à ça.

La sonnerie du téléphone retentit.

— Ne bouge pas, je vais répondre.

— Où veux-tu que j'aille, alitée comme je suis?

Elle lui adresse un demi-sourire avant qu'il file vers le salon. Quelques minutes plus tard, Edmond revient dans la chambre. Elle l'interroge du regard.

— Ton frère voulait avoir de tes nouvelles. Je lui ai téléphoné hier soir pendant que tu dormais. Stanislas offre de prendre tes patients durant ta convalescence. Qu'en penses-tu?

Libérée d'un poids, elle joint les mains et pousse un cri de joie.

— Dis-lui que j'accepte sa proposition avec gratitude. Je lui fais entièrement confiance.

Le visage d'Edmond se rembrunit.

— À moi, tu ne me faisais pas confiance ?

— Bien sûr que si, voyons ! réplique-t-elle vivement. Mais tu en as déjà plein les bras avec ta clientèle et les réunions du conseil municipal. Que tu me remplaces auprès de mes patients n'est pas une bonne idée. À vouloir trop en faire, on finit par faire tout mal.

— Tu parles comme Joséphine, maintenant ?

— Ta sœur était très philosophe, Edmond. Elle m'a ouvert les yeux sur bien des petites choses de la vie. Son départ est une grande perte.

Ne voulant pas céder à la mélancolie, elle change de sujet.

— Je ne te retiens pas plus longtemps, il est presque neuf heures. Avant que tu descendes ouvrir le cabinet dentaire, peux-tu demander à Célina de venir me voir ? Je voudrais faire un brin de toilette et je n'y arriverai pas toute seule.

— Bien sûr, ma belle. N'hésite pas à utiliser la clochette lorsque tu as besoin de quoi que ce soit. Célina se fera un devoir d'accourir.

— Tu sais bien que j'ai horreur de ça.

— En ce moment, tu n'as guère le choix, Emma. Puis-je aller travailler l'esprit tranquille ? Me promets-tu de t'en servir ?

— Va, va ! J'agiterai cette foutue clochette, mais seulement en cas de nécessité. Célina a bien assez à faire dans la maison.

— Elle travaille pour nous, lui fait-il remarquer.

— Ce n'est pas une raison pour la traiter en esclave.

— Nous avons toujours agi envers elle avec bienveillance et respect. Elle a de bons gages, une chambre propre et saine, une nourriture équilibrée, des tâches et des heures de travail raisonnables. Bien des domestiques ne jouissent pas d'aussi bonnes conditions de vie.

— C'est vrai, admet-elle.

Je ne m'habituerai jamais à me faire servir comme une reine, songe-t-elle pendant qu'elle sourit à son mari. Dès qu'il a tourné les talons, elle reprend le journal afin de lire l'article consacré à leur accident de voiture. *Il me faudra bien du courage pour me balader de nouveau en voiture.*

***

Une semaine après l'accident, Edmond réserve une belle surprise à sa femme. Assise dans un fauteuil, le pied de la jambe fracturée posé sur un tabouret, Emma est plongée dans la lecture du roman *Les Anciens Canadiens* écrit par Philippe Aubert de Gaspé en 1863. Dès les premières pages, elle a su que le livre lui plairait. L'intrigue se déroule durant la guerre de Sept Ans et les premières années du régime britannique. Emma suit avec intérêt les péripéties d'un jeune noble canadien qui s'est lié d'amitié avec un orphelin écossais. Le roman est bien écrit et se lit facilement. Emma prend d'autant plus plaisir à le lire sachant que l'auteur est un ancien seigneur de la Côte-du-Sud. *Il a fréquenté le même monde que les Casgrain,* songe-t-elle.

— Puis-je te déranger dans ta lecture?

Elle lève les yeux de sa page.

— Bien sûr, Edmond.

— Ferme les yeux et ne les ouvre pas avant que je te le dise.

— Tu te fais bien mystérieux cet après-midi! Mais comme j'aime les surprises, je vais t'obéir. Voilà, c'est fait.

Elle entend des bruits de pas et des chuchotements. L'attente lui paraît bien longue. *Que peut-il bien faire ?* se demande Emma, de plus en plus impatiente.

— C'est bon ! Tu peux les ouvrir.

— Oh ! s'exclame-t-elle en découvrant l'appareil qui trône sur la table du salon.

— C'est un gramophone.

— Je sais, Edmond. J'en ai vu un semblable dans le magasin de Cyrille Duquet.

Elle détache son regard de l'appareil pour le porter vers son mari.

— C'est de la folie. Ça coûte une fortune.

— Ne te préoccupe pas de ça. Alors, il te plaît ?

— Là n'est pas la question. Nous aurions pu nous contenter du piano.

Discrètement, le dentiste fait signe à la bonne de se retirer. Celle-ci file en douce vers la cuisine. Une fois seul avec sa femme, Edmond met un disque sur l'appareil. Une douce musique se diffuse dans la pièce. Prenant place dans un fauteuil, il dit à voix basse :

— N'est-ce pas merveilleux ?

Elle approuve de la tête.

— C'est un Columbia. Duquet l'a fait venir des États-Unis. Il m'a affirmé que cette marque est la meilleure sur le marché. Il a raison, la qualité du son est excellente. J'ai acheté plusieurs disques.

— Ce petit bijou reste quand même très dispendieux.

— C'est vrai, il n'est pas à la portée de toutes les bourses. Cyrille n'en vend pas beaucoup.

— Tu vois, même toi tu l'admets.

— Emma… en tant que dentistes, nous gagnons très bien notre vie. Pourquoi nous priver de ce petit plaisir ?

— Pas si petit que ça au prix que cet appareil coûte.

— Pourquoi toujours cette inquiétude à l'égard de l'argent ?

— Si tu avais été élevé dans une famille où chaque sou gagné compte, tu ne tiendrais pas le même discours.

— Il est révolu ce temps-là, Emma. Depuis que nous sommes mariés, tu n'as manqué de rien.

— Ce n'est pas une raison pour dilapider notre argent.

— Tu y vas un peu fort.

— Tu crois ? Chaque fois qu'une nouveauté apparaît sur le marché, tu te la procures. L'automobile, le téléphone, maintenant le gramophone. Tu es comme un enfant devant un nouveau jouet. Quand tout cela se terminera-t-il ? demande-t-elle en s'efforçant de rester calme.

— Moi qui croyais te faire plaisir, je me suis royalement trompé.

— Tu n'avais pas besoin d'acheter un gramophone pour y parvenir, réplique-t-elle d'une voix adoucie. Me jouer un morceau de Chopin au piano aurait suffi.

Constatant sa déception, elle ajoute :

— Je sais que tu étais plein de bonnes intentions et que tu as voulu bien faire…

— Ça va, j'ai compris, dit-il d'un ton sec en quittant son fauteuil. Je vais le retourner au magasin.

— Mais non. Gardons-le, maintenant que nous l'avons.

— Tu es difficile à suivre, Emma Gaudreau. Il y a quelques minutes, tu t'indignais de cette folle dépense et maintenant, tu souhaites conserver le gramophone. J'avoue que je ne sais plus sur quel pied danser.

— Règle générale, on danse sur les deux, répond-elle avec un brin d'humour.

— Je te laisse lire, dit-il en faisant un pas vers la porte.

— Edmond…

Le visage fermé, il se tourne vers elle.

— Comprends-moi. Tu m'as mise devant un fait accompli. La prochaine fois, j'aimerais que tu m'en parles avant d'agir.

— Je ne vais quand même pas te consulter pour chacune de mes décisions.

— Ce n'est pas ce que je te demande. Seulement pour celles qui sont importantes. J'ai encore sur le cœur l'achat du terrain sur lequel tu as fait construire notre maison. Tu ne m'as même pas consultée avant de l'acheter.

— Dans un couple, les décisions importantes reviennent à l'homme.

— Pourquoi donc? La femme est-elle trop stupide pour en prendre?

— Tu sais bien que non. Je n'ai jamais pensé une telle chose. Mais la société est ainsi faite.

Emma éclate d'un rire mauvais.

— Le fameux code Napoléon. Celui qui dicte depuis le 21 mars 1804 la conduite des femmes mariées en les privant de tout droit juridique. La femme n'a d'autre choix que de s'incliner devant la volonté de l'homme. Son opinion personnelle n'a aucune valeur ou crédibilité. Seule compte celle de son mari. Un homme charmant, ce Napoléon Bonaparte.

La conversation vire à l'aigre. Emma sent qu'elle est allée trop loin. Les mots ont dépassé sa pensée. Elle se trouve injuste envers Edmond. Il ne s'est pas opposé à ce qu'elle entreprenne des études pour devenir dentiste. Au contraire, il l'a même encouragée à persévérer alors qu'elle doutait de ses compétences.

— J'ai mal dormi la nuit dernière. Le manque de sommeil m'a rendue aigrie, s'excuse-t-elle en lui adressant un sourire navré.

— À l'avenir, j'y penserai à deux fois avant de te faire une surprise. Je sors, j'ai besoin de changer d'air.

D'un pas ferme, il quitte le salon. Elle entend la porte de l'entrée claquer derrière lui. *Il est fâché. Moi et ma grande langue… Qu'avais-je besoin de lui cracher tout mon fiel au visage ? Qu'est-ce que cela m'a apporté si ce n'est un froid jeté entre nous deux ?* Elle tend la main pour saisir la petite cloche en argent qu'elle agite d'un geste brusque.

— Oui, madame Emma.

— Fais taire cet appareil, je ne veux plus l'entendre.

— Je ne sais pas comment faire, bredouille la bonne.

— Tu n'as qu'à soulever l'aiguille du gramophone et la remettre en place. Ce n'est pas bien compliqué.

Célina s'approche de l'appareil. Après s'être essuyé les mains sur son tablier, elle fait ce que sa patronne lui a demandé. La musique s'arrête aussitôt.

— Merci. Laisse-moi maintenant.

La domestique obéit, étonnée par la réaction de la femme. *Pourquoi est-elle de mauvaise humeur ? J'aurais été tellement contente de recevoir un si beau cadeau. Monsieur Casgrain était si heureux lorsqu'il est revenu avec la machine à musique. Depuis que madame Emma s'est cassé la jambe, elle n'a pas le sourire facile. C'est vrai qu'à sa place, moi non plus je ne l'aurais pas. Être assise dans un fauteuil à cœur de journée, c'est rien pour remonter le moral. Elle ne peut même pas aller seule à la toilette. La pauvre, elle a besoin d'aide pour tout en ce moment. J'ai hâte qu'elle retrouve l'usage de sa jambe et qu'elle reprenne ses activités. Son travail de dentiste doit lui manquer beaucoup en ce moment. Elle aime se sentir utile, ce qui est loin d'être le cas depuis l'accident.*

Chapitre 31

Edmond repose l'écouteur sur son crochet. Le regard fixe et lointain, le dentiste semble s'abîmer dans ses pensées. Emma s'approche de son mari, pressentant une mauvaise nouvelle. D'une voix inquiète, elle demande :

— Qui appelait ?

— Les sœurs du Bon-Pasteur. Henri-Raymond vient de mourir.

Le feu crépite dans la cheminée. Malgré la chaleur qui règne au salon, Emma sent le besoin de resserrer son châle autour de ses épaules. Elle sait combien Edmond était attaché à son cousin.

— Sa santé laissait à désirer depuis quelque temps, mais j'ignorais à quel point.

— Il avait soixante-treize ans, lui rappelle Emma. À cet âge-là, un simple rhume peut être fatal.

Edmond se sert à boire, puis se réfugie dans son fauteuil préféré. Emma le suit et s'assoit sur le bras du fauteuil.

— Il aura travaillé jusqu'à son dernier souffle. Le mois dernier, il donnait encore des cours d'histoire à l'Université Laval.

— Tu l'aimais beaucoup, n'est-ce pas ?

— J'admirais l'homme qu'il était. Je n'ai jamais rencontré quelqu'un d'aussi passionné que lui pour l'histoire du Canada. Toute sa vie, il a cherché à la promouvoir au moyen de l'écriture.

— Oui, tu me l'as déjà dit. Ses premiers écrits ont été des contes et des légendes publiés dans *Le Courrier du Canada*. Ça remonte à l'année de ma naissance.

— À l'époque, il était un jeune vicaire de Québec.

Le dentiste vide d'un trait son verre de cognac.

— Henri-Raymond n'a pas seulement écrit des contes et des légendes, Emma. On lui doit des livres d'histoire, comme celui portant sur l'Hôtel-Dieu de Québec et un autre sur l'Asile du Bon-Pasteur de Québec. Il a aussi écrit des biographies, dont l'une sur Marie de l'Incarnation. À lui seul, il cumulait cinq fonctions : prêtre, historien, écrivain, éditeur et professeur à l'université. Peu d'hommes peuvent se vanter d'avoir été aussi prolifiques.

— Tu en oublies une. Il a également été le mentor de Laure Conan, l'auteur de romans historiques.

Edmond fronce les sourcils.

— Elle ne lui en a pas été très reconnaissante, préférant se tourner vers un autre de mes cousins, Thomas Chapais. Elle en a fait son confident et ami intime. Je la soupçonne même d'en être amoureuse, même si Thomas est marié depuis vingt ans avec Hectorine Langevin.

— Ne lui prête pas de mauvaises intentions. Thomas est lui aussi un célèbre historien.

Edmond contemple son verre vide sans répondre.

— Quand auront lieu les funérailles ?

Il hausse les épaules en signe d'ignorance.

— Nous sommes jeudi soir. Je doute fort que les obsèques soient samedi. Tout ce que je sais, c'est qu'il souhaitait être inhumé au cimetière de l'Asile du Bon-Pasteur.

— Ce n'est pas étonnant. Il résidait à cet endroit depuis vingt-six ans, note Emma.

— Henri a longtemps été l'aumônier de cette institution, venant en aide aux femmes en difficulté. Forcément, il y a créé des liens.

— Les sœurs du Bon-Pasteur font un travail remarquable. Cela prend beaucoup de courage et de don de soi pour œuvrer auprès des prostituées, des prisonnières, des immigrantes et de toutes ces démunies, souvent malades, qui viennent frapper à leur porte pour demander asile.

Le couple garde le silence un moment.

— Il se fait tard, je vais me coucher, murmure Emma.

— Je te rejoins bientôt.

Après le départ de sa femme, Edmond fixe les flammes d'un œil absent. Il repense aux nombreuses conversations qu'il a eues avec son cousin. *Quel homme intéressant!*

Le lendemain matin, le dentiste se rend sur la rue De La Chevrotière où pensionnait Henri-Raymond Casgrain. Une vieille religieuse l'accueille et le conduit au bureau de la supérieure.

— Nous vous attendions, docteur Casgrain, dit aimablement cette dernière.

De la main, elle lui désigne une chaise. Après lui avoir offert ses plus sincères condoléances, la supérieure l'informe de la date et de l'endroit des funérailles. Comme Edmond s'y attendait, les obsèques auront lieu au début de la semaine suivante.

— Étant le plus proche parent de l'abbé Casgrain à résider dans la ville de Québec, vous êtes la personne désignée pour faire le tri de ses affaires personnelles. Cependant, je dois vous prévenir que votre cousin nous a légué quelques objets lui ayant appartenu et qui lui tenaient à cœur.

La religieuse chausse ses lunettes et lit à haute voix ce qui est écrit dans un carnet de cuir ouvert devant elle.

— Sa montre de poche, un portefeuille, un essuie-plume et quelques portraits de famille peints par Théophile Hamel. Voilà, c'est tout. Vous pouvez disposer de tout ce qui reste et qui se trouve dans sa chambre. Vous constaterez qu'il y a beaucoup de livres. L'abbé Casgrain y tenait comme à la prunelle de ses yeux.

Edmond remercie la supérieure avant de quitter son bureau. Une fois dans la chambre de son cousin, il est surpris de la simplicité du mobilier. Un lit étroit, des images saintes aux murs, un crucifix, une armoire servant de lavabo, une petite table près de la fenêtre où sans doute le prêtre rédigeait ses mémoires. Le dentiste s'assoit sur la chaise de bois et porte son regard sur les étagères remplies de livres. *Je ne pourrai pas tout garder. Il y en a beaucoup trop.* Il regrette que sa femme ne soit pas avec lui. *Emma m'aurait aidé à sélectionner ceux que je donnerai à la bibliothèque de la ville.* Près du lit, sur la table de chevet, reposent un bréviaire et une paire de lunettes. *Pauvre Henri ! Il a souffert de maladie oculaire toute sa vie sans jamais se plaindre.* Dans le silence de la chambre, Edmond se laisse bercer par des souvenirs vieux de trente-cinq ans. À l'époque, il étudiait la médecine dentaire à Philadelphie. Hortense, sa mère, lui écrivait régulièrement pour l'informer de la vie à L'Islet tout en lui donnant des nouvelles de la famille. Un jour, le jeune étudiant de vingt-trois ans reçut une missive qui le laissa perplexe. C'était en 1869. L'écriture de sa mère était différente. Les coups de plume nerveux, les lignes obliques, certains mots biffés et quelques fautes d'orthographe trahissaient la colère et l'amertume de la femme. Sur le coup, Edmond ne comprit pas pourquoi sa mère s'insurgeait autant du fait que sa belle-sœur Elizabeth-Ann Baby ait rédigé les mémoires de famille de l'honorable C. E. Casgrain. Après tout, Charles-Eusèbe Casgrain avait été son époux et le père de ses huit enfants, dont Henri-Raymond. « Elisa veut en faire un héros alors que tout le monde sait qu'il était un vendu aux Anglais. Il a refusé de soutenir le Parti patriote de Louis-Joseph Papineau en votant contre les quatre-vingt-douze résolutions alors qu'il était député de Kamouraska à l'Assemblée législative », avait écrit Hortense en soulignant d'un gros trait noir ces deux phrases. Des années plus tard, Edmond avait su de Catherine Perrault, sa grand-mère maternelle, qu'Amable Dionne, le père d'Hortense, s'était lui aussi opposé à la cause des patriotes par crainte de représailles des Anglais. De la bouche de sa grand-mère, il avait appris que Louis-Joseph Papineau s'était déplacé au manoir Dionne à Kamouraska le 23 juin 1837. Amable Dionne l'avait accueilli avec courtoisie, mais prudence. Pour le grand-père d'Edmond, il n'était pas question de recourir à la révolte et à la violence. *Maman avait la mèche courte ou retenait ce qui l'arrangeait,* se dit le dentiste. Après la publication des mémoires, les deux belles-sœurs s'étaient brouillées et étaient restées des années sans se reparler. *Dommage, car elles étaient veuves et mères de plusieurs enfants. Maman demeurait à L'Islet et tante Elisa à Rivière-Ouelle.* Elles s'étaient réconciliées quelques mois avant le décès d'Elizabeth-Ann. Hortense avait mis de côté sa rancune et avait fait le voyage jusqu'à Québec pour rendre visite à sa belle-sœur devenue aveugle et qui résidait alors au couvent des sœurs de la Charité.

Un léger coup à la porte interrompt ses pensées. Edmond délaisse sa chaise et marche vers la porte qu'il ouvre doucement. Les mains enfouies dans son habit monacal, une jeune religieuse lui sourit timidement.

— Oui, ma sœur ?

— Notre révérende mère m'a demandé de venir vous aider, répond la nonne qui baisse aussitôt les yeux, comme si elle voulait se fondre au décor.

Le visiteur a pitié d'elle et de son trouble apparent. Il la soupçonne d'être une sœur converse. Ces religieuses qui voient aux travaux quotidiens, soit le ménage, les repas et la lessive, ont toujours suscité son admiration.

— J'aurais besoin de quelques boîtes pour entreposer tous ces livres.

— Je m'en occupe, ce ne sera pas long.

Il n'a pas le temps de la remercier que déjà elle s'éloigne à petits pas pressés. Edmond laisse la porte entrouverte. Il s'avance vers la fenêtre. Malgré un soleil splendide, le froid est bien présent en cette matinée de février. *Au moins, il ne neige pas,* se dit-il. *Bon, je ne suis pas venu jusqu'ici pour contempler la nature. Au travail!* Plein de bonne volonté, il s'approche de la bibliothèque et commence à lire les titres des ouvrages. Sur un rayon à gauche, son regard est attiré par cinq volumes intitulés *Les Souvenances canadiennes*. Avec le plus grand respect, le dentiste sort le premier livre de la tablette et commence à le feuilleter. Il n'est pas surpris de lire l'avertissement en première page. *Je défends absolument que ces Mémoires soient publiés, en aucun temps et sous aucun prétexte. Signé par Henri-Raymond Casgrain, le 24 septembre 1899.* À deux reprises, son cousin lui avait fait part de ses intentions d'écrire ses mémoires, insistant sur le fait que certains événements de la famille Casgrain devaient rester privés. Encore à ce jour, Edmond se demande pourquoi les avoir rédigés. L'auteur souhaitait-il suivre l'exemple de sa mère, qui avait rédigé les mémoires de son époux? Edmond s'interroge, surtout en lisant le passage où son cousin mentionne l'hébergement des troupes anglaises au domaine de sa famille à Rivière-Ouelle en 1838. L'auteur y décrit à quel point ses frères et lui avaient été fascinés par les armes des soldats, lesquels leur avaient gentiment permis d'y toucher. Edmond saisit un autre volume. Cette fois-ci, il est question des nombreux voyages de l'abbé Casgrain. Pendant quarante ans, l'auteur s'est promené en Europe, en Orient et aux États-Unis pour des raisons de santé ou pour des recherches historiques. Chaque hiver, il fuyait le Québec en raison d'une maladie oculaire: la photophobie. Celle-ci le rendait sensible à la lumière, particulièrement aux reflets du soleil sur la neige. Edmond est si absorbé dans sa lecture qu'il n'entend pas la religieuse revenir dans la chambre. Pour signaler sa présence, celle-ci toussote discrètement.

— Entrez, ma sœur, l'invite-t-il aimablement.

Il referme le volume et s'empare des boîtes de carton vides apportées par la femme.

— J'ai l'intention de donner plusieurs livres à la bibliothèque de Québec, dit-il. Je m'en réserve quelques-uns. Votre communauté pourra garder les autres. Toutefois, j'aimerais conserver le bréviaire et la paire de lunettes de mon cousin. Ce sont des souvenirs qui me sont chers.

La jeune femme acquiesce timidement de la tête. *Visiblement, elle ne sait que dire et préférerait être ailleurs,* songe le dentiste.

— Parlez-moi un peu de l'abbé Casgrain, demande-t-il avec douceur. Comment était-il au quotidien ?

Le visage de la religieuse s'éclaire d'un sourire.

— Monsieur l'abbé avait toujours un mot aimable pour chacune d'entre nous. C'était une personne accueillante et généreuse.

Elle marque une pause avant de poursuivre, la mine sérieuse :

— Il aurait eu toutes les raisons de se plaindre. Cet homme qui aimait tant lire et écrire ne voyait presque plus. Malgré cela, il n'était pas morose ni désagréable. Je ne l'ai pas connu longtemps, mais je me souviendrai de sa gentillesse.

Comme si elle en avait trop dit, elle se tait brusquement. D'une main nerveuse, elle joue avec la croix pendue au bout de son chapelet.

— Merci d'avoir partagé avec moi vos impressions. Votre témoignage renforce l'opinion que je me faisais de mon cousin. Vous avez raison, c'était un homme bon.

Le sourire revient sur les lèvres de la femme. Son visage ingrat, marqué par la vérole, devient presque joli.

— Avez-vous besoin de moi pour ranger les livres dans les boîtes, docteur Casgrain?

— Non merci, cette tâche m'incombe. J'en ai encore pour un bon moment. Prévenez votre supérieure que j'irai la saluer avant de partir.

La sœur converse incline poliment la tête et quitte la chambre. Edmond se remet au travail tout en se questionnant sur cette rencontre fortuite. Selon lui, tout a un sens, rien n'arrive par hasard. Même si physiquement, cette jeune religieuse ne ressemble pas du tout à sa sœur Eugénie, il ne peut s'empêcher de lui trouver certaines affinités : humilité, discrétion, réserve, mais aussi sagesse et respect des gens. Edmond comprend enfin que sa sœur était prédestinée à devenir religieuse. Lui qui avait toujours mis en doute la vocation d'Eugénie prend conscience que c'était un choix délibéré et qu'elle n'a pas été malheureuse durant ses vingt et une années passées comme sœur choriste à l'Hôpital général de Québec. Réconcilié avec le passé, il se sent presque heureux.

***

— C'est décevant! se désole Emma. Tu as perdu par si peu de voix.

— C'est loin d'être une défaite cuisante, renchérit Stanislas Gaudreau.

— Peut-être, mais cela reste une défaite.

Le dentiste Casgrain éteint son cigare dans le cendrier. Depuis qu'il a reçu le résultat du vote, un mélange de frustration et de déception s'est emparé de lui. *Se faire battre par seulement dix voix,* se dit-il avec dépit. La nouvelle de sa défaite lui a été communiquée par téléphone il y a cinq minutes. Lentement, il a raccroché le combiné, essayant de se composer un visage neutre devant sa femme, son beau-frère et sa belle-sœur. Emma n'a pas été dupe de son air impassible. Elle sait combien son rôle de conseiller municipal lui tenait à cœur.

— C'est toi qui aurais dû l'emporter, pas Cyrille Duquet, affirme-t-elle.

— Nous nous sommes fait une chaude lutte, reconnaît Edmond.

— La victoire aurait pu aller dans un sens comme dans l'autre. Ton voisin a gagné de justesse.

— Stanislas a raison. L'horloger de la rue Saint-Jean n'est pas meilleur que toi.

— Il a une longue expérience en politique municipale. Duquet a été échevin bien avant moi, Emma.

— Je veux bien le croire, mais il s'est retiré de ce poste depuis longtemps.

— Rien ne l'empêchait de tenter un retour sur la scène municipale. Il l'a fait et il a gagné. Fin de la discussion.

Edmond quitte son fauteuil et va vers le cabinet à liqueurs.

— Même si nous n'avons rien à fêter ce soir, un petit verre serait apprécié. Que souhaitez-vous boire ?

Emma et Marie-Hélène déclinent l'offre, alors que Stanislas accepte un verre de scotch. L'atmosphère n'est pas très joyeuse. Les invités se sentent mal à l'aise. Marie-Hélène, qui ne comprend rien à la politique, n'ose pas s'immiscer dans la conversation. Elle se faisait une joie de passer un bon moment en compagnie d'Emma et d'Edmond. Depuis que Stanislas et elle ont mis les pieds dans la demeure des Casgrain, il n'a été question que d'élection municipale. La jeune femme s'est faite silencieuse, se contentant d'écouter les autres. La fille de l'hôtelier David Déry n'a jamais eu le verbe facile. Marie-Hélène envie la volubilité de sa belle-sœur qui s'exprime librement sur tous les sujets et qui semble à l'aise partout. Elle admire son courage et sa détermination. Devenir la première femme dentiste du pays, c'est impressionnant. Emma est si accaparée par son travail que les occasions de sortir entre belles-sœurs sont rares. Lorsque Marie-Hélène a reçu l'invitation à souper d'Emma, elle s'est dépêchée d'accepter. En compagnie de la sœur de Stanislas, elle redevient la jeune fille de Trois-Pistoles rieuse et spontanée. Ce soir, malheureusement, c'est tout le contraire qui se produit. Elle se sent gauche et empruntée. Comme s'il avait deviné son état d'esprit, Stanislas lui serre doucement la main. Ce petit geste la réconforte et l'apaise. La nuit dernière, elle n'a pas beaucoup dormi, accablée par la moiteur qui régnait dans la chambre. *Et juillet ne fait que commencer*, songe-t-elle, découragée.

— Bon, on ne va pas gâcher le reste de la soirée à broyer du noir, lance Emma. Que diriez-vous d'une partie de cartes? Les femmes contre les hommes.

— Bonne idée. Préparez-vous à vous faire battre à plate couture, mesdames.

— Je ne parierais pas là-dessus, mon cher mari.

Edmond et Emma échangent un regard amusé. Du coup, la tension diminue dans la pièce. Une heure plus tard, des rires et des exclamations joyeuses se font entendre au salon. L'ambiance est détendue. Les joues roses de plaisir, Marie-Hélène a retrouvé son entrain et participe activement au jeu. À la cuisine, Célina a fini de tout ranger. Assise à la table, la domestique s'accorde une pause bien méritée. Même si elle se fait un devoir de ne pas écouter aux portes, elle a surpris la conversation qui se déroulait dans la pièce voisine. Attristée de la défaite du docteur Casgrain, elle se sent soulagée de voir que la bonne humeur est revenue au salon. Dans quelques minutes, elle apportera de grands verres de thé refroidi à ses patrons et à leurs invités. Pour l'instant, elle savoure son café en soupirant d'aise. La journée a été épuisante.

Travailler dans cette chaleur n'a pas été facile. Mais elle a tenu bon afin d'assurer un repas et un service impeccables. Madame Emma a récompensé ses efforts d'un large sourire. Célina s'essuie la nuque avec son petit mouchoir brodé de ses initiales. La jeune femme transpire à grosses gouttes. Elle rêve d'une pluie tranquille et douce, accompagnée d'un vent frais qui chasserait l'humidité de cette lourde soirée d'été. Ses pensées se tournent vers celui qui fait battre son cœur. Charles Langevin ! Le simple fait de prononcer son nom lui donne l'impression d'avoir des papillons dans le ventre. Le sourire aux lèvres, elle se laisse aller contre le dossier de sa chaise. Elle le fréquente depuis trois mois à peine. Pourtant, elle croit le connaître depuis toujours. Fils de cultivateur, il a quitté la campagne pour venir travailler en ville. Grand, vaillant et robuste, Charles n'a pas mis longtemps à se trouver du travail. D'abord au port de Québec, puis dans un magasin de menus articles de la Haute-Ville. C'est à cet endroit que Célina a fait sa connaissance, un après-midi gris et pluvieux d'avril 1904. Madame Emma l'avait envoyée faire une course urgente. Célina était parvenue au magasin, trempée jusqu'aux os, les bottines et l'ourlet de ses jupons maculés de boue. De mauvaise humeur, elle avait tendu sans un mot sa liste de commissions au jeune homme qui se tenait derrière le comptoir. En prenant le bout de papier, il avait frôlé la main de Célina. Leurs regards s'étaient croisés. Les yeux bleus de Charles pétillaient de gaieté. Le sourire qu'il lui décocha suffit à la remettre de bonne humeur. Elle avait vite baissé les yeux, sentant le rouge lui venir aux joues. Cet inconnu lui avait plu dès le premier regard. Elle, qui avait appris à se méfier du coup de foudre et à ne pas accorder sa confiance facilement, avait ressenti une vive émotion en sa présence. Une fraction de seconde, elle avait imaginé le corps puissant du jeune vendeur pressé contre le sien. En peu de temps, le commis avait rempli le panier de sa cliente et s'était offert de le transporter jusqu'au domicile des Casgrain. Célina avait accepté avec empressement. Sur le chemin du retour, ils avaient fait connaissance malgré la pluie fine et désagréable qui tombait sur la ville. Euphorique, le cœur gonflé de bonheur, elle avait consenti à le revoir. Célina tourne sa cuillère dans sa tasse. Elle se sent reconnaissante envers sa patronne. Non seulement madame Emma approuve ses fréquentations amoureuses, mais elle lui a permis de recevoir Charles au petit salon, les samedis soir. «Tu es bien chanceuse, Célina. La plupart des domestiques ne bénéficient pas d'autant de considération de la part de leur employeur», lui a fait remarquer la sœur de son père. Oui, sa patronne est généreuse et possède un grand cœur. Célina appréhende le jour où elle quittera la demeure des Casgrain. Charles et elle ont des projets d'avenir: un mariage, un logis, des enfants. Elle n'en a pas soufflé mot aux dentistes. *Il est encore trop tôt pour les aviser de mon départ,* songe la domestique. Des liens de confiance et de respect se sont créés entre eux. *Il ne sera pas facile de les quitter.* Pourtant, elle se sent prête à le faire, car son amour pour Charles est profond. La voix joyeuse d'Emma Casgrain la tire de ses pensées.

— J'allais oublier de servir le thé, murmure-t-elle en se levant précipitamment de sa chaise.

Lorsque la bonne se présente au salon, munie de son plateau, tous les regards convergent vers elle.

— À la bonne heure! s'exclame le docteur Casgrain en lui souriant. Avec cette chaleur, un thé froid sera apprécié.

Avec précaution, Célina dépose le plateau sur la table basse. Elle verse le liquide dans les verres qu'elle distribue aux quatre adultes avant de se retirer avec le plateau vide.

— Tu as une domestique bien stylée, chuchote Marie-Hélène.

— Je ne sais pas ce que je ferais sans elle, répond la maîtresse de maison.

Les mains de Célina se crispent sur le plateau. La réplique de sa patronne la trouble. Elle craint déjà la peine et la déception de celle-ci à l'évocation de son départ.

Chapitre 32

— Crois-tu que nous la reconnaîtrons?

— Pour la nième fois, la réponse est oui.

— Tu sembles bien confiant. Nous n'avons pas vu ta nièce depuis des lustres.

— Cesse de t'inquiéter, Emma. Tout va bien se passer.

— Facile à dire, ronchonne-t-elle.

Assise sur un banc, la dentiste ne peut cacher sa nervosité. Elle ne quitte pas des yeux le vapeur qui accostera bientôt. Emma aimerait bien avoir le calme de son mari, qui lit tranquillement *Le Soleil*. Dès que les premiers passagers empruntent la passerelle pour descendre du bateau, Edmond replie son journal. Tout comme sa femme, il cherche des yeux la fille de son frère. Les minutes passent. Emma commence à désespérer.

— Et si elle avait manqué le train à la gare de L'Islet? Il lui aurait été impossible de prendre ce vapeur à Lévis.

Le dentiste fait la sourde oreille et concentre son attention sur les passagères féminines.

— La voilà! se réjouit-il.

— En es-tu sûr?

— Difficile de me tromper. Elle ressemble à Amélia comme deux gouttes d'eau.

Emma aperçoit une jeune femme à la silhouette mince qui regarde dans leur direction. Edmond se lève et lui fait signe de la main. Le visage de la voyageuse s'éclaire d'un sourire.

— C'est bien elle. Allons la rejoindre.

L'homme marche à grandes enjambées, pressé de retrouver sa nièce.

— Pas si vite, Edmond! proteste Emma, qui peine à le suivre.

Il ralentit aussitôt le pas. La fille de Jules Casgrain se dirige vers eux, la mine souriante.

— Tante Emma! Oncle Edmond! Je suis si contente de vous voir.

— Tu as fait bon voyage, Anaïs? s'enquiert la dentiste après avoir embrassé sa nièce sur la joue.

— Excellent, mais je ne suis pas fâchée d'être arrivée.

— Tu n'as que cette valise? s'étonne son oncle.

— Pour le moment, oui. Le reste de mes effets personnels suivra par le train la semaine prochaine.

— Dans ce cas, ne restons pas ici. J'ai garé ma voiture tout près. Donne-moi ta valise et marchons jusqu'à l'auto.

— Edmond a raison. Tu es le portrait tout craché de ta mère.

La jeune femme de vingt-huit ans sourit, dévoilant des dents parfaites.

— Bien des gens me le disent.

— As-tu reçu des nouvelles de ta famille? s'informe Emma.

— Pas récemment.

— Je trouve ta mère bien courageuse. Quitter L'Islet où elle a vécu toute sa vie pour s'installer dans une région inconnue et hors du Québec, cela demande bien des sacrifices et beaucoup de force de caractère. Surtout à cinquante ans.

— Comme dit l'adage, qui prend mari, prend pays.

La dentiste hoche la tête. Pendant qu'elles se dirigent vers la voiture, Emma revoit mentalement les noces de sa belle-sœur Amélia. C'était en janvier 1903 à L'Islet. La mariée arborait un petit sourire triste. Du moins, c'est l'impression qu'Emma avait ressentie en la regardant avancer dans l'allée centrale au bras de son futur époux. Tout comme la mariée, le médecin Joseph Rodolphe Delorimier était veuf. Amélia avait sept enfants, Rodolphe seulement une fille de douze ans. Edmond était le seul représentant de la famille Casgrain présent à ce mariage, ses frères et ses sœurs étant tous décédés. Emma soupçonne sa belle-sœur de s'être remariée pour subvenir aux besoins de ses enfants dont l'âge variait de huit à vingt-deux ans. Deux ans plus tard, le couple accompagné des enfants était parti vivre à Saint-Boniface au Manitoba. Anaïs n'avait pas suivi sa mère, préférant demeurer au Québec. Emma jette un regard à sa nièce. La tenue de la jeune femme est sobre, mais élégante. La longue jupe de taffetas bleu laisse à peine dépasser le bout de ses bottines de cuir noir. Un chemisier de dentelle orné de boutons de nacre complète l'ensemble. Les cheveux brun foncé attachés en un chignon lâche encadrent un visage aux traits fins et réguliers. *Anaïs semble inconsciente de son charme. Pourtant, elle attire les regards de bien des jeunes gens.* Emma a toujours eu un faible pour l'aînée de Jules et d'Amélia. La maturité et la grandeur d'esprit qui émanent d'elle l'ont toujours fascinée. Alors que les fillettes de son âge jouaient à la marelle ou catinaient des poupées, la fille du notaire Casgrain préférait lire ou jouer du piano. « Elle a un don pour les arts, cette petite », affirmait la tante à la mère de l'enfant qui l'écoutait sans accorder trop d'importance à ses propos. Amélia avait-elle souhaité un avenir plus prometteur à sa fille ? Était-elle déçue du choix de célibat de son aînée ? Pourtant, les prétendants n'avaient pas manqué. Aucun n'avait trouvé grâce aux yeux d'Anaïs. Emma admire l'indépendance de sa nièce. *Elle ne se fera pas imposer un mari ni une destinée.* Arrivée à la maison de son oncle, la visiteuse insiste pour voir le cabinet dentaire avant de monter à l'étage. Curieuse, elle pose une foule de questions aux deux dentistes qui lui répondent d'un air amusé.

— Vous êtes un modèle pour moi, tante Emma. Avoir choisi une profession réservée aux hommes, cela prenait beaucoup de cran. En devenant dentiste, vous avez ouvert la porte aux femmes qui souhaiteraient vous imiter.

Touchée par ce compliment, Emma la remercie d'un sourire.

— Et si nous montions maintenant ? suggère Edmond. Célina doit avoir hâte de servir le souper.

À l'évocation de ce prénom, Anaïs lève la tête vers son oncle, une interrogation dans les yeux.

— Célina est notre bonne, lui précise Emma. Elle est à notre service depuis sept ans.

Satisfaite de l'explication, la fille de Jules et d'Amélia quitte le cabinet dentaire. Derrière son oncle et sa tante, elle gravit l'escalier étroit aux marches grinçantes. Dès qu'ils pénètrent à l'intérieur du logis, du bruit leur parvient de la cuisine.

— Nous sommes revenus, lance Emma d'une voix forte.

Une tête blonde apparaît dans l'encadrement de la porte.

— Désirez-vous manger tout de suite ? s'informe la domestique.

Les dentistes se concertent du regard.

— Commence à servir, répond la maîtresse de maison. Nous passerons à table dans quelques minutes.

— Bien, madame.

Emma prend sa nièce par le bras et l'entraîne gentiment dans le corridor.

— Viens que je te montre où tu dormiras. Célina a changé les draps du lit ce matin. Elle a nettoyé et remis de l'ordre dans la pièce. Tu y seras bien, affirme-t-elle en ouvrant la porte de la chambre. Oh! Il fait froid ici. On a beau être au mois de mai, la température ne se réchauffe pas vite cette année.

La dentiste s'approche de la fenêtre et la referme rapidement.

— Rejoins-nous quand tu seras prête.

— Merci, tante Emma. J'apprécie beaucoup ce que vous faites pour moi. Je ne vous importunerai pas longtemps, je vous le promets.

— Tu ne nous déranges pas du tout. Reste aussi longtemps qu'il te plaira. Ta présence nous fait très plaisir. À tout de suite.

Aussitôt que sa tante sort de la chambre, Anaïs se laisse tomber sur le lit. Si elle s'écoutait, elle dormirait quelques heures. La journée l'a fatiguée. Avec effort, elle se relève et s'avance vers la table de toilette. Le buste penché au-dessus du bassin, la jeune femme s'asperge le visage d'eau froide. Déjà, elle se sent mieux. Elle jette un œil à sa tenue et constate que celle-ci n'a pas trop souffert du voyage. *Pas besoin de me changer, je suis présentable.* De la main droite, elle replace quelques mèches échappées de son chignon, se pince les joues pour leur redonner un peu de couleur, puis marche résolument vers la porte qu'elle ouvre d'un geste décidé. Affichant une mine enjouée, elle se présente à la salle à manger où l'attendent ses hôtes. Le repas se déroule dans une ambiance chaleureuse qui contribue à rendre la visiteuse à l'aise.

— Le bœuf était divin, Célina. Il n'y a que toi pour l'apprêter aussi bien.

— Merci, madame Emma, murmure la bonne tout en desservant la table.

— Passons dans le salon prendre le café, suggère la dentiste qui repousse sa chaise, aussitôt imitée par son mari et sa nièce.

— Oh! Vous avez un gramophone, s'écrie Anaïs d'un ton ravi.

— C'est une initiative de ton oncle. Au début, j'étais un peu réticente.

— Un peu, tu dis? Le mot est faible. Si ma mémoire est bonne, tu étais plutôt furieuse de cet achat.

— Nous avions déjà un piano, Edmond. Je ne voyais pas la nécessité de se procurer cet appareil.

— Je vais mettre un peu de musique, décrète l'homme en se dirigeant vers le gramophone. Cela fera sûrement plaisir à Anaïs.

Ce qu'il peut être susceptible! pense Emma qui choisit de ne pas répliquer pour préserver la paix. La fille du notaire Casgrain sent qu'elle a touché une corde sensible et s'en veut d'avoir montré de l'intérêt pour le gramophone. En silence, elle prend place au côté de sa tante sur la causeuse, tandis que son oncle s'assoit dans un fauteuil.

— Tu reconnais cet air d'opéra, Anaïs?

— La Bohème?

— Oui, et qui l'interprète?

— Enrico Caruso le ténor italien?

— Bonne réponse, tu m'impressionnes.

— Je suis professeur de musique, rappelle-t-elle à son oncle. Je me dois de connaître mon domaine.

— Ainsi, tu as l'intention d'ouvrir un studio à Québec ? s'informe Emma.

— C'est la raison de ma venue dans la capitale. Depuis que ma famille est partie vivre au Manitoba, je me sens un peu seule à L'Islet.

Emma tapote la main de la jeune femme.

— Tu as bien fait de venir à Québec. Je suis sûre que tu ne manqueras pas d'élèves. Les gens de la bonne société vont se bousculer à ta porte pour que tu enseignes le piano à leurs enfants.

— C'est loin d'être certain. À L'Islet, je gagnais bien ma vie en tant que professeur de musique. Dans la grande ville, cela risque d'être plus difficile, car je ne connais personne.

— Et nous ? On ne compte pas ? demande Edmond d'un ton de faux reproche.

Anaïs esquisse un sourire.

— Ton oncle a raison. Quoi de mieux que deux dentistes pour te faire de la publicité ? Fie-toi sur nous. Nous parlerons de toi à tous nos patients.

— Merci. Dès demain, je me mets à la recherche d'un petit appartement.

— Prends ton temps, il n'y a pas le feu. La maison est suffisamment grande pour loger une personne de plus. L'important, c'est que tu trouves un endroit où tu te sentiras bien. Y a-t-il un secteur de la ville qui t'attire davantage ?

— Votre quartier me plaît beaucoup, tante Emma.

— Alors, je pense avoir ce qu'il te faut.

Étonnées, les deux femmes tournent la tête vers l'homme qui sirote tranquillement son cognac.

— Ne nous fais pas languir, Edmond, s'impatiente sa femme. Explique-nous.

Le dentiste dépose son verre sur la table.

— Il y a deux jours, dans *Le Courrier du Canada,* j'ai vu une annonce de logement à louer sur la rue Saint-Jean.

— Et tu ne m'en as pas parlé ? l'interrompt Emma d'un ton vexé.

— Je préférais m'informer avant de t'en glisser un mot. De façon à ne pas te faire de faux espoirs. Cela aurait pu être un taudis.

— Ce n'est pas le cas, j'imagine.

— En effet. Ce logement vient d'être peinturé, tapissé et décoré à neuf. Il est chauffé par l'air chaud et éclairé à la lumière électrique. De plus, il est équipé d'un bain, d'un cabinet d'aisances et d'un grand miroir.

— Où est-il situé exactement ?

— Au numéro 412.

Emma plisse les yeux pour mieux réfléchir.

— Mais c'est l'ancien hôtel Florence ! s'écrie-t-elle.

— En plein dans le mille.

Tout excitée, Emma explique à sa nièce :

— Avant la construction du Château Frontenac, le Florence était le grand hôtel de Québec. Doté de cinq étages, il était magnifique. Beau et luxueux. L'homme d'affaires Benjamin Trudel a investi beaucoup d'argent pour y attirer les touristes américains.

— Maintenant, cet hôtel a été converti en maison de chambres, ajoute Edmond.

Restée silencieuse jusqu'ici, Anaïs ne peut cacher plus longtemps son enthousiasme.

— Quand pourrai-je le visiter ? demande-t-elle.

— Demain, si tu veux, lui répond l'homme aux cheveux gris.

D'un bond, la jeune femme se lève de la causeuse et va déposer un baiser sur la joue de son oncle.

— Merci mille fois. Vous êtes formidable.

— Attends de le visiter avant de me remercier. Il ne te plaira peut-être pas.

— Je ne m'inquiète pas. Je vous fais entièrement confiance.

Emma contemple la scène d'un regard attendri. *Edmond aurait fait un bon père,* songe-t-elle. Son visage prend une expression rêveuse.

Dans la cuisine, Célina réfléchit tout en lavant la vaisselle. Les deux mains plongées dans l'eau chaude, elle se dit que la demoiselle Casgrain a bien de la chance d'avoir un oncle et une tante aussi attentionnés. Son arrivée à elle dans la grande ville a été bien différente. La sœur de son père ne l'avait pas accueillie avec autant de chaleur. La bonne pousse un soupir. Elle se revoit sur le quai de Québec, munie d'une petite valise cartonnée et d'un bout de papier sur lequel était inscrite l'adresse de sa tante. Indécise et tremblant de tout son corps dans un manteau trop léger pour cette période de l'année, elle se tenait debout, l'air misérable. Personne n'était venu l'attendre. Sa seule parente travaillait du matin au soir dans une manufacture de chaussures située sur la rue Saint-Vallier. La jeune fille avait pris son courage à deux mains et s'était renseignée auprès d'une passante pour trouver son chemin. Dans le froid et la neige, elle avait marché jusqu'au logis de sa tante.

Récupérant la clé dissimulée sous le paillasson, elle avait ouvert la porte et s'était vite faufilée à l'intérieur. Un froid humide y régnait. Une odeur de moisissures et de renfermé flottait dans l'air. Visiblement, la veuve ne chauffait pas le logement en son absence. Célina s'était donc résignée à garder son manteau. Le ventre creux, elle avait grignoté un bout de pain et un morceau de fromage. Le cœur serré, elle s'était demandé si elle avait bien fait de quitter la Côte-du-Sud. La journée s'était passée dans la solitude, l'incertitude et la tristesse. Lorsque la locataire avait enfin franchi le seuil de la porte, Célina n'avait eu droit qu'à quelques mots de bienvenue. Dans le petit logement étroit, l'adolescente avait vite compris que sa présence importunait la veuve. Celle-ci cachait mal son impatience de se retrouver seule dans son logis. *Elle s'est sentie obligée de m'accueillir parce que j'étais la fille de son frère*, pense la domestique en essuyant une assiette. Malgré tout, Célina ne lui en garde pas rancune. L'existence n'a pas été facile et douce pour cette femme qui a perdu depuis longtemps l'espoir d'un avenir meilleur. Depuis sept ans, la jeune fille se fait un devoir de lui rendre visite régulièrement. Chaque fois, elle arrive les bras chargés de provisions afin d'adoucir le quotidien morose de sa tante. Maintenant, elle ne se formalise plus du caractère aigri et bourru de la veuve ni de son regard qui, par moments, peut devenir dur comme la pierre. À quelques reprises, elle a surpris un sourire furtif éclairer le visage sévère de sa tante. Du salon, la bonne entend le rire cristallin de la visiteuse.

— Oui, la demoiselle Casgrain a bien de la chance, murmure-t-elle de nouveau.

Nous avons le même âge, nous sommes toutes les deux célibataires, mais là s'arrêtent nos ressemblances. Nous ne venons pas du même monde. Il n'y a qu'à regarder nos mains pour le constater. Les miennes sont rugueuses et rougeaudes, alors que les siennes sont douces et blanches. «Des mains de musicienne», a dit madame Emma. Dans sa voix, il y avait le plus grand respect. Jouer du piano, c'est pas tout le monde qui peut le faire. Il faut prendre des leçons de musique avec un professeur et pratiquer souvent. C'est pas une petite servante comme moi qui pourrait se payer un tel luxe. Même si Charles affirmait que tout est possible et qu'il suffit juste d'y croire. Célina grimace. Repenser à son ancien amoureux lui fait encore mal. Elle l'a tellement aimé. Six mois avant le mariage, son fiancé a été renversé par une voiture qui roulait trop vite sur la rue Saint-Pierre. Transporté d'urgence à l'Hôtel-Dieu de Québec, le jeune homme a rendu l'âme quelques heures plus tard. Le patron de Charles avait fait prévenir la fiancée de son employé, qui était accourue à l'hôpital en compagnie du docteur Casgrain. Malheureusement, le blessé était resté inconscient jusqu'à la fin. C'est une Célina le cœur en mille miettes qui était revenue à la maison de ses patrons. La nuit tombée, dans sa petite chambre, la jeune fille s'était juré de ne plus jamais laisser un autre homme entrer dans sa vie. Jusqu'à ce jour, elle a tenu parole, refusant toutes les invitations à sortir. Elle a fait une croix sur l'amour et sur le mariage, ne souhaitant pas être triste ou déçue une seconde fois. Sa mère, à qui elle a confié ses états d'âme, ne partage pas du tout cette décision. «Quand tu rencontreras le bon, tu penseras différemment. Et pis une femme, c'est pas fait pour vivre sans homme. À moins de s'enfermer dans un couvent pour le reste de ses jours. Une femme seule, ça fait jaser les gens. Et pas en bien, c'est sûr et certain.» Célina n'a rien répliqué. Ce qu'elle fera de sa vie ne regarde qu'elle, personne d'autre. *Travailler pour les dentistes Casgrain, c'est pas déshonorant ni dégradant. Je me sens bien à leur service et je ne demande rien d'autre.* Au salon, le gramophone diffuse un air inconnu. La voix du chanteur est belle et grave. Il chante dans une langue qu'elle ne comprend pas. *Cette musique me rend triste,* se dit-elle tout en suspendant le torchon de coton détrempé. Sa journée de travail est terminée. Elle hésite entre sa chambre et la couture. Ce soir, la belle machine à coudre de sa patronne ne lui dit rien qui vaille. Penser à Charles a remué en elle des souvenirs douloureux. Elle ne compte plus les heures qu'elle a passées, la tête penchée sur le moulin à pédale, heureuse de préparer son trousseau de mariage! Elle était si fière de broder leurs initiales entrelacées sur les draps de lin et les taies d'oreillers. «Les mêmes initiales. Tout comme Edmond et moi. C'est un gage de bonheur», lui avait prédit madame Emma. Pourtant, sa patronne s'est trompée. Les deux C que Célina a brodés avec amour sur tout le linge de maison ne lui ont apporté que malheur et désolation. Charles n'est plus et Célina reste seule. Après la mort tragique de son fiancé, la jeune fille a enlevé les draps, les taies d'oreillers, les nappes, les serviettes, les torchons, les tabliers rangés sur les étagères de l'armoire en acajou. Le simple fait de les voir chaque matin et chaque soir avivait sa peine. Sous la recommandation de sa patronne, elle a tout donné à la société de Saint-Vincent de Paul, une organisation fondée à Québec il y a soixante ans et qui vient en aide aux pauvres de la ville. «Tu feras bien des heureux», l'a assurée Emma Casgrain. Ce soir, dans sa petite chambre, la bonne a le vague à l'âme. Après avoir enlevé sa longue tunique et sa coiffe pour revêtir sa chemise de nuit et son bonnet en mousseline, elle se glisse entre les draps blancs bien repassés. Son menton tremble et des larmes embrouillent ses yeux. Au moment où elle est sur le point de céder à la tristesse, elle croit entendre la voix de sa mère résonner dans sa tête. *Ressaisis-toi, ma fille. Ce n'est pas comme ça que je t'ai élevée. Tu ne vas quand même pas passer le reste de ta vie à regretter le passé. Tu es jeune, belle et tu as la vie devant toi. Bonté divine, cesse de voir tout en noir. Pleurer comme une Madeleine ne te ramènera pas ton Charles. Allez, secoue-toi un peu.* Célina se tourne sur le côté et sourit malgré elle. *Mère n'a peut-être pas d'instruction, mais elle a toujours su comment trouver les bons mots pour me remonter le moral.*

Chapitre 33

— Dépêche-toi, Edmond! s'impatiente Emma. Je ne veux pas manquer le spectacle.

— Je viens, je viens! Cela ne sert à rien d'arriver trop vite. Il y aura des discours à n'en plus finir. Avec cette chaleur, cela deviendra insupportable.

— Ne sois pas si rabat-joie. Pour une fois qu'il se passe quelque chose de grandiose à Québec, je veux être dans les premières loges pour en profiter.

L'homme éclate de rire.

— Qu'ai-je dit de si drôle? demande-t-elle d'un ton vexé.

— Rien, Emma. C'est ton enthousiasme de petite fille qui me fait rire. Tu me parles de cet événement depuis des semaines.

— Et puis après? J'ai bien le droit d'être excitée. Ce n'est pas tous les jours qu'on assiste à un tricentenaire.

L'air pensif, le dentiste lisse sa moustache.

— Quoi encore? s'écrie-t-elle, la mine excédée.

— Je me demande juste ce que Samuel de Champlain penserait de cette fête à grand déploiement.

— Il serait content qu'on lui rende hommage. Partons maintenant. Anaïs doit nous attendre depuis un moment. Tu as bien fermé les fenêtres, Célina?

— Oui, madame.

Une dernière fois, la dentiste étudie son reflet dans le miroir de l'entrée. *Pas trop mal pour une femme de quarante-sept ans. À peine quelques rides autour des yeux*, constate-t-elle, satisfaite. À l'aide d'une épingle, elle fixe son chapeau blanc à large bord décoré de rubans, puis replace les boucles brunes qui couvrent son front. Avant de quitter la maison, elle jette un regard en coin à son mari. La tenue vestimentaire d'Edmond est impeccable. Le complet foncé à fines rayures qu'il a revêtu pour l'occasion est celui qu'elle préfère. Son nœud papillon est bien ajusté. À la main, il tient son canotier. *On ne lui donnerait jamais soixante ans. Il est droit comme un «i» et n'a pas une once de graisse.* Sur le pas de la porte, elle observe le ciel bleu.

— Quelle belle journée! Le temps est magnifique. Pas un seul nuage, note-t-elle joyeusement en ouvrant son ombrelle.

La rue Saint-Jean, tout comme les autres rues de la ville, est décorée de banderoles et de drapeaux français et anglais pour souligner le tricentenaire de Québec. Les festivités ont commencé le 19 juillet avec le défilé de la jeunesse catholique canadienne. Partis de la place du marché Jacques-Cartier, hommes et femmes avaient sillonné les rues de la ville au son des fanfares et des chants patriotiques. Lorsque le défilé s'était retrouvé sur la rue Saint-Jean, Emma avait proposé à son mari de se joindre au groupe. «Le temps est radieux et c'est dimanche.» Gagné par l'enthousiasme de sa femme, Edmond avait accepté. Un peu partout, accoudés aux fenêtres, les gens les saluaient. Plusieurs sortaient des maisons pour leur emboîter le pas. Emma fredonnait à tue-tête, sous le regard amusé du dentiste. Elle chantait faux, mais s'en moquait éperdument. De toute façon, sa voix était couverte par celles des autres. Parvenu devant le Château Frontenac, le défilé s'était enfin arrêté. Fanfares et chants cessèrent dès qu'un jeune homme prit place devant la statue de Samuel de Champlain. D'un ton posé et calme, il rendit hommage au fondateur de la ville. Ses paroles simples, mais vibrantes de patriotisme, touchèrent le cœur de bien des gens cet après-midi-là. Émue, Emma avait versé quelques larmes devant la statue couverte de fleurs. Le lendemain, en lisant *L'Action sociale*, elle apprit qu'on estimait la foule à trois mille personnes, la veille. Elle était fière d'en avoir fait partie. Le mercredi suivant, le prince de Galles était venu honorer la ville de sa présence. Son arrivée avait été soulignée en grande pompe. À l'approche du vaisseau royal *L'Indomptable*, des salves avaient été tirées et les cloches de la basilique avaient sonné à toute volée. Seuls les hauts dignitaires avaient reçu une invitation pour assister à l'arrivée du prince George. Pour l'occasion, la redingote s'imposait. Emma s'imaginait sans mal la scène. Les journaux de Québec l'avaient décrite en long et en large. À sa descente du vaisseau, une garde d'honneur navale et militaire attendait le prince sur le quai du Roi. Les dignitaires présents avaient respectueusement enlevé leur couvre-chef au passage de Son Altesse Royale. Cette dernière avait pris place sur une estrade pour écouter le discours de bienvenue de sir Wilfrid Laurier. Après avoir remercié en anglais puis en français, le prince de Galles avait été conduit à la Citadelle de Québec dans la voiture du gouverneur général. Derrière le beau landau, tiré par quatre chevaux et accompagné de postillons, suivaient sept voitures de dignitaires, puis un détachement d'hommes de la police montée du Nord-Ouest canadien. *Oui, cela devait être impressionnant. Si seulement le cortège était passé sur la rue Saint-Jean, j'aurais pu jeter un coup d'œil par la fenêtre. Au moins, nous avons eu droit à la parade militaire le lendemain.* Et quelle parade! Plus de mille deux cents soldats avaient défilé dans la ville, empruntant la Grande Allée, les rues Saint-Louis, du Fort, Buade, de la Fabrique, Saint-Jean, d'Youville, la côte d'Abraham et la rue de la Couronne pour terminer leur parcours devant le marché Jacques-Cartier. C'était beau de voir toute cette variété de costumes militaires. Celui des Highlands avait suscité le plus d'enthousiasme. Au passage des soldats écossais, les applaudissements avaient redoublé d'intensité. La chaleur torride et persistante des derniers jours n'avait pas empêché le couple Casgrain d'assister aux feux d'artifice qui avaient couronné cette journée mémorable du 23 juillet 1908. Malgré une pluie intermittente, la magie avait opéré. Les spectateurs poussaient des «oh!» et des «ah!» d'admiration devant le ciel qui s'enflammait de couleurs.

Emma avait particulièrement apprécié les fanfares provenant des navires de guerre illuminés sur le fleuve. «Un spectacle son et lumière, c'est merveilleux!» ne cessait-elle de répéter à l'oreille de son mari.

— N'est-ce pas Anaïs là-bas?

La question de son mari tire Emma de ses rêveries et la ramène au présent. Elle plisse les yeux pour mieux voir. Il y a tant de monde sur les trottoirs qu'elle ne parvient pas à distinguer sa nièce.

— Va la chercher, Edmond. Je reste ici avec Célina.

Le dentiste s'éloigne à pas rapides et revient quelques minutes plus tard avec la musicienne.

— Bonjour tante Emma. J'avais si peur de vous manquer.

Heureuses de se rencontrer, les deux femmes s'embrassent sur la joue.

— J'espère qu'il restera encore de la place, s'inquiète la tante.

— Voyons Emma, nous avons déjà acheté nos billets.

— D'après les journaux, on prévoit des milliers de spectateurs. J'espère que ce ne sera pas trop compliqué pour trouver nos sièges.

Anaïs remarque le panier de la domestique.

— Vous avez même pensé à emporter un pique-nique, dit-elle, ravie.

— Le spectacle dure quatre heures, précise Emma. Nous serons bien contents d'avoir quelque chose à se mettre sous la dent.

— Une chance que vous êtes là! dit la jeune femme en prenant affectueusement le bras de sa tante.

— As-tu les billets, Edmond?

— Sois sans crainte, Emma. Ils sont dans la poche de ma veste.

— Merci, mon oncle, de m'avoir invitée. Je n'y serais jamais allée seule. Dites-moi combien je vous dois.

— Rien du tout !

— Mais voyons ! répond Anaïs, visiblement mal à l'aise. Je me doute bien que le prix des billets est plus élevé aujourd'hui à cause de la présence du prince de Galles. Ce n'est pas à vous de payer pour moi.

— Accepte ce petit cadeau, autrement tu vas le vexer, lui souffle Emma à l'oreille.

— Merci de votre générosité, mon oncle, bredouille la jeune femme.

Célina observe discrètement le trio. Elle envie leur belle complicité. Depuis que la demoiselle Casgrain s'est installée à Québec dans la maison de chambres située sur la rue Saint-Jean, cette dernière multiplie les visites chez son oncle. À plusieurs reprises, la musicienne a été invitée à souper au domicile des dentistes. Célina a pu constater que la nièce de ses patrons n'est ni hautaine, ni méprisante envers elle. Plutôt que d'ignorer la bonne, comme le font trop souvent les bourgeois, elle lui adresse gentiment la parole pour la complimenter sur un plat.

L'homme consulte sa montre de gousset.

— On y va ? demande-t-il. Autrement, le spectacle va commencer sans nous.

— Mais je suis prête depuis longtemps, mon cher époux. C'est toi qui ne semblais pas pressé de partir…

— Le *pageant* débute à dix-sept heures, dans moins de trente minutes. Heureusement que j'ai eu la bonne idée d'acheter les billets à l'avance.

Célina sourit intérieurement. C'est elle, et non le docteur Casgrain, qui s'est rendue à la librairie A. O. Pruneau de la rue Saint-Jean, il y a deux jours. À la demande du dentiste, elle s'était procuré quatre cartes d'admission pour la représentation du samedi 25 juillet, en soirée. «Prends les meilleures places, celles à cinq dollars», lui avait-il recommandé. La jeune femme n'en revient pas du prix exorbitant des billets. Elle s'estime choyée de pouvoir assister à cet événement unique. Sans la générosité de ses patrons, jamais elle n'aurait pu s'offrir un tel luxe.

— Les femmes d'abord, ajoute galamment le dentiste.

— Je te préviens, Edmond. Je ne peux marcher qu'à petits pas avec cette robe.

— Au pire, je te porterai.

— Que je te vois essayer! réplique-t-elle en lui faisant les gros yeux. Un peu de décence quand même!

Edmond éclate de rire pendant que les femmes avancent sur le trottoir en papotant gaiement. Derrière elles, le dentiste revoit en pensée les événements des derniers jours. Depuis une semaine, la population vit au rythme du tricentenaire de Québec. Les portes de la ville sont décorées, ainsi que les maisons et les bâtiments municipaux. Edmond s'est volontiers prêté à l'allégresse générale en ornant la façade de sa maison de banderoles et de drapeaux français. Lundi dernier, les troupes militaires composées de onze mille soldats volontaires, miliciens et marins sont arrivées à Québec à bord de navires de guerre. Tout comme Emma, il aurait bien aimé assister à leur arrivée, mais le cabinet dentaire était passablement achalandé. Les navires proviennent du Royaume-Uni, des États-Unis et de la France. *Trois pays qui ont contribué à façonner notre histoire*, songe-t-il tout en marchant. Trois camps ont été érigés pour loger soldats et chevaux: deux au parc Savard et un à Lévis.

— Edmond! Tu m'écoutes oui ou non?

Le dentiste fait un effort pour revenir au présent. Tout à ses souvenirs, il n'a pas eu conscience que sa femme l'interpelle depuis un moment.

— Excuse-moi, j'étais distrait.

— J'ai bien vu ça, répond Emma d'une voix contrariée. Au cas où tu ne l'aurais pas remarqué, nous sommes arrivés devant les plaines d'Abraham. Comme c'est toi qui as les cartes d'admission, nous attendons que tu te décides à nous les remettre.

— Aucun problème.

L'homme porte la main droite à la poche de sa veste et en sort les billets qu'il distribue un à un aux trois femmes.

— Il faut se rendre à la grande estrade pour acheter le programme officiel. Cela ne coûte que vingt-cinq centimes, précise Edmond. J'en prends combien?

— Trois. Je suivrai les discours et les dialogues du *pageant* dans le tien.

Il acquiesce d'un signe de tête. Lorsque les dentistes Casgrain, leur nièce et leur domestique se retrouvent assis dans les gradins, la conversation reprend avec entrain.

— Il paraît que le spectacle en vaut la peine. Les décors et les costumes sont grandioses, selon certains de mes patients.

— J'ai bien hâte de voir ça, tante Emma.

Le nez plongé dans son programme, Anaïs le parcourt des yeux avec intérêt.

— Oh! Savez-vous que la musique a été composée par Joseph Vézina? s'écrie-t-elle.

— Oui, je viens de le lire. Quant aux discours et aux dialogues, ils sont écrits par Ernest Myrand. Une belle représentation en perspective.

Célina se demande bien qui sont ces deux hommes dont elle n'a jamais entendu prononcer les noms auparavant. Poser la question serait avouer son ignorance. Le panier de pique-nique déposé à ses pieds, elle se tient bien droite à côté de la demoiselle Casgrain. Celle-ci porte une robe élégante d'un bleu éclatant, assortie d'un parasol de la même couleur. Un doux parfum de fleur émane de sa personne et vient agréablement chatouiller les narines de la bonne. Ses belles mains de musicienne tiennent délicatement le programme de quarante pages. Honteuse, Célina tente de dissimuler ses ongles cassés en enfouissant ses mains dans les poches de sa jupe. Le dentiste Casgrain promène son regard dans l'assistance, saluant ici et là des connaissances. Emma agite son éventail. Avec les années, elle supporte de moins en moins la chaleur. Pourtant, elle n'aurait pas manqué cet événement pour tout l'or du monde.

— La foule est nombreuse, constate-t-elle.

— C'est ainsi chaque soir depuis le 21 juillet. En une semaine, la ville a accueilli tellement de visiteurs qu'elle a doublé en population. Les restaurateurs et les hôteliers ne s'en plaignent pas. Certains ont triplé leur chiffre d'affaires.

— Le bonheur des uns fait le malheur des autres, Edmond. Ceux qui travaillent au bureau de poste sont passablement occupés depuis le début des festivités. As-tu pensé au nombre effarant de visiteurs qui souhaitent expédier des cartes postales et de petits cadeaux souvenirs à leur famille ou à leurs amis aux quatre coins du pays ?

Anaïs se penche vers sa tante pour renchérir :

— Sans parler du gaz et de l'eau qui manquent à tour de rôle. Il y a aussi beaucoup de retard dans le service de tramway ces derniers jours. Plusieurs de mes élèves n'arrivent pas à l'heure à leur cours.

— C'est la rançon de la gloire, réplique Edmond. Avec une telle affluence de gens dans la ville, il fallait s'attendre à de petits inconvénients. La bonne nouvelle, c'est que cela ne durera que deux semaines.

— Je crois que ça va bientôt commencer. Regardez le type qui s'avance au milieu de la scène.

Aussitôt que l'homme prend la parole, les gens se taisent et tournent leur regard vers celui-ci. Durant plusieurs minutes, le présentateur explique les grandes lignes du spectacle historique. Tout ce que retient Célina de ce long discours se résume en quelques mots : huit *pageants* divisés en treize tableaux. « C'est toute l'histoire du Canada qui se déroulera devant nous », l'a prévenue sa patronne.

— Que le spectacle commence ! lance d'une voix forte le présentateur avant de se retirer discrètement de la scène.

— Il était temps, chuchote Emma qui sue à grosses gouttes sous sa belle robe. Célina, peux-tu nous donner de la citronnade ? Je meurs de soif.

La domestique ouvre le panier d'osier et en sort quatre gobelets qu'elle remplit généreusement avant de les distribuer.

— Hum ! Ça fait du bien, d'autant plus qu'elle est encore fraîche, murmure la dentiste qui appuie le gobelet froid contre sa joue.

Bien vite, Célina perd la notion du temps. Captivée par les costumes d'époque, la musique et les dialogues des personnages, elle se laisse transporter dans un monde jusqu'ici méconnu et qu'elle découvre avec plaisir. À sa droite, Anaïs consulte régulièrement son programme pour savoir où en est rendu le spectacle. Les tableaux se succèdent les uns après les autres sous la forme d'une pièce de théâtre qui reconstitue les événements marquants de l'histoire de la Nouvelle-France, de la guerre de Sept Ans et des invasions américaines. Jacques Cartier, Samuel de Champlain, les Hospitalières et les Ursulines, Dollard des Ormeaux, monseigneur de Laval, Frontenac, tous ces grands personnages revivent devant les yeux émerveillés des spectateurs. De temps à autre, Célina serre la main de sa voisine, tellement elle est prise par le jeu des acteurs et des figurants. La scène où les Iroquois attaquent Dollard et ses compagnons à Long-Sault lui fait pousser un cri d'effroi. Quant à Emma, elle apprécie les danses en costumes d'époque, particulièrement celle à la cour du roi Henri IV. La dentiste a cessé d'agiter son éventail depuis un bon moment, oubliant la chaleur encore bien présente malgré la tombée du jour. Edmond vérifie l'heure sur sa montre. *Presque vingt et une heures, le spectacle tire à sa fin,* songe-t-il. Comme pour lui donner raison, une grande parade d'honneur se forme à l'avant de la scène. Montcalm, Wolfe, Lévis, Murray, Carleton et Salaberry défilent à la tête de leur régiment respectif au son des fanfares et des canons. Tous les acteurs et les figurants ayant participé aux *pageants* viennent les rejoindre. Dans l'assistance, les spectateurs se lèvent et applaudissent à tout rompre ceux qui leur ont fait vivre ces grands moments de leur histoire durant quatre heures. Célina a les larmes aux yeux. La main crispée sur l'avant-bras de son mari, Emma fixe la scène, muette d'émotion. À l'unisson, spectateurs et acteurs entonnent Ô Canada, suivi de *Dieu sauve le roi.* Le prince de Galles salue ensuite la foule. La soirée se clôture par une envolée de pigeons blancs, symbole de la paix, de la justice et de l'équité. Les gens quittent les plaines d'Abraham dans le calme et la bonne humeur.

— Quelle soirée ! Je ne suis pas près de l'oublier, dit Emma qui avance à petits pas, appuyée au bras de son mari.

— Moi non plus, reconnaît Edmond. Elle passera sûrement à l'histoire.

* * *

Deux jours plus tard, le prince George quitte Québec. Les gens ont tenu à lui rendre hommage une dernière fois en se massant dans les rues étroites de la ville pour l'acclamer. Dans la nuit du 27 au 28 juillet, *L'Indomptable,* escorté de neuf bateaux de guerre anglais et américains, prend le large en direction de l'Angleterre. Le lendemain, les visiteurs commencent à quitter la ville. Puis, c'est au tour des deux frégates françaises, des dernières troupes militaires et de la police à cheval du Nord-Ouest canadien de rentrer chez eux. *Québec a retrouvé sa tranquillité. Toute bonne chose a une fin,* se dit le dentiste Casgrain en enlevant les décorations sur la façade de sa maison.

Chapitre 34

Edmond dépose le journal, puis retire ses lunettes. Il tend le bras pour éteindre la lampe. Le salon maintenant plongé dans le noir, le dentiste se cale dans son fauteuil, la mine songeuse. Ce qu'il vient de lire est loin de le rassurer. L'Allemagne a déclaré la guerre à la France et vient d'envahir la Belgique. Il a beau se dire que le conflit se déroule en Europe, rien ne peut garantir que le Canada sera épargné si l'Angleterre entre à son tour dans cette guerre. *Nous sommes une colonie anglaise.* Il a une pensée pour ses neveux. *Seront-ils appelés à combattre si la guerre s'intensifie?* Cette inquiétude, il la garde pour lui. Il y a certains sujets qu'il évite d'aborder avec sa femme. La politique internationale en est un. Combien de fois Emma lui a-t-elle répété que la politique, la guerre et le droit de vote doivent être réservés aux hommes? Il sent une main se poser sur son épaule.

— Viens te coucher, mon amour. Il se fait tard.

La voix de sa femme est douce à son oreille. Son corps sent délicieusement bon. Il a envie d'oublier la menace de cette guerre qui plane au-dessus de leurs têtes. D'un bond, il se lève. La tête lui tourne. L'homme vacille légèrement.

— Ça va, Edmond?

Il fait signe que oui. Pourtant, ces étourdissements surviennent de plus en plus souvent ces derniers jours. Edmond n'a pas fait part de ses faiblesses passagères à sa femme qui le regarde d'un air inquiet.

— Tu devrais ralentir un peu. Je n'aime pas te voir travailler autant.

Le regard d'Emma se pose sur *Le Soleil* abandonné sur la table.

— Lire toutes ces nouvelles déprimantes contenues dans les journaux, surtout avant d'aller au lit, n'aide pas à se sentir bien.

— Il faut se tenir informé de l'actualité, Emma.

— Pourquoi? Pouvons-nous changer le cours des événements? Comme cette guerre qui vient d'éclater en Europe… cela nous donne quoi de le savoir? Il y a déjà suffisamment de choses tristes qui arrivent ici sans en rajouter en nous morfondant avec des tragédies qui se jouent si loin de chez nous…

Au contraire, elle se rapproche dangereusement, se retient-il de répliquer.

— De toute façon, cette guerre ne durera pas longtemps, affirme-t-elle. Tout le monde est de cet avis. Alors, comme dirait ma mère, à quoi bon se faire du mouron?

Elle lui décoche un sourire avant de l'embrasser tendrement. Pendant qu'ils se dirigent vers leur chambre à coucher, elle lance d'un ton catégorique :

— Demain, je téléphonerai au docteur Ahern pour qu'il te voie en consultation.

— Pourquoi le déranger pour un simple étourdissement? proteste-t-il. Tu l'as dit toi-même, je travaille trop. Je n'ai qu'à diminuer mes heures et tout rentrera dans l'ordre.

— Laisse le médecin t'examiner, Edmond. À ton âge, mieux vaut être prudent et mettre toutes les chances de ton côté.

— À t'entendre, j'ai l'impression d'être centenaire, grommelle-t-il en pénétrant dans la chambre.

Emma l'entoure de ses bras et lui glisse à l'oreille :

— Tu es mon vieillard d'amour et je ne veux pas te perdre.

— Bon, tu as gagné. Appelle Ahern demain.

Il se dégage de son étreinte et caresse tendrement sa joue.

— Merci de tenir autant à moi, ma belle.

Elle plante ses yeux dans ceux de son homme et lui répond d'une voix grave :

— C'est normal, je t'aime.

* * *

Le 4 août 1914, la Grande-Bretagne déclare la guerre à l'Allemagne. Cette nouvelle est accueillie avec enthousiasme au Canada et au Québec. Edmond est l'un des rares à ne pas s'en réjouir. D'un geste las, il écrase son cigare dans le cendrier.

— Cette fois-ci, nous n'y échapperons pas. Nous ne pourrons pas simplement regarder la parade passer.

Assis dans un confortable fauteuil de cuir, Stanislas Gaudreau lui jette un regard intrigué.

— De quoi parles-tu, Edmond ?

— De la guerre. N'est-ce pas le sujet de conversation qui est sur toutes les lèvres en ce moment ?

— Ah ça ! Tu t'inquiètes pour rien. C'est de l'autre côté de l'océan.

Le dentiste Casgrain pianote nerveusement sur l'accoudoir de son fauteuil.

— Il faudra que le Canada fasse son effort de guerre. Tu le sais aussi bien que moi, Stan. Nous ne pourrons pas rester neutres dans ce conflit. Nous sommes une colonie britannique.

— Toi et moi sommes un peu vieux pour partir au front, lance à la blague le frère d'Emma.

Edmond balaie l'air d'un geste de la main.

— Je ne pense pas à nous, mais aux jeunes. J'ai plusieurs neveux…

— Advenant que tu dises vrai, cela m'étonnerait que le gouvernement canadien impose l'enrôlement obligatoire. Ce sera plutôt une contribution volontaire.

— Au début peut-être, mais ça changera vite si le conflit prend de l'ampleur en Europe.

— Tu vois tout en noir, ce soir. Pourquoi te tracasser pour des choses qui n'arriveront sans doute pas? Vis l'instant présent, Edmond. Cela fait des semaines que nous n'avons pas eu un moment de détente. Nos femmes s'accordent pour dire que nous travaillons trop. Pour une fois que nous les écoutons et sortons de notre cabinet, il faudrait en profiter un peu, tu ne crois pas?

Edmond se contente de siroter son whisky. À quoi bon se lancer dans une longue discussion perdue d'avance?

— Tu viens faire une partie de billard? propose son beau-frère.

— Non merci, je ne bouge pas de mon fauteuil.

Stanislas sourit.

— À tantôt, paresseux.

Edmond le suit des yeux un moment. Il envie la prestance de son beau-frère. Peu importe les circonstances, ce dernier est toujours habillé avec goût. Ce soir, il porte une chemise blanche bien coupée, une veste noire cintrée et le pli de son pantalon noir est impeccable. Au début de la quarantaine, Stanislas Gaudreau est encore un bel homme. *Rien de comparable à moi dont la santé décline à vue d'œil. Il est loin le temps où je m'habillais avec élégance. Mon vieux corps frileux recherche maintenant confort et chaleur, rien d'autre,* songe-t-il avec amertume. Le dentiste se penche pour déposer son verre à demi plein sur la table. Sa main tremble légèrement. Quelques gouttes de whisky éclaboussent son pull de cachemire. L'homme retient un juron. *En plus d'être vieux, je deviens maladroit.* Il s'en veut d'avoir taché ce vêtement tout neuf, d'autant plus que c'est le cadeau d'anniversaire d'Emma pour ses soixante-huit ans. Avec un soupir, il frotte la tache du revers de la main. *Encore du lavage pour Célina.* Autour de lui, les hommes discutent en prenant un verre. Certains jouent aux cartes, d'autres au billard. Il n'y a pas si longtemps, il prenait du plaisir à fréquenter cet endroit réservé à l'élite masculine de la ville. «Le club des gentlemen», comme se plaît à le nommer sa femme, n'a plus autant d'inté-rêt pour lui. Depuis sa visite au docteur Ahern, Edmond ne se sent plus le même homme. Après l'avoir examiné, le médecin lui a vivement recommandé de cesser de travailler. «Ménagez votre cœur. Il est fragile et bien usé. Reposez-vous et faites le moins d'efforts possible.» Ébranlé par la nouvelle, Edmond était sorti du bureau de consultation perdu dans ses réflexions. Un coup de klaxon strident l'avait fait sursauter et rappelé à l'ordre. Distrait, il n'avait même pas réalisé qu'il marchait dans la rue plutôt que sur le trottoir. Comme un automate, il avait pris le chemin de la maison. Emma le guettait par la fenêtre. Aussitôt qu'elle l'avait aperçu, elle avait pressenti que les nouvelles n'étaient pas bonnes. Son maintien le trahissait. Elle ne l'avait jamais vu courber les épaules, lui qui se faisait un devoir de marcher le dos droit et les épaules redressées. Le cœur angoissé, elle était allée à sa rencontre. Edmond avait levé sur elle un regard indéchiffrable. Elle ne lui avait posé aucune question, sentant qu'il n'était pas prêt à y répondre. Avec amour et tendresse, elle lui avait pris la main. Ensemble, ils avaient gravi lentement l'escalier qui les menait à leur logis.

— Tu en fais une tête. Est-ce encore cette guerre dans les vieux pays qui te préoccupe?

— Assois-toi, Stan. Je dois te parler, répond Edmond, l'air sombre.

Étonné de la mine grave de son beau-frère, Stanislas obéit sans discuter. Plusieurs pensées tournent dans sa tête pendant qu'il attend les confidences d'Edmond. Celui-ci tourne vers lui un visage fatigué.

— Je suis très malade. Je n'en ai plus pour longtemps.

Les yeux écarquillés et la bouche ouverte, Stanislas le fixe, éberlué.

— Cela fait des jours que je garde tout ça en dedans de moi. Je ne peux plus continuer ainsi et faire semblant que tout va bien. La maladie gagne du terrain chaque jour et je sens mes forces m'abandonner.

Edmond passe une main sur son visage, puis frotte ses yeux avant d'ajouter :

— Je m'inquiète surtout pour Emma. Promets-moi que tu veilleras sur elle lorsque je n'y serai plus.

— Voyons, ça n'a aucun sens ! Tu as toujours été une force de la nature. As-tu consulté un médecin ? Je suis sûr que tu t'en fais pour rien. As-tu…

Edmond lève la main pour le faire taire.

— J'ai vu le meilleur et j'ai passé une série de tests. Il est trop tard, la médecine ne peut plus rien faire.

Volontairement, il tait que le docteur Ahern lui avait recommandé de cesser de travailler. Têtu, le vieux dentiste n'a pas tenu compte de cette recommandation et a persisté à ouvrir son cabinet du lundi au vendredi. Résultat, il se sent de plus en plus épuisé et affaibli.

— Emma est au courant ?

— Je lui ai caché certaines choses afin de ne pas l'inquiéter.

— Tu devrais tout lui dire. Ma sœur est plus forte que tu le crois.

Edmond appuie sa tête sur le dossier du fauteuil et ferme les yeux un moment. Lorsqu'il les ouvre, il répond d'une voix triste :

— Le 16 octobre, nous avons célébré notre trente-cinquième anniversaire de mariage. Le temps a passé si vite. J'ai été heureux avec ta sœur. Pas une seconde, j'ai regretté de l'avoir épousée. C'est une femme merveilleuse qui m'a comblé sur tous les points. Je sais qu'Emma n'est pas quelqu'un de fragile ni de faible, mais elle reste une femme. Elle a besoin d'être protégée, soutenue. La société est ainsi faite. Célibataire, mariée ou veuve, la femme a besoin d'un homme pour veiller sur elle. Jusqu'à ce jour, j'ai rempli ce rôle, mais…

La voix brisée par l'émotion, Edmond fait des efforts pour refouler ses larmes. Ému, Stanislas le laisse poursuivre sans l'interrompre.

— J'ai besoin de savoir qu'Emma ne sera pas seule lorsque je serai parti. Elle n'a plus de père, la plupart de ses frères vivent aux États-Unis et nous n'avons pas eu la chance d'avoir d'enfants. Qui s'occupera d'elle après mon départ ?

Stanislas pose une main rassurante sur celle de son beau-frère.

— Moi, Edmond. Ne te torture plus l'esprit avec cette question. Je te promets qu'Emma pourra compter sur moi. Je serai toujours là pour elle, peu importe les circonstances.

— Merci, murmure le dentiste Casgrain dont les yeux brillent de larmes contenues.

Les deux hommes échangent un regard complice.

— Je vais rentrer maintenant. La fumée des pipes et des cigares me monte à la tête et j'ai des choses à discuter avec ma femme.

Avec peine, Edmond se lève. Stanislas se retient de l'aider. Il connaît la fierté de son beau-frère. Pour la première fois, il prend conscience combien celui-ci a vieilli. Avec tristesse, il remarque les épaules affaissées, le visage ridé et pâle, les traits crispés par l'anxiété, le souffle court, la démarche incertaine de celui qu'il a toujours considéré comme son grand frère et ami. *Comment ai-je pu être aveugle à ce point et ne pas voir combien Edmond était souffrant ?* se reproche-t-il amèrement. Dehors, une pluie diluvienne les prend par surprise.

— Attends-moi à l'intérieur. Je vais chercher la voiture.

— Elle n'est pas garée loin, je t'accompagne, proteste mollement Edmond.

— Mais non, à moins que tu tiennes mordicus à être trempé comme un canard.

La remarque fait naître un sourire sur le visage fatigué du dentiste Casgrain.

— Je me dépêche. J'en ai pour cinq minutes.

Déjà, Stanislas court sous la pluie tandis qu'Edmond retourne à l'intérieur d'un pas lourd et lent.

* * *

Depuis le soir où Edmond lui a révélé son état de santé, Emma ne dort que d'une oreille. Chaque nuit, elle l'entend se lever et marcher avec difficulté jusqu'au salon. Elle résiste à l'envie de le rejoindre, se doutant qu'il a besoin de solitude pour affronter sa souffrance. Dans le grand lit déserté par son homme, la femme verse des larmes silencieuses, pressentant la fin prochaine de celui qu'elle aime. Il ne mange presque plus. Célina lui prépare ses mets préférés, mais l'assiette revient presque intacte à la cuisine. Emma mord son poing pour ne pas éclater en sanglots. Elle sait combien la décision de cesser de travailler lui a été difficile à prendre. Maintenant qu'elle opère seule dans le cabinet dentaire, elle doit répondre aux interrogations des patients, qui regrettent le départ précipité du doyen des dentistes de la ville. Certains ont de la misère à croire que celui-ci a pris sa retraite pour de bon. Avec patience, elle leur explique la situation, insistant sur le fait que c'est par respect pour eux qu'il a pris cette décision. « Mon mari a les gestes moins précis et sûrs qu'avant. Il ne veut pas commettre d'erreurs et risquer d'abîmer la dentition de ses patients. Vous le savez, il s'est toujours montré efficace et professionnel envers vous. S'il n'était pas aussi malade, il continuerait d'exercer sa profession », leur répète-t-elle. Emma se tourne dans le lit. Cela fait trois jours que le téléphone ne dérougit pas. Les gens appellent pour prendre des nouvelles d'Edmond, se montrent attristés par sa maladie et lui souhaitent un prompt rétablissement. La dentiste réalise à quel point son mari est respecté et honoré, et combien son cercle d'amis est étendu. S'il n'en tenait qu'à elle, Emma passerait ses journées auprès de lui. Mais Edmond s'y est opposé. Une larme coule sur sa joue à l'évocation de ce souvenir. C'était un lundi soir, quelques jours après l'annonce de cette nouvelle qui l'avait tant bouleversée. Le temps était doux pour octobre. L'été indien. Edmond lui avait proposé de prendre l'air quelques minutes. « Une petite marche de santé », avait-il ajouté avec un brin d'humour. Son entrain sonnait faux. Elle percevait chez lui beaucoup d'amertume. Son ton de fausse gaieté ne la trompait pas. Un sourire sur les lèvres, elle avait joué à celle qui ne sait pas et avait accepté son invitation. Edmond avait mis du temps à descendre les marches de l'escalier. Emma devinait qu'il ne se sentait pas très solide sur ses jambes. Derrière lui, elle parlait de tout et de rien, simulant un air enjoué qu'elle était pourtant loin de ressentir. La dernière chose qu'elle voulait lui montrer, c'était la tristesse qui lui rongeait le cœur en le voyant si affaibli. À l'extérieur de la maison, elle lui avait pris le bras pour marcher. Pour la première fois, c'était Edmond qui s'appuyait sur elle. Chaque pas semblait lui coûter un effort. Sa respiration était sifflante. Constamment, il s'épongeait le front alors qu'elle frissonnait dans sa robe beige de lainage léger. Incapable de le voir souffrir davantage, elle avait insisté pour retourner chez eux, prétextant qu'elle avait froid. Avait-il été dupe de son mensonge ?

Elle l'ignorait, mais cela n'avait pas d'importance. Pour elle, tout ce qui comptait, c'était qu'il n'abuse pas du peu de force qui lui restait. De peine et de misère, il avait gravi l'escalier, s'arrêtant aux trois marches pour reprendre son souffle. Le cœur gros, elle ne reconnaissait plus son mari en cet homme aux cheveux blancs, accablé de fatigue et d'épuisement. Parvenue au salon, elle lui avait servi un verre de cognac pendant qu'il se laissait tomber dans son fauteuil. «Je vais fermer le cabinet pour quelque temps», lui avait-elle annoncé en s'assoyant près de lui. Edmond avait failli s'étouffer en avalant de travers. «Je veux être près de toi», avait-elle ajouté le plus calmement possible, alors que son cœur battait à grands coups dans sa poitrine. Le dentiste avait vivement secoué la tête de gauche à droite. «Pas question que tu joues à l'infirmière auprès de moi. Tu es ma femme, Emma.» Elle avait eu beau insister, il avait été inflexible. «C'est non! avait-il tranché d'un ton ferme. Je ne veux pas que tu te confines des journées entières dans un lieu qui sent le renfermé, les médicaments et la maladie. Ce ne serait bon ni pour toi ni pour moi. Célina sera là. Tu n'as pas à t'inquiéter.» Elle avait compris qu'il refusait qu'elle le voie s'étioler un peu plus chaque jour. Emma tend l'oreille. «Il a quitté son fauteuil.» Le plancher de bois craque dans le silence de la nuit. Pour ne pas réveiller sa femme qu'il croit endormie, il n'allume pas la lampe. Dans le noir, il se dirige à tâtons vers le lit. Lentement, il retire sa robe de chambre et la dépose sur le dossier de la chaise. Après avoir enlevé ses pantoufles, il se glisse entre les draps, puis remonte la couverture jusqu'à son menton. À trois reprises, il pousse un long soupir. Emma feint le sommeil. Pourtant, elle brûle d'envie de le questionner, de lui demander comment il se sent. *Une trop grande sollicitude risque de l'agacer*, pense-t-elle.

— Tu ne dors pas?

La voix éteinte d'Edmond la prend par surprise.

— Je sommeillais…

— C'est moi qui t'ai réveillée ?

— Non, j'ai le sommeil léger depuis quelque temps.

— Oui, depuis que tu t'inquiètes pour moi, marmonne-t-il.

Elle ne peut pas nier, il devine ses états d'âme… comme toujours.

— Ça ne sert à rien de te mentir, Edmond. Oui, je m'en fais pour toi.

— Te faire un sang d'encre n'arrangera pas les choses.

Emma se redresse dans le lit et remonte ses genoux contre sa poitrine. Il y a tant de choses qu'elle voudrait lui dire. Par où commencer ? Des larmes lui voilent les yeux. *Heureusement qu'il fait sombre !*

— Ne pleure pas, ma belle.

Il lui prend tendrement la main et la presse contre la sienne. Emma éclate en sanglots. Elle ne peut plus retenir cette peine qu'elle garde au fond d'elle depuis des jours. Elle se blottit contre lui.

— C'est trop injuste, dit-elle entre deux sanglots.

— Je sais, murmure-t-il en lui caressant les cheveux.

— Je t'aime tellement, Edmond. Je ne pourrai pas vivre sans toi.

Il fait un effort surhumain pour répliquer d'une voix neutre :

— Il le faudra, Emma. Ta vie ne s'arrêtera pas après mon départ. Tu es encore jeune. Tu rencontreras un autre homme avec qui tu feras un bout de chemin et qui te rendra heureuse.

— Comment peux-tu croire une telle chose ? Je ne me remarierai jamais. Tu as été et tu resteras l'homme de ma vie.

Touché par ce cri du cœur, il la serre contre lui sans faire de commentaire. Au fond de lui, il sait que, si les rôles avaient été inversés, il aurait réagi comme elle, car il est l'homme d'une seule femme.

* * *

Dans la berceuse qu'elle a fait installer dans leur chambre il y a quelques jours, Emma somnole depuis un moment. Les longues heures au chevet d'Edmond ont eu raison de sa résistance. Stanislas et Anaïs lui ont offert de prendre la relève afin qu'elle puisse se reposer un peu. Chaque fois, elle a refusé. «C'est mon mari! Je veux être auprès de lui le plus longtemps possible.» Le frère et la nièce se sont inclinés, non sans lui avoir répété qu'ils restaient disponibles en tout temps. Quant au docteur Ahern, chaque matin il s'arrête quelques minutes au domicile des Casgrain avant de se rendre à l'Hôtel-Dieu de Québec. Il n'a plus espoir de sauver son patient. «Sans sa forte constitution, votre mari n'aurait pas tenu aussi longtemps, madame Casgrain», lui avait-il chuchoté la veille, sur le seuil de la porte. Pendant qu'il enfilait son manteau, Emma lui avait demandé à voix basse: «Dois-je prévenir le prêtre?» Plongeant ses yeux dans ceux de la femme, le médecin avait répondu avec une tristesse infinie dans la voix: «Le plus tôt sera le mieux.» La dentiste avait accusé le coup sans broncher. Au fond d'elle-même, elle connaissait déjà la réponse. Ahern lui avait lancé un regard désolé avant de prendre congé. Comme dans un brouillard ou dans un mauvais rêve, Emma avait refermé la porte, muette de consternation. À la vue de sa patronne prostrée devant la porte d'entrée, Célina avait été prise de pitié. Spontanément, la domestique était allée la rejoindre. Sans un mot, elle avait passé son bras autour des épaules de la femme dévastée par le chagrin. Un geste de familiarité qu'elle ne s'était jamais permis auparavant. Mais elle avait perçu la détresse de sa patronne et voulait ainsi lui offrir son soutien en cette épreuve qu'elle traversait. En dix-huit ans de loyaux services, Célina avait pu mesurer l'amour qui unissait les deux dentistes. Plus d'une fois, elle avait surpris le docteur Casgrain envelopper sa femme d'un regard empli de tendresse. Et l'inverse était tout aussi vrai.

— Madame Emma! Madame Emma! Réveillez-vous!

— Quoi? Qu'est-ce qu'il y a? marmonne la dentiste d'une voix enrouée par le sommeil.

Elle ouvre des yeux endormis et aperçoit le visage en larmes de Célina penchée vers elle.

— C'est monsieur le docteur, bredouille la bonne, incapable d'en dire davantage.

En proie à un grand trouble, Célina serre ses mains l'une contre l'autre. Tout à fait réveillée, Emma bondit de la berceuse, renversant du même coup le chapelet et le livre qui reposaient sur ses genoux. Elle se précipite vers le lit. Edmond est d'une blancheur anormale. Les yeux fermés, il ne réagit pas lorsqu'elle crie son nom ni quand elle le secoue.

— Il s'en est allé, madame, sanglote Célina.

— Non, c'est impossible! Il va se réveiller, il n'est pas mort, il…

Emma s'écroule sur le torse de son homme et pleure sans retenue. Célina sent que sa patronne a besoin de la présence d'un proche pour l'aider à surmonter le drame qui la frappe de plein fouet. Sans plus attendre, elle se dirige au salon et décroche le combiné de la boîte murale. Dès qu'une voix féminine se fait entendre à l'autre bout, elle donne le numéro de téléphone de Stanislas Gaudreau à la standardiste. Une fois la communication établie, Célina explique brièvement la situation au dentiste.

— Je m'en viens! dit l'homme, mettant ainsi fin à l'appel.

D'une main tremblante, la domestique raccroche le combiné. Elle prend une grande respiration pour tenter de calmer les battements désordonnés de son cœur. Des sanglots étouffés lui parviennent. Prenant son courage à deux mains, elle retourne auprès de sa patronne, priant pour que le frère de madame Emma arrive au plus vite. Lorsqu'elle pénètre dans la chambre de ses maîtres, elle ne sait trop comment réagir. Le spectacle qui s'offre à ses yeux est triste et émouvant. Les paupières fermées, la dentiste est allongée à côté du défunt et lui caresse tendrement les cheveux. À pas feutrés, la jeune femme sort de la pièce. *Mademoiselle Casgrain!* songe-t-elle soudain. *J'ai oublié de la prévenir.* De nouveau, la domestique utilise le téléphone. Après un long grésillement, la sonnerie retentit. *Pourvu qu'elle ne dorme pas trop dur!* La voix douce et mélodieuse de la musicienne se fait bientôt entendre. Dès que Célina se nomme, Anaïs devine le but de l'appel.

— Mon oncle est décédé? demande la fille du notaire Casgrain.

— Oui, mademoiselle. Il n'y a même pas une heure.

Anaïs pousse un petit cri.

— Pauvre tante Emma! Elle doit être complètement sous le choc. Vous avez bien fait de m'appeler, Célina. Je serai là dans moins de trente minutes. Y a-t-il quelqu'un auprès d'elle?

— Le dentiste Gaudreau doit arriver sous peu.

— Bien, d'ici là retournez auprès de madame Casgrain. Elle ne doit pas rester seule en pareille circonstance.

La voix d'Anaïs s'étrangle dans un sanglot.

— Merci, Célina, d'être aussi dévouée, ajoute-t-elle avant de raccrocher.

***

— Une chance que tu es là pour voir à tout, Stan. Sans ton aide, je ne sais pas comment je ferais, déclare Emma d'une voix chevrotante.

Recroquevillée dans le fauteuil préféré d'Edmond, elle adresse à son frère un petit sourire triste.

— C'est normal que je te soutienne dans cette épreuve. Tu es ma petite sœur.

— J'ai onze ans de plus que toi, lui rappelle-t-elle affectueusement.

— Quoi qu'il en soit, je veillerai sur toi tant et aussi longtemps que tu le voudras. Marie-Hélène et moi serons toujours là. Tu peux compter sur nous en tout temps.

Sans un mot, Emma serre la main de son frère. *Dans sa robe noire, elle ressemble à une veuve de la tragédie grecque,* pense l'homme qui pose un regard inquiet sur sa sœur. *Il faudra bien l'entourer.* Depuis le décès de son beau-frère survenu dans la soirée du 31 octobre, Stanislas a pris les choses en main. Avec l'accord d'Emma, il a pris les dispositions nécessaires auprès de la maison mortuaire Lépine. Comme le veut la tradition, le défunt sera exposé chez lui. Stan a opté pour la chambre d'amis plutôt que le salon. La veuve avait approuvé d'un vague signe de tête. Ici ou ailleurs, la peine serait aussi grande. Emma retire sa main de celle de son frère et se masse doucement les tempes.

— Tu as mal à la tête ? s'informe Stanislas.

— Oui, la douleur ne me quitte pas depuis deux jours.

Depuis la mort d'Edmond, calcule-t-il mentalement.

— Veux-tu un cachet ?

— J'en ai déjà pris. Cela ne fait aucun effet.

— Un peu de musique douce, alors ?

— Non, ça me rendrait encore plus triste. Chaque fois que le gramophone joue, je ne peux m'empêcher de penser à Edmond. Tu sais à quel point il affectionnait la belle musique. Je le revois choisir un disque dans la pile posée sur cette table.

— Une infusion de camomille? Cela soulage le mal de tête…

— Stan… s'il te plaît!

— OK! Je n'insiste plus, mais essaie de te reposer. Les prochaines heures seront pénibles.

Les mains jointes sur les genoux, les doigts crispés, Emma fixe la fenêtre, le regard absent. Ses lèvres ont pris un pli amer. Les larmes ne sont pas loin.

— Veux-tu que je reste dormir cette nuit?

— C'est gentil de me le proposer, mais retourne chez toi. Marie-Hélène doit s'inquiéter.

— Je n'aime pas te savoir seule en ce moment.

— Célina est ici. Allez, va rejoindre ta femme.

Le dentiste se lève et embrasse sa sœur sur le front.

— N'hésite pas à me téléphoner si tu as besoin de quoi que ce soit. À n'importe quelle heure du jour ou de la nuit, précise-t-il en lui adressant un clin d'œil.

La veuve esquisse un sourire.

— File maintenant.

Stanislas se résigne à partir.

— À demain, Emma.

Elle le suit des yeux jusqu'à la porte qu'il ouvre, puis referme derrière lui. Lorsqu'elle l'entend descendre les marches de l'escalier d'un pas énergique, elle laisse libre cours à ses larmes qu'elle retenait devant lui. Cela fait deux jours que le corps d'Edmond est exposé à la maison. Elle a tenu à être présente en tout temps, debout de longues heures à serrer les mains et à recevoir les messages de condoléances des nombreux visiteurs venus rendre un dernier hommage au docteur Casgrain. Certains se sont déplacés de loin. Encore une fois, Stanislas s'est occupé de tout. C'est lui qui s'est rendu au quotidien *Le Soleil* pour faire publier l'annonce du décès dans la rubrique nécrologique. *Le D*ᵣ *Casgrain est mort. Cet éminent citoyen, professionnel de mérite, a succombé hier soir. Âgé de soixante-huit ans.* Il a aussi rédigé un bref article résumant les grandes lignes de la vie de son beau-frère et a joint une photo de celui-ci. Stanislas a également prévenu les familles Gaudreau et Casgrain. Louis-Placide Gaudreau a télégraphié qu'il viendrait à l'enterrement. Cela fait si longtemps qu'Emma ne l'a pas vu. *Il aura fallu la mort d'Edmond pour nous réunir,* songe-t-elle avec amertume. Pourtant, elle ne peut en vouloir à son frère. *Je n'ai même pas assisté à son mariage il y a quinze ans.* Comme plusieurs membres de leur famille, Louis vit aux États-Unis. Barbier de profession, il a épousé Amanda Hébert dont la famille est établie à Salem, au Massachusetts. En d'autres circonstances, elle se réjouirait de la présence de son frère.

— Avez-vous encore besoin de moi, madame Emma ?

La voix de la bonne la tire de ses rêveries. Elle fait un effort pour prendre un ton serein en s'adressant à sa fidèle domestique.

— Non, Célina. Tu peux te retirer.

— Bonne nuit, madame.

Restée seule, Emma laisse échapper un long soupir. Dans sa tête, elle voit défiler les visages de ses parents, de Joséphine, d'Edmond… *Tous ceux que j'ai aimés ont quitté ce monde. Où sont-ils maintenant ?* De la fenêtre, elle fixe le ciel plein d'étoiles. *Edmond est-il l'une d'elles ?* se demande-t-elle. Comme pour lui répondre, le feu crépite au salon. Emma ne croit pas au surnaturel, encore moins au spiritisme qui connaît un engouement en Europe et aux États-Unis depuis le milieu du siècle dernier. La table tournante utilisée par les adeptes du spiritisme pour dialoguer avec les esprits de l'au-delà n'est, pour elle, que pure machination. Pourtant, ce soir, elle donnerait cher pour y croire. *Tu me manques tellement, mon amour. Si seulement je pouvais entendre ta voix ou te voir… savoir si tout va bien pour toi et si tu es en paix.* Elle s'enroule frileusement dans son châle. *Ce soir, tu aurais apprécié la visite des Congrégationnistes de la Haute-Ville, Edmond. Ils sont venus à la maison pour réciter l'office de la Sainte Vierge. Une célébration en latin de trente minutes. Avant de partir, chacun d'eux a tenu à m'adresser quelques mots de sympathie. Dans leurs yeux, j'ai décelé de la compassion pour moi et du respect pour toi. Ces hommes ne t'oublieront pas de sitôt. Tu as été l'un des leurs depuis tant d'années. J'ai lu quelque part qu'une personne n'est pas vraiment morte tant et aussi longtemps qu'on se souvient d'elle. Ne crains rien, mon amour. Tu seras toujours présent dans mon cœur et dans ma tête.*

***

Le jour vient de se lever en ce matin du 3 novembre 1914. Emma a passé la nuit dans le fauteuil préféré d'Edmond, n'ayant pas la force de se déplacer jusqu'à son lit. Les membres ankylosés et douloureux, elle se rend jusqu'à la cuisine où s'active déjà la bonne. Célina lui adresse un pâle sourire.

— Je vous sers une tasse de thé, madame Emma ?

— Non, surtout pas, répond cette dernière en grimaçant.

— Avez-vous un peu dormi ?

— J'ai somnolé par moments.

La dentiste fait pitié à voir avec ses paupières gonflées et rougies par les larmes.

— Si tu savais comme j'ai hâte que cette journée soit derrière moi, Célina. Tous ces gens qui seront là. J'ai bien peur de ne pas pouvoir contrôler mes émotions et de fondre en larmes devant eux.

— Quand bien même ça arriverait, ils comprendront. C'est votre mari que vous portez en terre, pas un inconnu.

Emma se mouche discrètement.

— Je vais me préparer. Ma nièce devrait bientôt arriver. Fais-la patienter au salon.

Une fois dans sa chambre, elle enlève ses vêtements de la veille, puis passe une serviette mouillée et parfumée sur son corps. Un bain chaud lui aurait fait du bien, mais elle ne dispose pas d'assez de temps. La veille, Célina a pris soin d'étaler la robe de deuil de sa patronne sur le lit. La veuve l'enfile avec précaution et s'assoit devant sa table de toilette pour se coiffer. Elle remonte ses cheveux en un chignon, puis choisit l'un des flacons sur la coiffeuse. Doucement, elle enlève le bouchon en forme de fleur. Après avoir versé quelques gouttes dans sa main, elle applique le parfum sur ses poignets et derrière le lobe de ses oreilles, tout en contemplant son reflet dans la glace. *J'ai vieilli de dix ans en quelques jours,* constate-t-elle. Elle tend l'oreille, ayant cru entendre le timbre de la porte d'entrée. Quelques secondes plus tard, elle reconnaît la voix d'Anaïs. *Toujours à l'heure, celle-là.* Se pinçant les joues pour leur redonner un peu de couleur, Emma s'examine une dernière fois dans le miroir avant de quitter la chambre. Lorsque la veuve franchit le seuil du salon, la conversation entre la visiteuse et la domestique s'interrompt brusquement.

— Bonjour Anaïs !

— Tante Emma ! Avez-vous pu dormir un peu la nuit dernière ?

— À peine.

La nièce prend un air désolé et ouvre la bouche pour répliquer.

— Je suis prête, partons avant que les autres arrivent, décrète sa tante.

Le manteau encore sur le dos, Anaïs se lève de son siège et replace de la main les plis de sa longue jupe noire pendant que Célina se dépêche d'aller quérir celui de sa patronne. Elle a juste le temps de revenir que le téléphone se met à sonner.

— Ne réponds pas, Célina. Je n'ai pas le temps de converser. Mon frère doit nous attendre devant la maison avec sa voiture. Tu viens, Anaïs?

Sans attendre sa réponse, la veuve ouvre la porte d'entrée et s'engage résolument dans l'escalier. La musicienne échange un regard de connivence avec la bonne. Toutes les deux excusent l'attitude un peu rêche de la dentiste.

— À tantôt, Célina, murmure Anaïs.

Emma a dit vrai. Stanislas Gaudreau a garé sa voiture devant la demeure des Casgrain depuis un bon cinq minutes. Dès qu'il aperçoit les deux femmes venir dans sa direction, l'homme sort du véhicule pour leur ouvrir la portière. La veuve monte à l'avant, alors que sa nièce prend place sur la banquette arrière à côté de Marie-Hélène.

— Le ciel est lourd et sombre. Espérons que nous aurons le temps de nous rendre à la basilique avant qu'il se mette à pleuvoir.

Le visage dissimulé derrière une voilette, la veuve n'émet aucun commentaire. Dans son cœur, il pleut depuis des jours. Emmurée dans son chagrin, elle souffre de tout son être et se désintéresse totalement des propos de son frère. Qu'il pleuve ou qu'il fasse soleil, quelle importance? Cela ne lui ramènera pas son homme. Le reste du trajet se fait dans le plus grand silence.

— Je vous dépose ici, dit Stanislas. Allez vite vous mettre à l'abri dans l'église.

Les trois femmes descendent de la voiture. Luttant contre le vent, elles gravissent les quelques marches avant de s'engouffrer dans la basilique. Stanislas retourne chez sa sœur. Ses frères, Jean-Baptiste et Louis, ainsi que son beau-frère Joseph Ratté, mari de sa sœur Angelina, doivent l'attendre. Emma n'a pas voulu être présente lorsqu'on refermera le couvercle du cercueil. « C'est au-dessus de mes forces, je ne peux pas », a-t-elle dit la veille à Stanislas. De plus, elle lui a demandé de la conduire directement à l'église le matin des funérailles. Son frère a protesté, argumentant qu'à titre d'épouse du défunt, elle se devait de faire partie du cortège funèbre. Mais la veuve a tenu bon. « Je ne me livrerai pas en pâture aux regards de ceux qui se délectent de la peine des autres. J'attendrai le cortège à l'église, point final. » Par solidarité, Anaïs et Marie-Hélène ont offert de se joindre à Emma plutôt que de marcher derrière le corbillard, auprès des membres de la famille. Stanislas aperçoit le corbillard noir ainsi que plusieurs personnes devant la résidence des dentistes Casgrain. À peine a-t-il garé sa voiture que deux hommes sortent de la maison dans un silence respectueux. Les entrepreneurs de pompes funèbres ouvrent l'arrière du véhicule et y déposent le cercueil. Jean-Baptiste Gaudreau fait signe à Stanislas de s'approcher. Le dentiste fait partie des quatre porteurs, tous beaux-frères du défunt, qui n'a plus de frère pour jouer ce rôle. Jean-Baptiste tend à Stanislas l'un des cordons du poêle attaché au drap qui recouvre le cercueil. Les porteurs tiennent chacun un cordon. Ils avancent lentement au même rythme que le corbillard tiré par deux chevaux noirs au poil lustré. Les hommes, neveux du défunt, marchent derrière le corbillard. Les femmes de la famille éprouvée leur emboîtent le pas. Viennent ensuite, dans le cortège, parents et amis. Sur la rue Saint-Jean, au passage du corbillard, les voisins massés sur les trottoirs font un signe de croix. Certains hommes n'hésitent pas à retirer leur chapeau malgré le froid humide de ce matin de novembre. La nouvelle du décès du chirurgien-dentiste Henri-Edmond Casgrain s'est propagée comme une traînée de poudre dans la ville. Bien des gens ont tenu à braver le ciel menaçant pour assister au passage du cortège funèbre. Alors qu'Emma y voyait une curiosité malsaine, Stanislas y perçoit plutôt considération et estime. À neuf heures du matin, le cortège s'arrête devant la basilique Notre-Dame de Québec. La pluie tombe à gros grains.

— Si ça continue, il va neiger, grommelle un vieil homme qui souffle dans ses mains pour les réchauffer.

Les portes de l'église s'ouvrent pendant que les porteurs empoignent chacun un coin du cercueil. D'un pas saccadé, ils pénètrent dans le lieu saint et déposent le cercueil sur un catafalque situé dans la nef. Des cierges allumés sont disposés aux quatre coins de l'estrade décorée en noir. Assise dans le premier banc en compagnie de sa nièce et de sa belle-sœur, Emma cache ses larmes derrière sa voilette. Stanislas vient s'asseoir près d'elle et glisse sa main dans la sienne. Peu à peu, l'église se remplit. Des toussotements se font entendre ici et là. Anaïs résiste à la tentation de se retourner pour découvrir qui est venu aux funérailles de son oncle. Elle jette un œil à sa tante, qui conserve un air calme malgré sa douleur. Seul le mouchoir roulé en boule dans sa main gauche trahit sa nervosité. Les yeux de la musicienne s'attardent sur les prêtres devant l'autel principal. Elle reconnaît deux de ses cousins : l'abbé François-Xavier Casgrain (fils d'Eugène) et Joseph Lavoie (fils de Joséphine Casgrain), curé de Dorchester. Tous deux dans la cinquantaine, ils assistent monseigneur Henri Têtu qui officie au service de son cousin. La messe commence quelques minutes plus tard. Anaïs pense à son père. Décédé au manoir de L'Islet en 1895, le notaire Casgrain avait eu des funérailles modestes comparées à celles de son frère. Sa mort était survenue un 2 décembre et il avait été inhumé cinq jours plus tard. Il n'avait que cinquante-sept ans. La jeune femme revoit sa mère accablée de chagrin qui serrait contre elle ses deux plus jeunes pendant que les six autres refoulaient leurs larmes devant le cercueil de leur père. Jules-Étienne Casgrain laissait derrière lui huit enfants dont l'âge s'échelonnait de quatre à vingt ans. *J'avais seize ans au décès de papa. Même après dix-neuf ans, il me manque encore,* songe Anaïs. Un léger coup de coude l'oblige à revenir au présent. Marie-Hélène l'incite discrètement à s'agenouiller. La nièce du dentiste prend conscience qu'elle est la seule encore assise sur son banc. Un peu honteuse, elle imite les autres fidèles tout en remerciant du regard la femme de Stanislas Gaudreau. Elle se promet d'être plus attentive et de ne plus laisser son esprit s'égarer, du moins jusqu'à la fin de la cérémonie. Sourde à ce qui se déroule autour d'elle, la veuve communique en esprit avec l'âme du défunt. Elle sent sa présence rassurante, réconfortante. Une grande paix l'habite pendant que le chœur entonne le *requiem. Edmond ne m'a pas quittée. Il est là,* se dit-elle. Avec dignité, elle se lève et suit les porteurs qui progressent lentement dans l'allée centrale. Les yeux fixés sur le cercueil, elle avance vers la sortie, indifférente aux personnes qui posent sur elle un regard plein de compassion. Marie-Hélène et Anaïs marchent à ses côtés. Les trois femmes montent dans la première voiture, mise à leur disposition par la maison Lépine.

— Je n'ai jamais vu autant de monde à un enterrement, murmure la musicienne dès que le véhicule se met en marche.

— Edmond était une personnalité importante de Québec, souligne Marie-Hélène. Ses funérailles se devaient d'être grandioses.

Le regard caché par sa voilette, Emma ne se joint pas à la conversation. Elle a hâte que cette journée se termine enfin. Se retrouver seule, ne plus serrer de main ni adresser de sourire contraint à tous ceux venus lui témoigner leur sympathie et lui offrir leurs plus sincères condoléances. Elle aurait souhaité vivre cette épreuve dans la plus stricte intimité. Hier soir, Stanislas lui avait mentionné que plusieurs juges, médecins, dentistes, échevins, prêtres, d'anciens confrères de classe d'Edmond et même le représentant du lieutenant-gouverneur avaient confirmé leur présence aux funérailles. Emma était restée de marbre. Que lui importait la présence de tous ces hommes?

— S'il pouvait cesser de pleuvoir! murmure Marie-Hélène. Un enterrement, c'est déjà assez triste. Pas besoin d'en rajouter.

— On est en novembre, réplique Anaïs. C'est le mois des morts et c'est aussi le plus triste de l'année. Il y a toujours des pluies torrentielles et des vents maussades à cette période de l'année.

Les deux femmes continuent leur dialogue à voix basse jusqu'au portail du cimetière Notre-Dame-de-Belmont. Emma frissonne en apercevant la statue imposante d'un ange à l'entrée. Elle l'a reconnu aisément. C'est celui du Jugement dernier. À sa main, il tient une trompette. Celle qui sonne la résurrection des morts. La mort effraie Emma depuis toujours. Un vent de panique s'empare de la veuve. Le gardien ouvre les grilles, permettant ainsi au cortège funèbre de pénétrer et de se rendre jusqu'à la fosse. Les jambes flageolantes, elle descend de la voiture. Son cœur cogne à grands coups dans sa poitrine. La dentiste Casgrain tient à peine debout. Elle craint de s'évanouir. C'est à peine si elle a conscience que le prêtre bénit la fosse, puis que l'on y dépose le cercueil. Soutenue par deux de ses frères, elle lance une poignée de terre sur la tombe en étouffant ses sanglots du mieux qu'elle le peut. Le sang bat ses tempes avec violence. Malgré le froid automnal, elle transpire d'anxiété.

— Viens, Emma, lui chuchote Stanislas. Il est temps de partir.

Tous les membres de la veuve se raidissent. Elle a l'impression d'abandonner Edmond en quittant le cimetière. Malgré elle, son frère l'entraîne doucement vers la voiture. Il pleut maintenant des cordes. Heureusement que Stanislas la tient fermement par le bras, sinon elle risquerait de trébucher sur les jupes de sa robe noire et de s'étaler de tout son long. Le sol mouillé et glissant semble se dérober sous ses bottines. Dès qu'elle se retrouve assise sur le siège arrière de la voiture, elle fond en larmes. Sa nièce et sa belle-sœur échangent des regards navrés. Elles se sentent impuissantes devant tant de souffrance. Les mots de consolation sont inutiles.

— Comment vais-je faire sans Edmond? Ma vie n'aura plus aucun sens.

Que lui répondre? se demande Anaïs. N'écoutant que son cœur, la jeune femme passe un bras réconfortant autour des épaules de sa tante. Les pleurs de la veuve redoublent. Marie-Hélène tapote la main d'Emma, tandis que Stanislas serre les mâchoires douloureusement. La peine de sa sœur préférée lui fait mal. Il donnerait tout ce qu'il possède pour qu'Edmond soit encore vivant et bien portant. Lorsque le chauffeur de la maison Lépine stationne le véhicule devant le domicile des Casgrain, Emma baisse sa voilette et reprend un air impassible. Elle doit faire preuve de retenue devant tous ces visiteurs qui afflueront chez elle dans quelques minutes. D'une main gantée, elle rassemble ses jupes noires avant de descendre de l'automobile. La pluie forte lui fait accélérer le pas. Elle s'engouffre dans la maison et gravit les marches de l'escalier en s'efforçant de ne penser à rien. Parvenue à l'étage, la porte s'ouvre aussitôt et le visage de la bonne apparaît dans l'embrasure.

— En votre absence, j'ai fait du feu au salon pour chasser l'humidité, murmure la domestique qui s'efface pour laisser passer sa patronne.

— Tu as bien fait, répond Emma qui déboutonne son manteau. Je ne sais pas combien de gens viendront. Le temps maussade risque d'en décourager plus d'un.

La veuve souhaiterait se retrouver seule et s'enfermer à double tour dans sa chambre. Elle tend son manteau, sa voilette et ses gants à Célina, puis s'assoit sur une chaise pour retirer ses bottines et enfiler des souliers.

— Si j'en juge par le nombre de voitures qui se stationnent près de la maison, ta prédiction se révèle fausse, réplique le dentiste Gaudreau qui vient de rejoindre les femmes.

J'espère que tout ce beau monde ne s'éternisera pas, se dit Emma en observant son image triste dans le miroir au-dessus de la console. Quelques minutes plus tard, des bruits de voix étouffées parviennent du rez-de-chaussée. La veuve retient un soupir de contrariété. Elle se serait bien passée de la présence des visiteurs de marque. *Si seulement je pouvais me soustraire à la vue de tous ces curieux qui se délectent du chagrin des autres. Encore des mains à serrer, des sourires polis à esquisser, des remerciements à faire. Je suis à bout de forces. Quand aurai-je enfin la paix?* se demande-t-elle pendant qu'elle accueille les premiers arrivés. Les nerfs à fleur de peau et les jambes en coton, elle se compose un visage neutre qui ne laisse pas entrevoir le flot d'émotions qui la submerge. Bientôt, la maison se remplit de monde. Un plateau à la main, Célina se promène d'un groupe à l'autre pour offrir des petites bouchées. Peu de femmes sont présentes, mis à part celles de la famille. Angelina, la sœur d'Emma, se montre prévenante et ne quitte pas la veuve des yeux. Après s'être mariée aux États-Unis au début du siècle, elle est revenue vivre au pays avec son mari, Joseph Ratté, il y a quelques années. Le couple et ses enfants habitent maintenant Saint-Augustin-de-Desmaures. Assise au côté de ses belles-sœurs Marie-Flavie et Marie-Hélène, Angelina prête une oreille discrète aux propos des deux femmes.

— Un bien beau service chanté! Le chœur était magnifique.

Angelina approuve d'un signe de tête.

— J'avais peur qu'Emma craque durant la cérémonie, mais elle a tenu le coup, ajoute à voix basse l'épouse de Stanislas. Elle s'est effondrée seulement dans la voiture, après avoir quitté le cimetière.

— Elle l'aimait tellement, répond tristement Angelina. Dans chacune de ses lettres, son amour et son admiration pour Edmond étaient évidents.

— Et c'était réciproque. Lorsqu'on les voyait ensemble, leur amour ne faisait aucun doute. Ils se dévoraient des yeux. Parfois, cela en devenait presque gênant, murmure Marie-Hélène.

Angelina sourit intérieurement. *En effet, pour la bonne société bourgeoise de Québec, afficher ouvertement sa passion amoureuse ne correspond pas aux normes établies,* songe-t-elle.

— Ma sœur n'a jamais craint de dévoiler ses sentiments, répond-elle de sa voix douce et flûtée.

— Ni de s'affirmer et de prendre sa place. Heureusement, Edmond ne lui a jamais mis des bâtons dans les roues. Rares sont les maris qui auraient accepté que leur femme entreprenne une profession d'homme. Ta sœur a eu de la chance d'épouser un homme doté d'une aussi grande ouverture d'esprit.

— Moi, je pense qu'ils se complétaient bien. Edmond n'aurait pas voulu épouser une femme soumise, muette et dépourvue de toute initiative. Il aimait sa combativité et le fait qu'Emma lui tienne tête, même si parfois cela devait provoquer des étincelles.

— Oh! pour ça oui! souligne Marie-Hélène. J'ai été témoin de certaines prises de bec entre eux. On ne peut pas dire que ta sœur avait la langue dans sa poche. Si quelque chose lui déplaisait, elle ne se gênait pas pour le lui dire. Et bien souvent sans mettre de gants blancs.

— Emma n'a jamais fait dans la dentelle, reconnaît Angelina. Avec elle, pas de demi-mesure.

La femme de Jean-Baptiste Gaudreau s'approche, une tasse de thé à la main.

— Emma semble épuisée. Elle est pâle à faire peur, décrète-t-elle en prenant place auprès de ses belles-sœurs.

— Je lui ai offert de venir passer quelques jours à la maison. Ça lui changerait les idées. Elle a refusé.

— Stanislas lui a proposé la même chose, Angelina. Ta sœur a poliment décliné l'invitation. À mon avis, elle n'aspire qu'à se retrouver seule. Vous a-t-elle mentionné son intention de faire ériger un imposant mausolée en hommage à Edmond au printemps prochain ?

Les deux femmes regardent Marie-Hélène d'un air étonné. Angelina joue avec la fine chaîne d'or qu'elle porte au cou.

— Non, elle ne m'en a pas parlé, répond-elle. Stanislas et toi êtes plus proches d'Emma. C'est normal qu'elle se confie à vous. Les années où j'ai vécu aux États-Unis nous ont éloignées l'une de l'autre. J'espère rattraper le temps perdu maintenant que nous sommes revenus au Québec, Joseph et moi.

— Tu le pourras, Angelina. Ta sœur aura besoin du soutien de toute sa famille.

Épilogue

Emma continua d'exercer sa profession de dentiste jusqu'en 1920. Préoccupée par le sort des pauvres, elle n'hésita pas à leur donner des soins dentaires. Elle sacrifia même une partie de sa fortune pour leur venir en aide. Cinq ans après le décès de son mari, elle vendit sa maison de la rue Saint-Jean au marchand Gaspard Huot pour s'installer au 180, rue Aberdeen.

On sait très peu de choses sur les dernières années de sa vie. Elle succomba à une maladie de quelques jours, le 7 octobre 1934. Son avis de décès parut dans *L'Action catholique*, le lendemain. Ses obsèques eurent lieu à l'église Saint-Dominique, le mercredi matin 11 octobre. Elle laissa dans le deuil cinq frères et une sœur :

Joseph : Domicilié à Chicago, Illinois

Prudent : Domicilié à San Diego, Californie

François-Xavier : Domicilié à Beverly Farms, Massachusetts

Louis : Domicilié à Salem, Massachusetts

Stanislas : Domicilié à Québec, Québec

Angelina (madame Joseph Ratté) : Domiciliée à Saint-Augustin-de-Desmaures, Québec

Au 180, rue Aberdeen, ville de Québec, une épigraphe rappelle le souvenir de celle qui a été la première femme dentiste du Canada.

Remerciements

Mes plus sincères remerciements à monsieur Daniel Bertrand des Éditeurs réunis, ainsi qu'à toute son équipe. Grâce à eux, Emma Gaudreau et Edmond Casgrain ont pu sortir de l'ombre et mériter la place qui leur revenait de plein droit.

MARQUIS

Québec, Canada